TEACHER MAN

UN JEUNE PROF À NEW YORK

DU MÊME AUTEUR

Les Cendres d'Angela, Belfond, 1997, et J'ai Lu (n° 5000), 2001

C'est comment l'Amérique ?, Belfond, 2000, et Pocket, 2002

FRANK McCOURT

TEACHER MAN
UN JEUNE PROF À NEW YORK

Traduit de l'américain
par Laurence Viallet

belfond
12, avenue d'Italie
75013 Paris

Titre original :
TEACHER MAN
publié par Scribner, New York.

Certains noms et certains détails cités dans *Teacher man* ont été changés.

Si vous souhaitez recevoir notre catalogue
et être tenu au courant de nos publications,
vous pouvez consulter notre site internet :
www.belfond.fr
ou envoyer vos nom et adresse,
en citant, ce livre,
aux Éditions Belfond,
12, avenue d'Italie, 75013 Paris.
Et, pour le Canada,
à Interforum Canada Inc.,
1055, bd René-Lévesque-Est,
Bureau 1100,
Montréal, Québec, H2L 4S5.

ISBN 2-7144-4242-0

Ce livre est dédié aux générations suivantes
de la tribu McCourt :

Siobhan (fille de Malachy) et ses enfants, Fiona et Mark
Malachy de Bali (fils de Malachy)
Nina (belle-fille de Malachy)
Mary Elizabeth (fille de Michael) et sa fille, Sophia
Angela (fille de Michael)
Conor (fils de Malachy) et sa fille, Gillian
Cormac (fils de Malachy) et sa fille, Adrianna
Maggie (fille de Frank) et ses enfants, Chiara, Frankie,
et Jack
Allison (fille d'Alphie)
Mikey (fils de Michael)
Katie (fille de Michael)

Chantez votre chanson, dansez votre danse,
racontez votre histoire.

Prologue

SI J'AVAIS QUELQUES CONNAISSANCES SUR SIGMUND FREUD et la psychanalyse, je pourrais attribuer tous mes problèmes à mon enfance malheureuse en Irlande. Cette enfance malheureuse m'a ôté tout amour-propre, m'a incité à m'apitoyer sur mon sort, a paralysé mes émotions, m'a rendu grincheux, envieux et irrespectueux de l'autorité, a retardé mon développement, a inhibé mes relations avec le sexe opposé, m'a empêché de m'élever dans le monde et m'a rendu inapte, ou presque, à la société humaine. Le fait que je me sois débrouillé pour devenir prof et le rester est un miracle et je peux me féliciter d'avoir survécu à toutes ces années passées dans les salles de classe de New York. Si l'on devait décorer les gens qui ont survécu à une enfance malheureuse et sont devenus profs, je devrais être bien placé pour obtenir une médaille, ainsi que les citations susceptibles d'être ajoutées à mon tableau pour les épreuves qui s'en sont suivies.

Je pourrais en rejeter la responsabilité sur quelqu'un d'autre. L'enfance malheureuse ne tombe pas du ciel. Quelque chose l'a provoquée. Il y a des forces obscures. Si je dois rejeter la responsabilité sur quelqu'un, c'est dans un esprit de pardon. Par conséquent, je pardonne aux personnes suivantes : le pape Pie XII ; les Anglais de manière générale et le roi George VI en particulier ; le cardinal MacRory, qui gouvernait l'Irlande quand j'étais petit ; l'évêque de Limerick, qui avait l'air de croire que tout n'était que péché ; Eamonn De Valera, ancien Premier ministre (*Taoiseach* en irlandais) et président de l'Irlande. M. De Valera était un fanatique gaélique à moitié espagnol (un oignon espagnol dans un *stew*[1] irlandais) qui a ordonné à tous les professeurs irlandais de nous forcer à parler notre langue maternelle à coups de trique et de brimer notre curiosité naturelle. Il est responsable de longues heures de souffrance. Dédaigneux, il était indifférent aux marques noires et bleues provoquées sur les diverses parties de nos corps juvéniles que laissaient les baguettes des maîtres d'école. Je pardonne, aussi, au curé qui m'a chassé du confessionnal quand j'ai reconnu les péchés de masturbation, de pollutions nocturnes et de vol de piécettes dans le porte-monnaie de ma mère. Il a dit que je ne faisais pas montre d'un esprit de repentance convenable, en particulier pour les choses de la chair. Et, bien qu'il ait vu juste, son refus de m'accorder l'absolution a mis mon âme dans un péril tel que si j'avais été écrasé par un camion devant l'église il aurait été responsable de ma damnation éternelle. Je pardonne à divers maîtres d'école tyranniques de m'avoir fait tomber de ma chaise en me tirant les

1. Plat traditionnel irlandais (sorte de ragoût d'agneau). *(Toutes les notes sont de la traductrice.)*

cheveux, de m'avoir régulièrement flanqué des coups avec une trique, une lanière, une canne quand j'hésitais à répondre en cours de catéchisme ou quand, en calcul mental, je n'arrivais pas à diviser 937 par 739. Mes parents et les autres adultes me disaient que c'était pour mon bien. Je leur pardonne cette colossale hypocrisie et me demande où ils sont à présent. Au paradis ? En enfer ? Au purgatoire (si ça existe encore) ?

Je me pardonne également, même si ça me fait hurler de revenir sur certaines étapes de ma vie. Quel âne. Que de craintes. Que de sottises. Que d'indécisions et d'hésitations.

Pourtant j'y reviens encore. J'ai passé mon enfance et mon adolescence à examiner ma conscience, pour découvrir chaque fois que je vivais dans le péché. Un tel dressage, un tel lavage de cerveau, un tel conditionnement décourageait la suffisance, surtout parmi la classe pécheresse.

Il me semble désormais que le temps est venu de me reconnaître au moins une vertu : l'obstination. Ce n'est certes pas aussi chic que l'ambition, le talent, l'intelligence ou le charme, mais c'est tout de même grâce à ça que j'ai pu continuer.

F. Scott Fitzgerald a dit qu'il n'y avait pas de deuxième acte dans la vie d'un Américain. C'est qu'il n'a pas vécu assez longtemps. Dans mon cas, il se trompait.

Pendant les trente ans où j'ai enseigné dans les lycées de New York, personne à part mes élèves ne m'a porté le moindre intérêt. En dehors du monde de l'école j'étais invisible. Puis j'ai écrit un livre sur mon enfance et je suis devenu l'Irlandais de service.

J'espérais que le livre expliquerait l'histoire familiale aux enfants et aux petits-enfants McCourt. J'espérais qu'il s'en vendrait quelques centaines d'exemplaires et que je serais invité à débattre dans des cercles de lecture. Au lieu de quoi il a gravi la liste des meilleures ventes, il a été traduit dans trente langues, j'en avais le tournis. Ce livre a été mon deuxième acte.

Dans le monde de la littérature je suis le retardataire, le dernier arrivé, le petit nouveau. Mon premier livre, *Les Cendres d'Angela*, a été publié en 1996 alors que j'avais soixante-six ans, le deuxième, *C'est comment l'Amérique ?*, en 1999, alors que j'en avais soixante-neuf. C'est même un miracle qu'à cet âge j'aie été encore capable de tenir un stylo. Mes nouveaux amis (rencontrés récemment grâce à mon ascension dans la liste des meilleures ventes) ont publié à l'âge de vingt ans. Des jeunots.

Mais pourquoi cela a-t-il été aussi long ?

J'enseignais, voilà pourquoi. Pas dans le supérieur ni à l'université, où tu as tout le temps que tu veux pour écrire ou pour d'autres distractions, mais dans quatre lycées publics de la ville de New York. (J'ai lu des romans sur la vie des professeurs de faculté, qui les montrent tellement occupés à tromper leurs femmes et à grenouiller dans le milieu universitaire qu'on se demande à quel moment ils trouvent le temps de faire un petit cours.) Quand tu enseignes quotidiennement à cinq classes de lycéens, cinq jours par semaine, tu es peu enclin, une fois rentré chez toi, à t'aérer l'esprit en ciselant une prose impérissable. À la fin d'une journée passée avec cinq classes, tu as la tête pleine des vociférations des élèves.

Je ne m'étais pas attendu à ce que *Les Cendres*

d'Angela attirent la moindre attention, mais quand le livre a atteint le sommet de la liste des meilleures ventes, je suis devenu le chouchou des médias. J'ai été pris en photo des centaines de fois. J'étais la nouveauté gériatrique à l'accent irlandais. J'ai été interviewé par des dizaines de journaux. J'ai rencontré des gouverneurs, des maires, des acteurs. J'ai rencontré le premier président Bush et son fils le gouverneur du Texas. J'ai rencontré le président Clinton et Hillary Rodham Clinton. J'ai rencontré Gregory Peck. J'ai rencontré le pape et baisé sa bague. Sarah, duchesse d'York, m'a interviewé. Elle a dit que j'étais son premier Prix Pulitzer. J'ai répondu qu'elle était ma première duchesse. Elle a dit, Ooh, et a demandé au caméraman, Vous l'avez bien pris ? Vous l'avez bien pris ? J'ai été sélectionné pour le Grammy du livre audio et j'ai failli rencontrer Elton John. Les gens me regardaient d'un autre œil. Ils disaient, Oh, vous avez écrit ce livre, Par ici, s'il vous plaît, monsieur McCourt, ou, Y a-t-il quelque chose qui vous ferait plaisir, n'importe quoi ? Une femme dans un café m'a jeté un coup d'œil avant de déclarer, Je vous ai vu à la télé. Vous devez être quelqu'un d'important. Qui êtes-vous ? Est-ce que je pourrais avoir un autographe ? On m'écoutait. On me demandait mon opinion sur l'Irlande, la conjonctivite, l'alcoolisme, la dentition, l'éducation, la religion, l'angoisse existentielle des adolescents, William Butler Yeats, la littérature en général. Quel livre lisez-vous cet été ? Quels livres avez-vous lus cette année ? Le catholicisme, l'écriture, la faim. J'ai parlé devant des assemblées de dentistes, d'avocats, d'ophtalmologistes et, bien sûr, de profs. J'ai voyagé de par le monde en ma qualité d'Irlandais, de prof, d'autorité en matière de misère en tout genre, de lumière d'espoir pour toutes les personnes du troisième âge qui ont toujours eu le désir de raconter leur histoire.

Ils ont fait un film des *Cendres d'Angela*. Quoi que vous écriviez en Amérique on parle toujours du film. Tu pourrais recopier le bottin de Manhattan, et ils diraient, Alors, quand est-ce que sort ce film ?

Si je n'avais pas écrit *Les Cendres d'Angela*, je serais mort en suppliant, Encore un an, mon Dieu, rien qu'un an de plus parce que ce livre est la seule chose que je veux faire dans ma vie, ou ce qu'il en reste. Jamais je n'aurais rêvé qu'il devienne best-seller. J'espérais qu'il serait en rayon et que, tapi dans la librairie, je pourrais lorgner les belles femmes qui le feuilletteraient en essuyant une larme occasionnelle. Elles achèteraient le livre, bien sûr, l'emporteraient chez elles, se prélasseraient sur leur divan et liraient mon histoire en sirotant une infusion ou un bon sherry. Elles commanderaient des exemplaires pour toutes leurs amies.

Dans *C'est comment l'Amérique ?* j'ai décrit ma vie en Amérique et comment je suis devenu prof. Après la publication du livre, j'étais tarabusté par le sentiment d'avoir traité l'enseignement de manière trop expéditive. Là-bas, les médecins, les avocats, les généraux, les acteurs, les gens de télévision et les politiciens sont admirés et récompensés. Pas les profs. Les enseignants, ce sont les bonnes à tout faire du monde professionnel. On dit aux profs d'utiliser la porte de service ou de passer par-derrière. On les félicite d'être TTV (Tout le Temps en Vacances). On leur parle avec condescendance et on flatte, rétrospectivement, leur tête chenue. Oh, oui, j'ai eu une prof d'anglais, Mlle Smith, qui m'a beaucoup marqué. Jamais je n'oublierai cette chère vieille Mlle Smith. Elle avait coutume de dire que si elle parvenait à toucher ne serait-ce qu'un enfant au cours de ses quarante ans de carrière cela en vaudrait la peine. Elle mourrait heureuse. L'inoubliable prof d'anglais disparaît ensuite dans les ténèbres grises et vivote grâce à sa maigre retraite, rêvant au seul enfant à qui elle aurait peut-être jamais transmis quelque chose. Rêve toujours, prof. On ne te célébrera jamais.

Tu te vois pénétrer dans la classe, rester immobile un moment, en attendant le silence, observer les élèves pendant qu'ils ouvrent leur cahier et décapuchonnent leur stylo, tu leur dis ton nom, tu l'écris sur le tableau, tu commences le cours.

Sur le bureau se trouve le programme d'anglais fourni par l'établissement. Tu enseigneras l'orthographe, le vocabulaire, la grammaire, le commentaire de texte, la dissertation, la littérature.

Il te tarde d'en arriver à la littérature. Tu animeras de vives discussions sur des poèmes, des pièces, des essais, des romans, des nouvelles. Les mains de cent soixante-dix élèves s'agiteront en l'air et ils crieront, Moi, moi, m'sieur McCourt, j'veux dire quelque chose !

Tu espères qu'ils auront quelque chose à dire. Tu ne veux pas qu'ils restent assis bouche bée alors que tu t'escrimes à ce que ton cours soit vivant.

Tu te régaleras du corpus de la littérature anglaise et américaine. Quels bons moments tu vas passer avec Carlyle et Arnold, Emerson et Thoreau. Tu meurs d'impatience d'étudier Shelley, Keats et Byron et ce bon vieux Walt Whitman. Tes élèves adoreront ce romantisme et cette rébellion, cette défiance. Tu te vois déjà sur les barricades.

En passant dans le couloir, le proviseur ou d'autres représentants de l'autorité entendront une clameur d'excitation dans ta classe. Ils regarderont par la porte vitrée, s'émerveillant de voir ces mains levées, cette agitation et l'excitation sur les visages de ces filles et de ces garçons, ces plombiers, électriciens, esthéticiennes, charpentiers, mécaniciens, dactylos, opérateurs.

Tu seras sélectionné pour des prix : Professeur de l'année, Professeur du siècle. Tu seras invité à Washington. Eisenhower te serrera la main. Les journaux te demanderont, à toi, simple professeur, ton opinion sur l'éducation. Voilà qui défraiera la chronique : on demande à un prof son opinion sur l'éducation. Waouh. Tu passeras à la télévision.

La télévision.

Imagine : un prof à la télévision.

On t'enverra à Hollywood, où tu seras la vedette d'un film sur ta propre vie. Des débuts sans prétention, une enfance malheureuse, des problèmes avec l'Église (que tu as courageusement défiée), des images de toi, seul dans un coin, lisant à la lueur d'une bougie : Chaucer, Shakespeare, Austen, Dickens. Seul dans ton coin, tu clignes de tes pauvres yeux malades et lis courageusement jusqu'à ce que ta mère t'enlève la bougie, te dise que si tu n'arrêtes pas tes yeux vont tomber de leurs orbites. Tu la supplies de te rapporter la bougie, il ne te reste plus qu'une centaine de pages pour finir *Dombey et fils*, et elle dit, Non, je ne veux pas être obligée de te servir de guide dans les rues de Limerick, devant tous ces gens qui me demanderont comment tu as pu devenir aveugle alors qu'il y a un an tu tapais dans le ballon avec les meilleurs d'entre eux.

Tu dis oui à ta mère parce que tu connais la chanson irlandaise :

L'amour d'une mère est bénédiction
Qu'importe où la vie te mènera
Garde-la tant qu'elle est là
Elle te manquera quand elle partira.

En plus, tu ne pourrais jamais faire l'effronté devant une mère de cinéma jouée par une de ces vieilles actrices irlandaises, Sarah Allgood ou Una O'Connor, avec leur langue de vipère et leur visage de martyres. Ta mère avait elle aussi un air de chien battu, mais ce n'est rien à côté de ce qu'on voit sur un grand écran, que ce soit en noir et blanc ou en couleur.

Ton père pourrait être interprété par Clark Gable, à ceci près que a) il aurait peut-être du mal à reproduire l'accent nord-irlandais de ton père et que b) ce serait pour lui une sacrée dégringolade après *Autant en emporte le vent,* lequel, tu t'en souviens, a été censuré en Irlande parce que, dit-on, Rhett Buttler portait sa propre femme, Scarlett, dans les escaliers et jusque dans le lit, ce qui a choqué les censeurs de Dublin et les a incités à interdire le film. Non, il te faudrait quelqu'un d'autre pour incarner ton père parce que les censeurs irlandais auraient le film à l'œil et que tu serais amèrement déçu si les gens de Limerick, ta ville, et tous les Irlandais ne pouvaient voir l'histoire de ton enfance malheureuse et ton triomphe ultérieur en tant que professeur et vedette du septième art.

Mais cela ne serait pas la fin de l'histoire. La

véritable histoire raconterait comment tu avais finalement résisté aux sirènes d'Hollywood, comment après toutes les nuits où on t'avait nourri, abreuvé, célébré et où des actrices, stars ou starlettes t'avaient attiré dans leur lit, tu avais découvert la vacuité de leur vie, qu'elles s'étaient épanchées sur des oreillers de satin, que tu les avais écoutées, tiraillé par la culpabilité, tandis qu'elles t'exprimaient leur admiration, que ta dévotion pour tes élèves avait fait de toi une idole et une icône d'Hollywood, que les ravissantes actrices, stars ou starlettes, regrettaient de s'être égarées, d'avoir épousé le néant de la vie hollywoodienne alors qu'elles pourraient, si elles plaquaient tout, connaître chaque jour le plaisir de faire honnêtement cours aux futurs artisans, commerçants et dactylos d'Amérique. Quel plaisir on doit éprouver, diraient-elles, de se réveiller le matin, de bondir fièrement de son lit, de savoir qu'avant même de s'être étiré une nouvelle journée débute, au cours de laquelle on va se dévouer corps et âme à la jeunesse américaine, satisfait de son maigre salaire, la vraie récompense se trouvant dans les yeux impatients des élèves, ces yeux qui brillent de gratitude lorsqu'ils apportent les présents de leurs parents reconnaissants et admiratifs : cookies, pain, pâtes maison et, de temps à autre, une bouteille du vin, produit des vignes du jardin d'une famille italienne, les mères et les pères de tes cent soixante-dix élèves du lycée technique et professionnel MacKee, dans la circonscription de Staten Island, New York.

PREMIÈRE PARTIE

La route est longue qui mène à la pédagogie

1

LES VOILÀ.

Et je ne suis pas prêt.

Comment le serais-je ?

Je suis un professeur débutant et j'apprends le métier.

Le premier jour de ma carrière, j'ai failli être viré pour avoir mangé le sandwich d'un lycéen. Le deuxième jour, j'ai failli être viré parce que j'avais évoqué la possibilité d'une relation avec un mouton. À part ça, il n'y a rien eu de marquant lors des trente années que j'ai passées dans les classes de la ville de New York. Je me suis souvent demandé ce que je faisais là. À la fin, je n'en revenais pas d'avoir tenu si longtemps.

Nous sommes en mars 1958. Je suis à mon bureau dans une salle de classe vide du lycée professionnel et technique McKee, dans la circonscription de Staten Island, New York. Je joue avec le matériel qu'on m'a fourni : cinq chemises en papier kraft, une par classe ; un petit tas d'élastiques abîmés ; un bloc de papier à lettres marron et moucheté datant de la guerre ; une brosse usée ; une pile de cartes blanches que j'insérerai les unes après les autres dans les fentes d'un carnet rouge en ruine afin de mémoriser les noms des cent soixante et quelque garçons et filles de cinq classes différentes qui s'assiéront en rang chaque jour. Sur les cartes je consignerai les présences et les retards et je ferai une petite marque quand les garçons et les filles se comporteront mal. On m'a dit d'utiliser un stylo rouge pour consigner les mauvais comportements, mais l'école ne m'en a pas fourni, et maintenant je dois en faire la requête par formulaire ou en acheter un car le stylo rouge qui signale ces problèmes est l'arme la plus redoutable du professeur. Il y a beaucoup de choses que je vais devoir acheter. L'Amérique d'Eisenhower connaît la prospérité mais celle-ci s'arrête aux portes de l'école, surtout dans le cas des profs débutants qui ont besoin de fournitures scolaires. Une note d'un proviseur adjoint chargé de l'administration rappelle à tous les enseignants les difficultés économiques de la ville et les prie de n'utiliser les requêtes qu'avec parcimonie. Ce matin, je dois prendre des décisions. Dans une minute la sonnerie va retentir. Ils vont s'engouffrer dans la salle et que vont-ils dire s'ils me voient derrière le bureau ? Eh, regarde-moi ça : il se planque. Ce sont des experts, en matière de profs. Quand on est assis derrière son bureau, ça veut dire qu'on a peur ou qu'on est flemmard. On utilise le bureau comme un bouclier. Le mieux, c'est que tu sortes d'ici et que tu te lèves.

Fais face à la tempête. Sois un homme. Commets une erreur le premier jour, et il te faudra des mois pour la rattraper.

Les gamins qui arrivent sont en première, seize ans, onze ans d'école de la maternelle à ce jour. Donc, des profs arrivent, d'autres s'en vont, de toutes sortes, vieux, jeunes, sévères, gentils. Les gamins observent, examinent, jugent. Ils savent décoder le langage du corps, le ton de la voix, le comportement de manière générale. Pas comme s'ils s'asseyaient dans les toilettes ou à la cantine pour parler de ces choses-là. Simplement, ils les assimilent, pendant onze ans, les transmettent aux générations suivantes. Fais attention à Mlle Boyd, vont-ils dire. Des devoirs, vieux, des devoirs, et elle les corrige. Elle les corrige. Elle est pas mariée, donc elle a rien d'autre à faire. Faut toujours essayer d'avoir des profs mariés, avec des enfants. Ils ont pas que ça à faire, passer leur temps avec des copies et des livres. Si Mlle Boyd se faisait sauter régulièrement elle nous donnerait pas autant de devoirs. Elle est toujours fourrée chez elle avec son chat, à écouter de la musique classique, à corriger nos devoirs, à nous embêter. Pas comme certains profs, qui vous donnent des tonnes de devoirs, ne les vérifient pas, n'y jettent pas un coup d'œil. On pourrait copier une page de la Bible, ils écriraient en rouge, « Très bien ». Pas Mlle Boyd. Elle, elle vous tombe sur le râble illico. Excuse-moi, Charlie. Est-ce que tu as écrit ça tout seul ? Et tu dois avouer, non, pas tout seul et te voilà dans un beau merdier, vieux.

C'est une erreur d'arriver en avance, ça laisse trop de temps pour réfléchir à ce qui t'attend. Comment ai-je eu le culot de penser que je pourrais maîtriser des adolescents américains ? L'ignorance. Voilà où j'ai trouvé ce culot. C'est l'époque d'Eisenhower et les journaux rendent compte du formidable désarroi des adolescents américains. Ce sont les « Enfants perdus des enfants perdus de la génération perdue ». Films, comédies musicales, livres racontent leur désarroi : *La Fureur de vivre, Graine de violence, West Side Story, L'Attrape-cœur*. Leur message est désespérant. La vie n'a pas de sens. Tous les adultes sont bidon. Quel est le sens de la vie ? Ils n'ont plus rien à attendre, pas même une bonne guerre bien à eux où ils pourraient tuer des autochtones dans des contrées lointaines avant de remonter Broadway en traînant la patte, sous les acclamations, bardés de décorations, pour la plus grande admiration des filles. Inutile de se plaindre à leur père, qui vient de faire la guerre, ou à leur mère, qui a attendu pendant que le père combattait. Les pères disent, Oh, la ferme ! M'enquiquine pas. J'ai une livre d'éclats d'obus dans le fion et j'ai pas de temps à perdre avec tes rouspétances et tes râleries alors que t'as le ventre plein et que ton placard est rempli de nippes. Bordel à queues, quand j'avais ton âge je bossais chez le ferrailleur avant d'aller sur les quais, tout ça pour que tu ailles à l'école, espèce d'andouille. Va faire péter tes satanées pustules et laisse-moi lire mon canard.

Il y a tant d'adolescents en plein désarroi qu'ils se regroupent en bandes et se battent contre des bandes rivales, pas le genre de bagarres qu'on voit dans les films, avec des histoires d'amour shakespeariennes et une musique ronflante en fond sonore, mais de sales bagarres où ça grogne et ça s'insulte, où les Italiens, les Noirs, les Irlandais, les Portoricains se battent dans Central Park et Prospect Park avec des couteaux, des chaînes, des battes de base-ball et tachent l'herbe de leur sang, qui est toujours rouge, d'où qu'il vienne. Et s'il y a un mort, l'opinion s'insurge et on accuse : si les écoles et les professeurs faisaient leur travail ces choses atroces ne se produiraient pas. Des patriotes disent même, Si ces gosses ont le temps et l'énergie de se castagner pourquoi on peut pas les expédier de l'autre côté de l'Atlantique pour combattre ces enfoirés de communistes et régler le problème une fois pour toutes ?

Beaucoup considéraient les lycées professionnels comme le dépotoir des élèves n'ayant pas les qualités requises pour l'enseignement général. C'était du snobisme, l'opinion publique se foutant que des milliers de jeunes gens souhaitent devenir mécaniciens, esthéticiennes, opérateurs, électriciens, plombiers, charpentiers. Ils ne voulaient pas qu'on les ennuie avec la Réforme, la guerre de 1812, Walt Whitman, le goût artistique, la vie sexuelle de la drosophile.

Mais, vieux, si faut en passer par là, on en passera par là. On assistera à des cours qui n'ont aucun rapport avec notre vie. On travaillera dans nos magasins où on apprend la vraie vie et on essaiera d'être sympas avec les profs, et de se tirer d'ici dans quatre ans. Ouf !

Les voilà. La porte s'abat contre le rebord du tableau, soulevant un nuage de poussière de craie. Entrer dans une salle a une importance capitale. Pourquoi ne peuvent-ils pas simplement entrer, dire, Bonjour, et s'asseoir ? Oh, non. Il faut qu'ils poussent et se bousculent. L'un dit, Hé, d'un ton faussement menaçant et un autre répond, Hé, toi-même. Ils s'insultent, font mine de ne pas entendre la deuxième sonnerie, prennent leur temps pour s'installer. Ça roule, ma poule. Regarde, y a un nouveau prof qu'est là, et les nouveaux y z'y connaissent que dalle. Alors ? Sonnerie ? Prof ? Nouveau. Qui c'est ? Qu'esse t'en as à foutre ? Ils parlent à leurs copains à l'autre bout de la salle, s'affalent sur des bureaux trop petits pour eux, laissent dépasser leurs jambes, rient si quelqu'un trébuche. Ils regardent par la fenêtre, fixent le drapeau américain au-dessus de ma tête ou les photos scotchées au mur par Mlle Mudd, désormais à la retraite, des photos d'Emerson, Thoreau, Whitman, Emily Dickinson et – comment a-t-il atterri ici ? – Ernest Hemingway. C'est la couverture du magazine *Life* et on trouve cette photo partout. Ils gravent au canif leurs initiales sur leur table, des déclarations d'amour avec cœurs et flèches à côté des anciennes inscriptions faites par leurs pères et leurs frères. Certains vieux pupitres ont été tellement gravés et regravés qu'on finit par voir les genoux par les trous que les cœurs et les noms ont creusé. Des couples s'assoient ensemble, se tiennent la main, murmurent et se regardent dans le blanc des yeux tandis que trois garçons adossés aux placards chantent le *doo-wop*, basse, baryton et notes aiguës, claquent des doigts, mec, et disent à la terre entière qu'ils ne sont que des ados amoureux.

Cinq fois par jour ils se ruent dans la salle. Cinq classes, trente à trente-cinq élèves par classe. Les adolescents ? En Irlande, on les voyait dans les films américains, lunatiques, maussades, se baladant en voiture, et on se demandait pourquoi ils l'étaient, lunatiques et maussades. Ils avaient de quoi manger, des vêtements, de l'argent et pourtant ils donnaient du fil à retordre à leurs parents. Non, il n'y avait pas d'adolescents en Irlande, pas dans mon univers. Tu étais un enfant. Tu allais à l'école jusqu'à tes quatorze ans. Si tu donnais du fil à retordre à tes parents, ils te filaient un bon coup de ceinturon dans la gueule et t'envoyaient valdinguer de l'autre côté de la pièce. Tu grandissais, trouvais un boulot harassant, te mariais, buvais ta pinte le vendredi soir, te jetais sur ta bonne femme le même soir et la mettais perpétuellement en cloque. Quelques années plus tard, tu émigrais en Angleterre, tu travaillais sur des chantiers ou tu t'enrôlais dans l'armée de Sa Majesté afin de combattre pour l'Empire.

Le problème du sandwich a débuté quand un garçon du nom de Petey a hurlé, Y a quelqu'un qui veut un sandwich à la mortadelle ?

Tu rigoles ? Elle doit vraiment pas te blairer, ta mère, pour te filer des sandwichs comme ça.

Petey a jeté le sachet en papier du sandwich sur le détracteur, Andy, et les élèves se sont mis à crier. Baston, baston ! ils disaient. Baston, baston ! Le sachet a atterri par terre entre le tableau et le pupitre d'Andy, au premier rang.

Je suis sorti de derrière mon bureau et j'ai émis le premier son de ma carrière d'enseignant : Eh. Après quatre années d'études à l'université de New York, la seule chose que j'avais réussi à trouver, c'était Eh.

Je l'ai répété. Eh.

Ils ne m'ont pas prêté attention, trop occupés à encourager la bagarre qui allait nous faire perdre du temps et me détourner du cours que j'avais sans doute préparé. Je me suis approché de Petey et j'ai fait ma première déclaration d'enseignant, Cesse de jeter des sandwichs. Petey et la classe ont eu l'air interloqués. Le prof, le nouveau prof, venait d'interrompre une bonne bagarre. Les nouveaux profs sont censés s'occuper de leurs oignons ou envoyer chercher le proviseur ou un pion, et tout le monde sait bien que ça mettra des plombes avant qu'ils se pointent. Ce qui veut dire qu'en attendant on peut se taper une bonne bagarre. En plus, qu'est-ce qu'on va faire avec un prof qui dit de cesser de jeter des sandwichs alors que le sandwich on l'a déjà jeté ?

Benny a crié du fond de la salle. Hé, Prof, y l'a déjà j'té l'sandouiche. Ça sert à rien d'y dire maintenant qu'y faut pas qu'y jette le sandouiche. L'est là, le sandouiche, là, par terre.

La classe a éclaté de rire. Il n'y a rien de plus idiot au monde qu'un prof qui dit qu'on doit pas faire un truc alors qu'on l'a déjà fait. Un garçon a mis la main devant sa bouche et a dit, Imbéciiiile, et je savais que c'était à moi qu'il faisait allusion. J'ai eu envie de lui en envoyer un qui l'aurait fait valser de sa chaise, mais ç'aurait mis fin à ma carrière. De plus, la main qui lui cachait la bouche était énorme, et sa table était trop petite pour son corps.

Quelqu'un a fait, Hep, Benny, t'es avocat, mecton ? et la classe a ri de plus belle. Ouais, ouais, ils ont dit, et ils ont attendu de voir ma réaction. Qu'est-ce qu'il va faire, le nouveau prof ?

Les professeurs de pédagogie de l'université de New York n'avaient jamais donné de cours sur l'art de se dépêtrer des affaires de sandwichs volants. Ils parlaient de théories et de philosophies de l'éducation, des impératifs moraux et éthiques, de la nécessité de traiter l'enfant comme un ensemble, de la

Gestalt, si l'on peut dire, des besoins que ressent l'enfant, mais jamais des moments critiques dans une salle de classe.

Peut-être j'aurais dû dire, Hé, Petey, lève-toi de là et ramasse ce sandwich, ou quoi ? Ou le ramasser moi-même avant de le jeter dans la corbeille à papiers pour montrer mon mépris envers les gens qui jettent un sandwich quand des millions d'autres meurent de faim de par le monde ?

Il fallait qu'ils admettent que c'était moi le chef, que j'étais un dur à cuire, que je n'allais pas me laisser emmerder.

Le sandwich, dans du papier paraffiné, dépassait à moitié du sachet et son arôme me laissait penser qu'il valait mieux qu'une simple affaire de mortadelle. Je l'ai ramassé et sorti de son emballage. Ce n'était pas un sandwich ordinaire dans lequel on flanque la viande entre deux tranches de pain blanc américain fadasse. Le pain était sombre et épais, fait par une mère italienne de Brooklyn, du pain assez ferme pour maintenir les tranches d'une superbe mortadelle, accompagnée de tranches de tomates, d'oignons et de poivrons, le tout avec un filet d'huile d'olive, d'une saveur telle que vous en aviez le palais retourné.

J'ai mangé le sandwich.

C'était ma première action pour tenir ma classe. Ma bouche, obstruée par le sandwich, a attiré l'attention des élèves. Ils sont restés muets, les trente-quatre garçons et filles d'une moyenne d'âge de seize ans. Je lisais l'admiration dans leurs yeux, le premier prof de leur vie qui ramassait un sandwich par terre pour le manger devant tout le monde. L'homme au sandwich. Quand j'étais petit, en Irlande, nous admirions un maître d'école qui tous les jours pelait et mangeait une pomme et récompensait les bons élèves en leur donnant la longue pelure. Ces gamins regardaient l'huile dégoutter de mon menton sur ma cravate à deux dollars achetée chez Klein-on-the-Square.

Petey a dit, Hep, m'sieur, c'est mon sandwich qu'vous bouffez !

La classe lui a répondu, La ferme. Tu vois pas que le prof est en train de manger ?

Je me suis léché les doigts. J'ai dit, Miam, j'ai roulé en boule le sachet et le papier paraffiné et les ai négligemment jetés dans la corbeille à papiers. Les élèves ont applaudi. Waouh, ils ont dit, et, La classe, mec. Vise-moi ça. Il bouffe le sandwich. Il fait un panier. Waouh.

Alors c'est ça, l'enseignement ? Ouais, waouh. J'ai eu l'impression d'être un champion. J'ai bouffé le sandwich. J'ai fait un panier. J'ai senti que je pouvais faire ce que je voulais de cette classe. Je pensais même me les être mis dans la poche. Super, sauf que je ne savais pas quoi faire ensuite. J'étais ici pour donner un cours, et je me demandais comment je pouvais passer du coup du sandwich à l'orthographe ou à la grammaire ou à la structure d'un paragraphe ou tout autre sujet relatif à ce que j'étais censé enseigner, l'anglais.

Mes élèves souriaient jusqu'à ce qu'ils voient le visage du proviseur s'encadrer par la vitre de la porte. Les épais sourcils sombres fichés au milieu de son front exprimaient une question. Il a ouvert la porte et m'a fait signe de sortir. Je peux vous dire un mot, monsieur McCourt ?

Petey a murmuré, Hé, m'sieur, vous bilez pas pour le sandwich, de toute façon j'en voulais pas.

La classe a dit, Ouais, ouais, d'une manière qui

prouvait qu'elle était de mon côté si j'avais des problèmes avec le proviseur – première expérience de solidarité élèves-professeur. Il se pouvait qu'en classe les élèves décrochent ou ronchonnent, mais quand un proviseur ou n'importe quel autre étranger apparaissait, une cohésion immédiate se formait, un front uni.

Dans le couloir, il a déclaré, Je suis sûr que vous comprendrez, monsieur McCourt, qu'il n'est pas correct de voir des professeurs prendre leur repas à 9 heures du matin dans leur classe en présence de ces garçons et de ces filles. Il s'agit de votre premier cours et vous choisissez de commencer en mangeant un sandwich ? Est-ce là la bonne méthode, jeune homme ? Ce n'est pas dans les mœurs de cet établissement, et cela donne une fausse opinion aux enfants. Vous comprenez notre raisonnement, n'est-ce pas ? Pensez aux problèmes que l'on aurait si les professeurs laissaient tout tomber pour se mettre à prendre leur repas en classe, tout particulièrement le matin quand c'est encore l'heure du petit-déjeuner. Nous avons assez d'ennuis avec les gamins qui grignotent en cachette dans la matinée et attirent les blattes et des rongeurs. On a dû chasser des écureuils de ces salles, sans parler des rats. Si on ne surveille pas ces gamins, et certains professeurs, vos collègues, jeune homme, cet établissement va se transformer en une cantine géante.

J'avais envie de lui dire la vérité à propos du sandwich et de la maestria avec laquelle j'avais géré la situation, mais ç'aurait pu sonner le glas de mon travail d'enseignant. Je voulais répondre, Monsieur, ce n'était pas mon repas. C'était le sandwich d'un garçon qui l'a jeté sur un autre garçon et je l'ai ramassé parce que je suis nouveau ici et que c'est arrivé dans ma classe et qu'à la faculté on ne m'a fait aucun cours sur les sandwichs, ni sur les lancers ou les réceptions. J'ai mangé le sandwich, oui, mais je l'ai fait en désespoir de cause ou pour donner une leçon à la classe sur le gaspillage, pour leur montrer qui est le chef ou, Bon Dieu ! je l'ai mangé parce que j'avais faim et je promets de ne plus jamais le refaire de crainte de perdre cet excellent poste, mais reconnaissez vous-même que ma classe était calme. Si c'est de cette manière qu'on capte l'attention des gamins d'un lycée professionnel vous devriez envoyer chercher tout un tas de sandwichs à la mortadelle pour les quatre classes que je vais encore avoir aujourd'hui.

Je n'ai rien dit.

Le principal a dit qu'il était ici pour m'aider parce que, Ha, ha, on aurait dit que j'avais besoin d'aide, et c'était un euphémisme. Je veux bien reconnaître, a-t-il dit, que vous aviez toute leur attention. D'accord, mais voyons si vous êtes capable de l'obtenir de manière moins spectaculaire. Essayez d'enseigner. C'est pour cela que vous êtes ici, jeune homme. Enseigner. Maintenant vous devez repartir de zéro. C'est tout. Pas de nourriture en classe, que ce soit pour les professeurs ou pour les élèves.

J'ai dit, Oui, monsieur, et il m'a fait signe de retourner en cours.

La classe a dit, Qu'est-ce qu'il a dit ?

Qu'il ne fallait pas que je prenne mon repas dans la salle de classe à 9 heures du matin.

Z'étiez pas en train de prendre vot' repas.

Je sais, mais il m'a vu avec le sandwich et m'a dit de ne plus recommencer.

P'tain, c'est pas juste.

Petey a dit, Je dirai à ma maman que vous avez aimé son sandwich. Je lui dirai que vous avez eu plein de problèmes à cause de son sandwich.

D'accord, Petey, mais ne lui dis pas que tu l'as jeté.

Nan, nan. Elle me tuerait. Elle est sicilienne. Ils ont le sang chaud en Sicile.

Dis-lui que c'était le sandwich le plus délicieux que j'aie jamais mangé, Petey.

OK.

Mea culpa.

Au lieu d'enseigner, je racontais des histoires.

N'importe quoi pourvu qu'ils soient calmes et restent assis sur leurs chaises.

Ils pensaient que j'enseignais.

Je pensais que j'enseignais.

J'apprenais.

Et tu te prétendais professeur ?

Je ne prétendais rien du tout. J'étais plus qu'un professeur. Et moins. Dans une classe de lycée, on est un sergent instructeur, un rabbin, une épaule sur laquelle pleurer, un dompteur, un chanteur, un érudit de pacotille, un vendeur, un arbitre, un clown, un conseiller d'orientation, un arbitre du code vestimentaire, un chef d'orchestre, un apologiste, un philosophe, un collaborateur, un danseur de claquettes, un homme politique, un psy, un fou, un agent de la circulation, un curé, une-mère-un-père-un-frère-une-sœur-un-oncle-une-tante, un comptable, un critique, un psychologue, la goutte d'eau qui fait déborder le vase.

À la cantine des profs, les vétérans m'ont mis en garde, Fiston, ne leur dis rien sur toi. Ce sont des mômes, bon sang. C'est toi le prof. Tu as droit à une vie privée. Tu connais les règles, n'est-ce pas ? Ces petits salauds sont de vrais démons. Par nature, ce ne sont pas des amis ; absolument pas. Ils sentent bien quand tu vas donner un vrai cours de grammaire ou de n'importe quoi d'autre, et ils te mettent des bâtons dans les roues, mon gars. Fais-y gaffe. Ces gamins font ça depuis des années, onze ou douze ans, et ils savent tout des profs. À peine auras-tu songé à de la grammaire ou à de l'orthographe qu'ils l'auront déjà deviné : ils lèveront leurs petites mains et prendront leur air intéressé pour te demander quel sport tu pratiquais quand tu étais petit ou quelle est ton équipe préférée dans ce foutu championnat de base-ball. Oh, ouais. Et tu vas tomber dans le panneau. Et ensuite tu vas te retrouver à tout déballer et ils rentreront chez eux sans même faire la différence entre le début et la fin d'une phrase, mais ils raconteront ta vie à leur mère et à leur père. C'est pas qu'ils s'y intéressent. Ils se débrouilleront, mais qu'est-ce que ça te fait, à toi ? Tu ne pourras jamais récupérer les morceaux et les bribes de ta vie qu'ils ont stockés dans leurs petites têtes. Ta vie, mon vieux. C'est tout ce que tu as. Ne leur dis rien.

Le conseil a été vain. J'ai appris en faisant des essais et des erreurs et j'en ai payé le prix. J'ai dû découvrir par moi-même comment être un homme et un professeur et c'est avec ça que je me suis débattu pendant trente ans, dans et hors des salles de classe de New York. Mes élèves ne savaient pas qu'ils avaient en face d'eux un homme qui échappait au cocon de l'histoire irlandaise et du catholicisme, éparpillant un peu partout des miettes de ce cocon.

Ma vie m'a sauvé la vie. Lors de ma deuxième journée à McKee, un garçon me pose une question qui me ramène au passé et détermine la manière dont j'enseignerai les trente prochaines années. Je suis renvoyé au passé, aux éléments de ma vie.

Joey Santos crie, Hep, m'sieur...

Tu ne dois pas crier. Tu dois lever la main.

Ouais, ouais, fait Joey, mais...

Ils ont une manière de dire ouais ouais qui signifie qu'ils te tolèrent à peine. Par ce ouais ouais ils veulent dire, On essaie d'être patients, mec, de te lâcher les baskets parce que t'es qu'un prof débutant.

Joey lève la main. Hep, m'sieur le professeur...

Appelle-moi monsieur McCourt.

Ouais. D'accord. Alors, vous êtes écossais ou un truc comme ça ?

Joey est la grande gueule. Il en existe une dans chaque classe aux côtés du geignard, du clown, du gnangnan, de la reine de beauté, du volontaire pour tout, du sportif, de l'intellectuel, du fifils à sa maman, du mystique, de la chochotte, de l'amoureux, du critique, du pauvre type, du fanatique religieux qui voit le péché partout, du maussade qui s'assied dans le fond en fixant son pupitre, du ravi, du saint qui voit le bien en toute créature. C'est le boulot de la grande gueule de poser des questions, n'importe quoi du moment que le professeur s'éloigne du cours rébarbatif. Je suis peut-être un débutant mais j'ai repéré le jeu dilatoire de Joey. C'est universel. Je jouais au même en Irlande. J'étais la grande gueule de la classe à l'école publique de Leamy. Le maître écrivait un problème d'algèbre ou une conjugaison au tableau et les garçons soufflaient, Pose-lui une question, McCourt. Empêche-le de continuer son putain de cours. Vas-y, vas-y.

Je disais, Monsieur, est-ce qu'on connaissait l'algèbre dans l'ancien temps en Irlande ?

M. O'Halloran m'aimait bien, gentil garçon, écriture soignée, toujours poli et obéissant. Il posait la craie, et à la façon qu'il avait de s'asseoir derrière son bureau et de prendre son temps avant de parler on comprenait combien il était content d'échapper à l'algèbre et à la syntaxe irlandaise. Il disait, Mes petits, vous avez de quoi être fiers de vos ancêtres. Bien avant les Grecs, et même les Égyptiens, dans cette merveilleuse contrée, vos aïeux savaient capter des rayons de lumière au milieu de l'hiver, et les rediriger dans les pièces les plus sombres et les plus reculées pour jouir de quelques instants dorés. Ils connaissaient les trajectoires des corps célestes et ça les a emmenés au-delà de l'algèbre, au-delà du calcul, au-delà, mes petits, oh ! au-delà au-delà.

Parfois, pendant les chaudes journées de printemps, il s'assoupissait sur sa chaise et les quarante gamins que nous étions restaient silencieux, attendant qu'il se réveille, n'osant pas même sortir de la salle après la sonnerie s'il était en train de dormir.

Non. Je ne suis pas écossais. Je suis irlandais.

Joey a l'air sincère. Ah, ouais ? C'est quoi, irlandais ?

Irlandais, c'est tout ce qui vient d'Irlande.

Comme saint Patrick, c'est ça ?

Eh bien, non, pas tout à fait. Cela nous amène à raconter l'histoire de saint Patrick, ce qui nous éloigne de la b-a-r-b-a-n-t-e leçon d'anglais, et amène d'autres questions.

Hé, monsieur. Tout le monde parle anglais en Irlande ?

C'est quoi, les sports qu'vous f'siez ?

Z'êtes tous cathos en Irlande ?

Ne les laisse pas prendre le pouvoir en classe. Tiens-leur tête. Montre-leur qui est le chef. Sois sévère, ou meurs. Ne te laisse pas emmerder. Dis-leur, Ouvrez vos cahiers. Il est temps de passer à l'exercice d'orthographe.

Oh, prof, ô Dieu, oh, merde. Orthographe. Orthographe. Orthographe. Faut vraiment ? Ils râlent, Exercice d'orthographe b-a-r-b-a-n-t. Ils font mine de se cogner le front sur leurs bureaux, enfouissent le visage dans leurs bras repliés. Ils demandent à aller aux toilettes. Faut qu'j'y aille. Faut qu'j'y aille. Hé, on pensait que vous z'étiez un type sympa, jeune et tout. Pourquoi tous les profs d'anglais y font toujours les mêmes trucs ? Toujours les mêmes cours d'orthographe, les mêmes leçons de vocabulaire, les mêmes conneries, excusez-moi du terme. Vous pouvez pas nous en dire plus sur l'Irlande ?

Hep, m'sieur le prof… Encore Joey… La grande gueule à la rescousse.

Joey, je te l'ai déjà dit, mon nom c'est M. McCourt, M. McCourt, M. McCourt.

Ouais, ouais. Alors, m'sieur, est-ce que vous sortiez avec des nanas en Irlande ?

Non, bon sang. Avec des moutons. On sortait avec des moutons. Avec qui crois-tu qu'on sortait ?

La classe explose. Ils rient, se tiennent les côtes, se donnent des tapes dans le dos, des coups de coude, feignent de tomber de leur bureau. Ce prof ! Il est dingue, merde. Comment y parle. Sortir avec des moutons… Faut faire gaffe à ses moutons.

Excusez-moi. Ouvrez vos cahiers, s'il vous plaît. Nous avons une liste de mots à voir.

Fous rires. Est-ce qu'il y aura « mouton », sur la liste ? Oh, là là.

Quelle erreur d'avoir joué au malin en répondant ainsi. Il va y avoir des problèmes. Le gnangnan, le saint et le critique vont sûrement me dénoncer : Oh, m'man, oh, p'pa, oh, m'sieur le proviseur, devinez ce que le prof il a dit en cours, aujourd'hui. De vilaines choses sur les moutons.

Je ne suis ni préparé ni entraîné ni prêt à ça. Ce n'est pas de l'enseignement. Ça n'a rien à voir avec la littérature anglaise, la grammaire, l'écriture. Quand serai-je assez fort pour entrer dans la salle, capter immédiatement leur attention et commencer le cours ? Dans ce lycée, il y a des classes assidues et silencieuses dans lesquelles les professeurs tiennent leurs élèves. À la cantine les plus âgés me disent, Oui, ça prend au moins cinq ans.

Le lendemain, le proviseur demande à me voir. Derrière son bureau, il parle au téléphone, fume une cigarette. Il continue de parler, Je suis désolé. Ça ne se reproduira pas. Je vais parler à la personne en question. Un nouveau professeur, je suis désolé.

Il raccroche. Des moutons... Qu'est-ce que c'est que cette histoire de moutons ?

Des moutons ?

Je ne sais pas ce que je vais pouvoir faire de vous. On s'est plaint que vous ayez dit « bon sang » en classe. D'accord, vous venez de débarquer d'un pays de paysans et vous ne connaissez pas les ficelles, mais vous devriez avoir un peu de jugeote.

Non, monsieur, je ne débarque pas. Ça fait huit ans et demi que je suis ici, dont deux à l'armée, sans compter plusieurs années à Brooklyn, pendant ma petite enfance.

Bon, écoutez. D'abord le sandwich, maintenant les moutons. Ce satané téléphone n'arrête pas de sonner. Les parents s'insurgent. Moi, je dois me couvrir. Ça fait deux jours que vous êtes dans cet établissement et deux jours que vous pédalez dans la semoule. Comment est-ce que vous faites ? Si vous me passez l'expression, vous déconnez à pleins tubes. Pourquoi diable vous êtes-vous senti obligé de raconter à ces mômes des histoires de moutons ?

Je suis désolé. Ils n'arrêtaient pas de me poser des questions, et j'étais exaspéré. Ils essayaient de m'empêcher de continuer un exercice d'orthographe.

C'est pour ça ?

Sur le coup, je me suis dit que cette histoire de moutons était assez drôle.

Ah oui, en effet. Vous étiez planté là à faire l'apologie de la zoophilie. Trente parents exigent que vous soyez viré. À Staten Island, nous avons affaire à d'honnêtes gens.

C'était juste une plaisanterie.

Non, jeune homme. Nous ne faisons pas de plaisanteries ici. Il y a une heure et un lieu pour ça. Quand vous dites quelque chose en classe, ils le prennent au sérieux. Vous êtes le professeur. Si vous dites que vous sortez avec des moutons, ils gobent chacune de vos paroles. Ils ne connaissent pas les mœurs irlandaises en matière d'accouplement.

Je suis désolé.

Ça ira pour cette fois. Je dirai aux parents que vous n'êtes qu'un immigré irlandais à peine débarqué.

Mais je suis né ici.

Vous voulez bien la boucler une minute et m'écouter lorsque je suis en train de vous sauver la vie, hein ? Ça ira pour cette fois. Je ne mettrai pas de rapport dans votre dossier. Vous ne vous rendez sûrement pas compte à quel point c'est grave, d'avoir un rapport dans son dossier. Si vous avez l'ambition de gravir les échelons, proviseur, proviseur adjoint, conseiller d'orientation, un rapport dans votre dossier vous en empêchera. C'est le commencement de la fin.

Monsieur, je ne veux pas devenir proviseur. Je veux simplement enseigner.

Ouais, ouais. Vous dites tous ça. Ça vous passera. Ces mômes vont vous donner des cheveux blancs avant que vous ayez trente ans.

Il était clair que je n'étais pas de ces professeurs qui écartent délibérément chaque question, requête, récrimination, afin de poursuivre leur cours parfaitement planifié. Cela m'aurait rappelé cette école de Limerick où la leçon était reine et où nous n'étions rien. Je rêvais déjà d'une école dans laquelle le professeur serait un guide et un mentor, pas un maître. Je n'avais aucune philosophie en matière d'éducation, mis à part le fait que je n'étais pas très à l'aise avec les bureaucrates, les huiles, qui n'avaient échappé aux salles de classe que pour revenir casser les pieds à leurs occupants, professeurs et élèves. Je n'ai jamais eu envie de remplir leurs formulaires, de suivre leurs conseils, de faire passer leurs examens, de tolérer leurs ingérences, de m'adapter à leurs programmes et à leurs parcours pédagogiques.

Si un proviseur m'avait déclaré, La classe est à vous, professeur. Faites-en ce que vous voulez, j'aurais dit à mes élèves, Écartez les chaises. Asseyez-vous par terre. Dormez.

Quoi ?

J'ai dit, Dormez.

Pourquoi ?

Vous comprendrez par vous-mêmes quand vous serez allongés.

Ils s'allongeraient par terre et certains s'assoupiraient. Il y aurait un gloussement lorsqu'un garçon se tortillerait pour se rapprocher d'une fille. Les dormeurs ronfleraient gentiment. Je m'étendrais avec eux par terre et demanderais si quelqu'un connaissait une berceuse. Je sais qu'une fille commencerait et que les autres s'y mettraient. Un garçon pourrait dire, P'tain, et si le proviseur entrait. Ouais. La berceuse continue, un murmure dans la salle. M'sieur McCourt, quand est-ce qu'on peut se relever ? On lui dit, Chut, vieux, et il se tait. La sonnerie retentit et les élèves se lèvent lentement. Ils sortent de classe détendus et perplexes. S'il vous plaît ne me demandez pas pourquoi je ferais un tel cours. Ça doit être dans l'air.

2

SI VOUS M'AVIEZ EU EN COURS au début des années McKee, vous auriez vu un jeune maigrichon de près de trente ans, les cheveux bruns en bataille, les yeux brillants pour cause d'infection chronique, les dents gâtées et cet air de chien battu qu'ont les immigrants sur les photographies d'Ellis Island ou les pickpockets qui se font arrêter.

Il y avait des raisons à cet air de chien battu.

J'étais né à New York et j'avais été emmené en Irlande avant mes quatre ans. J'avais trois frères. Mon père, alcoolique, foutraque, grand patriote, toujours prêt à mourir pour l'Irlande, nous avait abandonnés quand j'avais entre dix et onze ans. Une sœur était morte en bas âge, des frères jumeaux étaient décédés, deux autres garçons étaient nés. Ma mère quémandait de la nourriture, des vêtements et du charbon pour faire bouillir l'eau du thé. Les voisins lui disaient de nous mettre à l'orphelinat, mes frères et moi. Non, non, jamais. Quelle honte. Elle s'est accrochée. Nous avons grandi. Mes frères et moi avons quitté l'école à quatorze ans, avons travaillé, rêvé de l'Amérique et, un par un, avons pris le bateau. Ma mère nous a suivis avec le cadet, s'attendant à mener une vie heureuse pour le restant de ses jours. C'est ce qu'on est censé connaître en Amérique, mais elle n'a jamais connu un instant de vie-heureuse-pour-le-restant-de-ses-jours.

À New York, j'ai fait des petits boulots difficiles avant d'être incorporé dans l'armée américaine. Après deux ans en Allemagne, je suis allé à la fac grâce à une bourse de l'armée afin de devenir professeur. À la fac, on avait des cours de littérature et de rédaction. Certains cours de pédagogie étaient assurés par des professeurs qui en étaient dépourvus.

Alors, m'sieur McCourt, comment c'était de grandir, vous savez, en Irlande ?

J'ai vingt-sept ans, je suis un jeune professeur plongeant dans son passé pour satisfaire ces adolescents américains, pour qu'ils se tiennent tranquilles et ne quittent pas leurs chaises. Je n'aurais jamais cru que mon passé serait aussi utile. Comment quelqu'un pouvait-il avoir envie de connaître ma vie de misère ? C'est alors que j'ai compris que mon père faisait la même chose quand il nous racontait des histoires au coin du feu. Il nous parlait des bardes qui parcouraient le pays en racontant les milliers d'histoires qu'ils trimbalaient dans leur tête. Les gens les laissaient se réchauffer auprès du feu, leur offraient un petit coup, partageaient le peu de nourriture qu'ils avaient, écoutaient pendant des heures des histoires et des chansons interminables, leur donnaient une couverture ou un sac de toile pour qu'ils s'allongent sur le lit de paille, dans un coin. Si le barde avait besoin d'amour, parfois, il trouvait une fille vieillissante et disponible.

Je débats avec moi-même, Tu racontes des histoires alors que tu devrais enseigner.

Mais je suis en train d'enseigner. Raconter des histoires, c'est enseigner.

Raconter des histoires, c'est une perte de temps.

Je ne peux pas m'en empêcher, je ne suis pas doué pour faire cours.

Tu es un imposteur. Tu trompes nos enfants.

Ce n'est pas ce qu'ils ont l'air de penser.

Ces pauvres mômes n'en ont pas conscience.

Je suis un professeur dans une école américaine qui raconte des histoires sur sa vie en Irlande. Ce ronron les adoucit, dans le cas improbable où je leur enseignerais des choses sérieuses, qui sont au programme.

Un jour, mon instituteur a fait une plaisanterie comme quoi je ressemblais à un machin que le chat aurait apporté. La classe a rigolé. Le maître a souri de ses grandes dents jaunes de canasson et des mollards glaireux ont roulé et se sont entrechoqués dans sa gorge. Mes camarades de classe ont pris ça pour un rire, et quand ils ont ri avec lui je les ai détestés. J'ai également détesté le maître, parce que je savais que les jours suivants, dans la cour de récré, je serais connu comme celui que le chat avait apporté. Si le maître avait fait ce commentaire à propos d'un autre garçon j'aurais rigolé, moi aussi – faut dire que j'étais aussi poltron qu'un autre, et que j'avais une trouille bleue de la trique.

Dans la classe, il y avait un garçon qui ne riait jamais avec les autres : Billy Campbell. Quand les élèves riaient, Billy regardait droit devant lui et le maître le regardait en retour, attendant qu'il fasse comme les autres. On croyait qu'il allait empoigner Billy et l'arracher de sa chaise, mais il ne l'a jamais fait. Je crois que le maître admirait son indépendance. Je l'admirais, moi aussi, et j'aurais voulu avoir le même courage que lui. Je ne l'ai jamais eu.

Les garçons de cette école irlandaise se moquaient de l'accent américain que j'avais pris à New York. Tu ne peux pas partir et laisser ton accent derrière toi. Et quand on se moque de ton accent, tu ne sais pas que faire ni penser ni ressentir jusqu'à ce que le harcèlement commence, et tu comprends alors qu'ils veulent se payer ta poire. Tu te retrouves tout seul face à quarante garçons dans les ruelles de Limerick et tu ne peux pas t'enfuir, sinon tu passeras pour une chochotte ou une tapette pendant le restant de tes jours. Ils te traitent de gangster ou de Peau-Rouge et alors tu te bats comme un beau diable jusqu'à ce que quelqu'un te cogne le nez et que tu pisses le sang sur ta seule chemise, ce qui va te mettre dans un beau pétrin vis-à-vis de ta mère, qui va quitter sa chaise près du feu et te filer un bon coup sur la tête pour te faire passer l'envie de te bagarrer. Inutile de tenter de lui expliquer que tu es en sang parce que tu as défendu ton accent américain, dont tu es de surcroît affligé à cause d'elle. Non, dira-t-elle, pour l'instant il faut qu'elle fasse bouillir de l'eau, qu'elle nettoie ta chemise pleine de sang, puis qu'elle essaie de la faire sécher devant le feu pour que tu puisses l'avoir demain pour l'école. Elle ne dit rien de l'accent américain à l'origine de tes ennuis. Mais pas de problème, d'ici quelques mois cet accent aura disparu et sera remplacé, Dieu merci, par celui de Limerick, dont tout le monde à part mon père sera fier.

À cause de mon paternel, mes ennuis n'étaient pas terminés. On pourrait penser qu'à l'âge de quatre ans, doté d'un pur accent de Limerick, les garçons arrêteraient de me tourmenter, mais non, ils se mettent à imiter l'accent nord-irlandais de mon père et à dire qu'il est une espèce de protestant et me voilà forcé de le défendre et une fois encore je rentre chez moi la chemise pleine de sang et ma mère crie que si elle doit relaver cette chemise ne serait-ce qu'une fois elle ne manquera certainement pas de se désintégrer entre ses mains. Le pire, ç'a été la fois où elle n'a pas réussi à faire sécher la chemise pendant la nuit et où j'ai dû la passer encore humide pour aller à l'école. Quand je suis rentré à la maison j'avais le nez bouché et je frissonnais de partout sous l'effet de l'humidité, due à la transpiration cette fois. Affolée, ma mère sanglotait en me serrant dans ses bras parce qu'elle avait été méchante de m'envoyer à l'école avec une chemise mouillée qui devenait de plus en plus rouge à cause des bagarres. Elle m'a couché et m'a emmitouflé dans de vieux pardessus et la couverture de son lit jusqu'à ce que les frissons cessent et que je sombre lentement dans le sommeil en l'écoutant parler à mon père à l'étage du dessous et dire combien c'était malheureux qu'ils aient quitté Brooklyn pour que leurs enfants se fassent tourmenter dans les cours de récréation de Limerick.

Après deux jours passés au lit, je suis retourné à l'école dans la chemise qui avait désormais une vague couleur rose. Les garçons ont dit que c'était une couleur de chochotte et demandé si j'étais une fille ?

Billy Campbell a tenu tête au plus costaud d'entre eux. Laisse le Ricain tranquille, il a dit.

Oh, a fait le costaud. Et qui va m'y obliger ?

Moi, a répondu Billy, et le garçon costaud est allé jouer de l'autre côté de la cour. Billy comprenait mon problème, son père était de Dublin et il lui arrivait même que les gamins se moquent de lui.

Je racontais ces histoires sur Billy parce qu'il avait cette sorte de courage que j'admirais. Alors l'un de mes élèves de McKee a levé la main et a dit que c'était bien d'admirer Billy mais n'avais-je pas tenu tête à tout un groupe à cause de mon accent américain et ne devrais-je pas m'admirer moi-même ? J'ai dit non, que j'avais seulement fait ce que je devais contre tous ceux qui, dans cette école irlandaise, me harcelaient et m'asticotaient. Ce garçon de quinze ans de McKee a insisté, Tout de même vous avez du mérite et vous devriez le reconnaître, mais pas trop parce que ce serait de la vantardise. J'ai répondu, D'accord, je veux bien reconnaître que j'ai eu le mérite de m'être défendu, tout en n'étant pas aussi courageux que Billy, qui lui se battait pour les autres et non pour lui-même. Il ne me devait rien mais ça ne l'a pas empêché de me défendre et c'était ce genre de courage que j'espérais avoir, un jour.

Mes élèves me posent des questions sur ma famille et certains épisodes de mon passé me reviennent en mémoire. Je comprends que je découvre des choses sur moi-même et je raconte cette histoire comme ma mère l'a racontée à un voisin :

Je poussais le landau où se trouvait Malachy et un autre petit gars d'à peine deux ans. Frank marchait à mes côtés. Devant la boutique de Todd, sur O'Connell Street, une longue automobile noire s'est garée sur le trottoir et une femme riche en est sortie, toute couverte de fourrure et de bijoux. Eh bien, voilà-t'y pas qu'elle lance un coup d'œil dans le landau et propose d'acheter Malachy séance tenante. Vous imaginez pas le choc que ça m'a fait, cette femme qui veut acheter Malachy et ses boucles blondes toutes dorées, ses joues roses, et ses adorables petites dents blanches comme des perles. Il était tellement mignon dans son landau, et je savais que ça me briserait le cœur de me séparer de lui. Par-dessus le marché, qu'aurait dit mon mari si j'étais rentrée à la maison en lui racontant que j'avais vendu l'enfant ? Alors j'ai dit non à la femme et elle a eu l'air si triste que j'en ai vraiment eu de la peine pour elle.

Quand j'ai été plus grand et que j'ai entendu cette histoire pour la centième fois, j'ai déclaré que ma mère aurait dû vendre Malachy, ça nous aurait fait plus de nourriture, à nous autres. Elle a dit, Ah oui, je lui ai proposé de t'acheter toi mais ça ne l'a pas du tout intéressée.

Des filles dans la classe ont dit, Oh ! mince alors, m'sieur McCourt, votre mère aurait pas dû vous faire ça. Les gens devraient pas proposer de vendre leurs enfants. Vous êtes pas si laid que ça.

Des garçons de la classe ont répliqué, Ben, c'est pas Clark Gable non plus. C'est pour rire, m'sieur McCourt.

Mea culpa.

Quand j'avais six ans, le maître d'école, en Irlande, me disait que j'étais un vilain garçon. Tu es un vilain garçon, très vilain. Il disait que tous les garçons de la classe étaient très vilains. Il nous expliquait qu'il utilisait le mot « très », un mot qu'il n'utilisait que dans des circonstances tout à fait particulières, comme celle-ci. Si jamais nous utilisions ce mot en répondant à une question ou en faisant une rédaction il nous arracherait les cheveux.

En cette circonstance, c'était permis. Parce que nous l'étions à ce point, vilains. Il n'en avait jamais vu un tel ramassis et se demandait quel était l'intérêt d'enseigner à des fripons et des cruchons pareils. Nos têtes étaient pleines de bêtises tout droit sorties du cinéma. Nous devions incliner ces têtes, frapper nos poitrines et dire, *Mea culpa, mea culpa, mea maxima culpa*. Je croyais que ça voulait dire, je suis désolé, jusqu'à ce qu'il écrive sur le tableau, « *Mea culpa*. Je suis coupable. » Il a dit que nous étions nés dans le Péché Originel, qui était censé être lavé par l'eau du baptême. Qu'à l'évidence des tonnes d'eau baptismales avaient été gaspillées sur des gens comme nous. Il suffisait de regarder nos petits yeux fuyants pour avoir la preuve de notre méchanceté.

Il était chargé de nous préparer à la Première Confession et à la Première Communion, pour sauver nos âmes impures. Il nous a appris l'Examen de Conscience. Il nous fallait regarder en nous-mêmes, fouiller le territoire de notre âme. Nous étions nés dans le Péché Originel, une méchante chose suintante qui gâtait l'innocence éblouissante de notre âme, dont le baptême avait rétabli la blanche perfection. Mais maintenant nous avions grandi et il y avait les péchés : plaies, balafres, abcès. Alors qu'ils se tordraient, se tortilleraient, putrides, nous devions les faire entrer de force dans la glorieuse lumière de Dieu. L'Examen de Conscience, les enfants, suivi du *Mea culpa*. Un puissant purgatif, les enfants. Ça vous nettoie mieux qu'une pincée de sel.

Chaque jour nous procédions à un Examen de Conscience et confessions nos péchés au maître et à la classe. Silencieux derrière son bureau, il hochait la tête, caressait la fine baguette qu'il utilisait pour nous maintenir en état de grâce. Nous confessions les Sept Péchés Capitaux : l'Orgueil, l'Avarice, la Luxure, la Colère, la Gourmandise, l'Envie, la Paresse. Il désignait quelqu'un de sa baguette et déclarait, Madigan, confesse-toi à nous, dis-nous comment tu as commis ce Péché Mortel, l'Envie. Le Péché Mortel que nous préférions confesser était la Gourmandise, et quand il dirigeait la baguette vers Paddy Clohessy et lui disait, Clohessy, la Gourmandise, Paddy décrivait un repas qu'on ne connaissait qu'en rêve : de la tête de porc avec des pommes de terre et du chou et de la moutarde, de la citronnade à foison pour faire descendre le tout, suivis d'une glace accompagnée de biscuits, et du thé et plein de lait et de sucre et, si on voulait, on pouvait faire une petite pause et remettre le couvert, notre mère n'étant aucunement contrariée par notre appétit, parce qu'il y en avait assez pour tout le monde et que, quand il n'y en avait plus, il y en avait encore.

Le maître disait, Clohessy, tu es un poète du palais. Personne ne connaissait le sens du mot « palais » jusqu'à ce que trois d'entre nous aillent au coin de la rue pour voir si la bibliothécaire d'Andrew-Carnagie nous laisserait consulter le gros dictionnaire près de son bureau. Pourquoi vous voulez savoir ce que palais veut dire ? a-t-elle demandé et quand on lui a dit que c'était parce que Paddy Clohessy était un poète elle a cherché le mot et a déclaré que notre professeur devait avoir perdu la tête. Paddy était têtu : il a demandé ce que signifiait « palais » et quand elle a expliqué que c'était le centre de la sensation du goût, il a eu l'air très content de lui et a entrepris de claquer de la langue. Il a continué de le faire dans la rue jusqu'à ce que

Billy Campbell lui demande de s'arrêter, ça lui donnait faim.

Nous avons confessé avoir enfreint les Dix Commandements au complet. Si on avouait avoir commis l'adultère ou convoité la femme du voisin, le maître comprenait qu'on ignorait de quoi on parlait – Prends pas la grosse tête, petit – et passait au pénitent suivant.

Après la Première Communion on a continué l'Examen de Conscience pour le sacrement suivant : la Confirmation. Selon le curé, l'Examen de Conscience et la confession nous sauveraient de l'enfer. Il s'appelait le Père White et il nous intéressait car l'un des mômes affirmait qu'il n'avait jamais voulu être curé. Sa mère l'avait forcé à entrer dans les ordres. Nous ne le croyions pas, mais il a dit qu'il connaissait une des domestiques de la maison des curés, qui affirmait que le Père White s'était saoulé pendant un dîner et qu'il avait dit aux autres curés que son seul rêve quand il était petit c'était de conduire le bus assurant la navette entre Limerick et Galway mais que sa mère n'avait pas voulu. Bizarre d'être interrogé par quelqu'un qui était devenu curé parce que sa mère l'avait décidé. Je me demandais s'il avait son rêve de bus à l'esprit quand il se tenait devant l'autel pour dire la messe. Quant à imaginer un curé qui se saoule, tout le monde sait que les curés ne doivent pas le faire... Je regardais passer les bus et me le représentais au volant, souriant, sans ce col qui étranglait sa vie.

Quand on prend l'habitude d'examiner sa conscience, il est difficile de s'en défaire, surtout si on est un garçon irlandais et catholique. Si on fait de mauvaises choses on ausculte son âme et on y trouve des péchés en train de couver. Chaque chose est un péché ou n'en est pas un et c'est une conception que l'on garde toute sa vie. Puis on grandit et on s'éloigne de l'Église, *Mea culpa* n'est alors plus qu'un faible murmure du passé. C'est toujours là, mais maintenant, il n'est plus aussi facile de nous faire peur. Lorsqu'on est en état de grâce, l'âme est une surface pure d'un blanc éblouissant, mais les péchés produisent des abcès qui suintent et puent. On essaie de se sauver avec des *Mea culpa*, les seuls mots latins qui signifient quelque chose pour soi ou pour Dieu.

Si je pouvais voyager dans le temps jusqu'à mes vingt-sept ans, ma première année d'enseignement, je m'emmènerais manger un steak, des pommes de terre cuites au four, boire une pinte de stout. Je me passerais un bon savon. Bordel de Dieu, fiston ! tiens-toi droit. Rejette en arrière tes misérables épaules osseuses. Arrête de marmonner dans ta barbe. Parle fort. Arrête de te dévaloriser. Le monde s'en chargera bien assez pour toi. Tu commences une carrière d'enseignant, et ce n'est pas une vie facile. Je sais. Je l'ai fait. Tu aurais mieux fait d'être flic. Au moins, tu aurais eu un flingue et une matraque pour te défendre. Un prof n'a que sa bouche. Si t'apprends pas à aimer ça, tu vas en voir de toutes les couleurs.

Quelqu'un aurait dû me dire, Hé, Mac ! ta vie, Mac, pendant trente ans, ça va être l'école, l'école, l'école, les mômes, les mômes, les mômes, les copies, les copies, les copies, lire et corriger, lire et corriger, lire et corriger, des montagnes de paperasses accumulées à l'école, à la maison, les jours, les nuits à lire des histoires, des poèmes, des journaux intimes, des lettres de suicide, des diatribes, des excuses, des pièces, des essais, même des romans, l'œuvre de milliers – de milliers – d'adolescents new-yorkais au cours des années, de quelques centaines de travailleurs, hommes et femmes, et tu n'auras pas une minute pour lire Graham Greene ou Dashiell Hammett, F. Scott Fitzgerald ou ce bon vieux P.G. Wodehouse, ou ton meilleur pote, M. Jonathan Swift. Tu deviendras aveugle à force de lire Joey et Sandra, Tony et Michelle, des petites souffrances et des petites passions et des petites extases. Des montagnes de trucs de gosses, Mac. Si on pouvait lire dans ta tête, on y trouverait des milliers d'ados crapahutant dans ta cervelle. Tous les ans en juin, ils obtiennent leur diplôme, grandissent, travaillent et passent à autre chose. Ils auront des mômes, Mac, qui viendront te voir un jour pour le cours d'anglais, et te voilà commençant un autre trimestre avec des Joey et des Sandra, des Tony et des Michelle, et tu voudras savoir : C'est de ça qu'il s'agit ? Est-ce que ça va être ton univers pendant vingt/trente ans ? N'oublie pas, si c'est ton univers, tu es l'un d'entre eux, un adolescent. Tu vis entre deux univers. Tu es avec eux, jour après jour, et tu ne sauras jamais, Mac, ce que ça fait à ton esprit. Adolescent pour toujours. Juin arrive et c'est au revoir, professeur, content de vous avoir connu, vous aurez ma sœur en septembre. Mais il n'y a pas que ça, Mac. Dans chaque classe, il se produit toujours quelque chose. Ils t'obligent à rester vigilant. À garder de la fraîcheur. Tu ne vieilliras jamais – le danger étant que tu pourrais garder une mentalité d'adolescent toute ta vie. C'est un vrai problème, Mac. Tu t'habitues à parler comme eux. Puis, quand tu vas prendre une bière dans un bar, tu as oublié comment t'adresser à tes amis et ils te regardent de travers. Ils te regardent comme si tu venais de débarquer d'une autre planète et ils ont raison. En passant toutes tes journées dans une salle de classe, tu es dans un autre monde, Mac.

Alors, professeur, comment est-ce que vous êtes arrivé en Amérique et tout et tout ?

Je leur raconte mon arrivée ici à l'âge de dix-neuf ans, il n'y avait rien en moi, sur moi, dans ma tête ou dans ma valise, qui pouvait faire penser que quelques années plus tard j'affronterais tous les jours cinq classes d'adolescents new-yorkais.

Professeur ? Jamais je n'aurais imaginé pouvoir m'élever aussi haut dans la société.

À part le livre qui était dans ma valise, tout ce que j'avais porté ou transporté par bateau était de seconde main. Et ce que j'avais dans la tête était également de seconde main : le catholicisme ; la triste histoire irlandaise, une litanie de souffrances et de martyrs bourdonnait en moi à cause des curés, des maîtres d'école et des parents qui ne connaissaient rien d'autre.

Le costume marron que je portais venait du mont-de-piété de Parker le Fouineur, sur Parnell Street, à Limerick. Ma mère avait dû négocier. Le Fouineur affirmait que le costume valait quatre livres, et elle a dit, Est-ce que ce serait pas un canular, monsieur Parker ?

Non, c'est pas un canular, a-t-il répondu. Ce costume a été porté par un soi-disant cousin du comte de Dunraven et tout ce que l'aristocratie a porté prend de la valeur.

Ma mère a répondu qu'elle s'en battait l'œil que le comte lui-même l'ait porté vu tout le bien que lui et ses semblables avaient fait à l'Irlande avec leurs châteaux et leurs domestiques, sans penser une seule fois à la souffrance du peuple. Elle en donnerait trois livres et pas un penny de plus.

Le Fouineur a répondu d'un ton sec que le mont-de-piété n'était pas un endroit approprié pour le patriotisme et elle a répliqué sur le même ton que si le patriotisme était une chose qu'on pouvait mettre en rayon il serait occupé à le lustrer avant de le vendre aux pauvres pour le double de sa valeur. Il a dit, Mère de Dieu, m'dame, je ne vous ai jamais vue comme ça. Qu'est-ce qui vous est arrivé ?

La bataille de la dernière chance, voilà ce qui lui était arrivé, sa dernière occasion. Son fils, Frank, partait pour l'Amérique et elle ne pouvait pas l'envoyer avec cette allure-là, vêtu des reliques d'une décence passée, la chemise de Paul, le pantalon de Jacques. C'est alors qu'elle a montré toute son ingéniosité. Il ne lui restait que très peu d'argent, mais si M. Parker trouvait le moyen d'ajouter une paire de chaussures, deux chemises, deux paires de chaussettes et cette ravissante cravate verte avec des harpes dorées elle n'oublierait pas cette faveur. D'ici quelque temps, Frank enverrait des dollars américains aussi, quand elle aurait besoin de marmites, de casseroles et d'un réveil, elle penserait immédiatement au Fouineur. D'ailleurs, elle apercevait sur les rayons une demi-douzaine d'articles dont elle ne pourrait plus se passer lorsque les dollars couleraient à flots.

Le Fouineur n'avait rien d'un demeuré. Des années passées derrière le comptoir lui avaient appris à connaître les combines de ses clients. Il savait aussi que ma mère était tellement honnête qu'elle détestait devoir quoi que ce soit à quiconque. Il a dit qu'il tenait à la garder comme cliente à l'avenir, et qu'il rechignerait lui-même à voir ce gamin débarquer en Amérique avec cet air miteux. Que penseraient les Amerloques ? Donc pour une livre de plus, hein, enlevez même un autre shilling, elle pouvait prendre les autres articles.

Ma mère a répondu que c'était un brave homme ; il aurait une place au paradis et elle ne l'oublierait pas, et c'était bizarre de voir le respect mutuel qui les unissait. Les gens des quartiers pauvres de Limerick ne portaient pas les prêteurs sur gages dans leur cœur, mais que seraient-ils sans eux ?

Le Fouineur n'avait pas de valises. Ses clients n'avaient pas coutume de parcourir le monde, ce qui les a bien fait rire, ma mère et lui. Il a dit, Comment ça va, les grands voyageurs. Elle m'a jeté un coup d'œil comme pour me dire, N'en perds pas une miette, c'est pas tous les jours que tu verras Le Fouineur rigoler.

Feathery Burke, à Irishtown, avait des valises à vendre. Il vendait tout ce qui était vieux, d'occasion, de bric et de broc, inutile ou bon à jeter au feu. Ah oui ! il avait exactement ce qu'il fallait pour le jeune gars partant pour l'Amérique qui, que Dieu le bénisse, enverrait de l'argent à sa pauvre vieille mère.

Je suis loin d'être vieille, a répliqué ma mère, alors cessez vos boniments. C'est combien pour la valise ?

... de Dieu, m'dame, je vous la fais à deux livres parce que je veux pas mettre des bâtons dans les roues de ce petit qui va tenter sa chance en Amérique.

Ma mère a répondu qu'avant de payer deux livres pour un bout de carton minable qui tenait par un cheveu elle aurait déjà emballé mes affaires avec du papier kraft et de la ficelle et m'aurait envoyé comme ça à New York.

Feathery avait l'air abasourdi : les femmes des quartiers pauvres de Limerick ne faisaient pas tant d'histoires. Elles respectaient leurs supérieurs et ne s'élevaient pas au-dessus de leur rang, et j'étais moi-même surpris de voir ma mère d'humeur chicaneuse.

Elle a gagné, a dit à Feathery que demander autant d'argent, c'était du vol pur et simple, que c'était mieux à l'époque des Anglais, et que s'il ne baissait pas son prix elle irait chez Parker Le Fouineur, cet honnête homme. Feathery a capitulé.

Dieu du ciel, m'dame. Je me félicite de ne pas avoir eu d'enfants parce que si j'en avais et devais me frotter à des femmes comme vous tous les jours, ils seraient en train de crier famine dans un coin.

Elle a dit, Dommage pour vous et pour les enfants que vous n'avez jamais eus.

Elle a mis les vêtements dans la valise et a dit qu'elle rapportait le tout à la maison afin que je puisse acheter le livre. Elle s'est éloignée, remontant Parnell Street, fumant une cigarette. Elle marchait avec vigueur ce jour-là, comme si les vêtements et la valise et mon départ allaient lui ouvrir des portes.

Je suis allé à la librairie O'Mahony pour acheter le premier livre de ma vie, celui que j'ai emporté en Amérique, dans ma valise.

Il s'agissait des *Œuvres de William Shakespeare en un volume*, publié par Shakespeare Head Press, Oldhams Press Ltd. et Basil Blackwood, MCMXLVII. Le voici, couverture abîmée, détachée du livre, tenant par la grâce d'un ruban adhésif. Beaucoup feuilleté, beaucoup annoté. Il y a des passages soulignés qui ont dû avoir naguère une signification pour moi bien que, en les regardant à présent, j'aie du mal à m'en souvenir. Dans la marge, des notes, des remarques, des commentaires admiratifs, félicitations adressées à Shakespeare pour son génie, des points d'exclamation indiquant mon enthousiasme et ma stupéfaction. À l'intérieur, j'ai écrit, « Ô souillures, souillures de la chair ! etc. » Ce qui prouve bien que j'étais un jeune homme sombre.

Quand j'avais treize-quatorze ans, j'écoutais des pièces de Shakespeare sur la radio de Mme Purcell, la voisine, une aveugle. Elle me disait que Shakespeare était un Irlandais honteux de ses origines. Un soir que l'on écoutait *Jules César*, les plombs ont sauté, j'étais tellement impatient de savoir ce qu'il était arrivé à Brutus et à Marc Antoine que je me suis rendu à la librairie O'Mahony pour lire la fin de l'histoire. Un vendeur m'a demandé d'un air supérieur si j'avais l'intention d'acheter le livre et je lui ai répondu que j'y pensais mais que je devais d'abord savoir comment ça se terminait pour les personnages, surtout pour mon préféré, Brutus. On s'en fiche de Brutus, il m'a dit, avant de me retirer le livre des mains et d'ajouter que ce n'était pas une bibliothèque, et est-ce que j'aurais l'obligeance de sortir. Je suis ressorti dans la rue, gêné et tout rouge, tout en me demandant pourquoi les gens n'arrêtaient pas d'embêter les gens. Même quand j'étais petit, à huit ou neuf ans, je me demandais pourquoi les gens n'arrêtaient pas d'embêter les gens, chose que je n'ai cessé de me demander depuis.

Le livre coûtait dix-neuf shillings, soit la moitié d'un salaire hebdomadaire. J'aimerais pouvoir dire que je l'ai acheté à cause de mon vif intérêt pour Shakespeare, mais ce serait mentir. C'était plutôt à cause d'un film que j'avais vu dans lequel un soldat américain se promenait en Angleterre en déclamant du Shakespeare et toutes les filles tombaient folles amoureuses de lui. En plus, si tu fais seulement allusion au fait que tu lis du Shakespeare, les gens te regardent avec respect. Je croyais que si j'en apprenais de longs passages j'impressionnerais les filles de New York. Je connaissais déjà « Romains, compatriotes, amis », mais quand je l'ai dit à une fille de Limerick, elle m'a regardé bizarrement, un peu comme si je couvais quelque chose.

En remontant O'Connell Street, j'avais envie de défaire mes bagages afin que le monde me voie avec mon Shakespeare sous le bras mais je n'en ai pas eu le courage. Je suis passé devant un petit théâtre où j'avais vu une troupe itinérante jouer *Hamlet* et je me suis rappelé combien je m'étais apitoyé sur mon sort d'avoir, tout comme lui, souffert. À la fin de la représentation, ce soir-là, Hamlet était revenu sur scène pour dire au public combien il était heureux de notre accueil, ainsi que les autres comédiens, et combien il était fatigué, ainsi que les autres comédiens, et combien ils seraient reconnaissants si notre soutien s'exprimait sous la forme de menue monnaie, que l'on pouvait mettre dans la boîte de saindoux près de la porte. J'étais tellement bouleversé par cette pièce qui parlait tant de moi et de ma vie sordide que j'ai glissé six pence dans la boîte en regrettant de n'avoir pu y joindre un mot pour qu'Hamlet sache que j'existais et que ma souffrance était réelle et que ça n'était pas juste du théâtre.

Le lendemain, j'ai livré un télégramme à l'hôtel Hanratty, où j'ai découvert la troupe d'*Hamlet* buvant et chantant au bar tandis qu'un porteur faisait des allers et retours pour mettre les bagages dans un camion. Hamlet était assis au bout du comptoir, seul, sirotant un verre de whiskey, et je ne sais pas d'où m'est venu ce courage, mais je lui ai dit bonjour. Après tout, nous avions tous deux été trahis par notre mère ; nos souffrances étaient immenses. Le monde ne connaîtrait jamais la mienne et j'enviais Hamlet de pouvoir ainsi exprimer ses tourments chaque soir. Bonjour, ai-je dit, il m'a fixé de ses yeux noirs surmontés de sourcils noirs au milieu de son visage pâle. Il connaissait toutes les répliques de Shakespeare mais les gardait dorénavant pour lui, j'ai rougi comme un idiot et j'ai trébuché.

J'ai pris mon vélo et remonté O'Connell Street, mortifié. C'est alors que je me suis souvenu des six pence que j'avais glissés dans la boîte de saindoux, ces six pence qui finançaient le whiskey et les chants au bar de l'Hanratty, et j'ai eu envie d'y retourner pour affronter toute la troupe et Hamlet en personne et leur dire ce que je pensais d'eux et de leurs histoires bidon de fatigue et de leur façon de boire l'argent des pauvres gens.

Tant pis pour les six pence. Si j'y retournais ils me renverraient sûrement les mots de Shakespeare au visage et Hamlet me fixerait de nouveau de ses yeux noirs et glacés. Je ne saurais pas quoi répondre et j'aurais l'air stupide si j'essayais de lui rendre son regard avec mes yeux rouges.

Mes élèves ont dit que, sauf mon respect, c'était stupide de dépenser tout cet argent pour un livre de Shakespeare, que si je voulais impressionner les gens pourquoi n'étais-je pas allé à la bibliothèque pour recopier des citations ? De toute façon, fallait être un peu bête pour se laisser impressionner par un type juste parce qu'il cite un vieil écrivain qu'en plus personne ne peut lire. Des fois, ils passent des pièces de Shakespeare à la télé et on comprend rien du tout, alors à quoi bon ? L'argent que j'avais dépensé pour le livre aurait pu me servir à quelque chose de chouette, genre chaussures ou blouson ou, vous savez, emmener une fille au cinoche.

Des filles ont dit que c'était vraiment chouette la façon dont je m'étais servi de Shakespeare pour impressionner les gens bien qu'elles n'aient pas compris de quoi je parlais. Pourquoi Shakespeare écrivait-il dans cette vieille langue que personne ne comprenait ? Pourquoi ?

Je ne savais que répondre. Ils ont redemandé, Pourquoi ? Je me suis senti coincé mais j'ai seulement réussi à rétorquer que je l'ignorais. S'ils patientaient, j'essaierais de trouver la réponse. Ils se sont regardés. Le prof ne sait pas ? Comment c'est possible ? C'est pour de vrai ? Waouh ! Comment est-ce qu'il est devenu prof ?

Hé, m'sieur l'prof, vous en avez encore des histoires ?

Non, non, non.

Vous arrêtez pas de dire non, non, non.

Exactement. Fini, les histoires. Ceci est un cours d'anglais. Les parents se plaignent.

Oh là là. M'sieur McCourt, est-ce que vous avez fait l'armée ? Z'avez fait la guerre de Corée ?

Je ne m'étais jamais beaucoup penché sur ma vie mais j'ai continué à en divulguer des bribes, mon père alcoolique, ma jeunesse dans les taudis de Limerick avec mes rêves d'Amérique, le catholicisme, l'époque morose à New York, et j'étais surpris que les adolescents new-yorkais en redemandent.

3

JE LEUR AI RACONTÉ QU'APRÈS AVOIR PASSÉ DEUX ANS dans l'armée, la GI Bill [1] m'avait permis de roupiller pendant quatre ans à l'université de New York. Je travaillais la nuit pour arrondir la bourse que m'octroyait le gouvernement. J'aurais pu suivre les cours à mi-temps, mais il me tardait d'avoir mon diplôme pour impressionner le monde et les femmes avec mes titres et mon savoir universitaires. J'étais passé maître dans l'art de trouver des excuses pour rendre les devoirs en retard et manquer les examens. Je déballais aux professeurs indulgents le galimatias des mésaventures de ma vie, leur dévoilant mes grands malheurs. Mon accent m'était d'un précieux secours. Je frisais le cliché de l'Irlandais.

Les bibliothécaires de l'université me secouaient quand je ronflais derrière une pile de livres. L'une d'elles m'a dit qu'il était strictement interdit de faire

1. En 1944, l'État fédéral fit voter une loi, surnommée la GI Bill, par laquelle il s'engagea à octroyer des bourses d'études, une fois la guerre finie, aux soldats des deux sexes qui souhaiteraient fréquenter l'université ou une école technique.

un somme. Elle a eu la bienveillance de suggérer que dehors, dans Washington Square Park, il y avait des bancs à perte de vue sur lesquels je pouvais m'étendre jusqu'à ce que les flics déboulent. Je l'ai remerciée et lui ai dit que j'avais toujours admiré les bibliothécaires, pas seulement pour leur maîtrise de la classification décimale, mais également pour leur obligeance dans d'autres domaines de la vie quotidienne.

Le professeur de pédagogie de l'université de New York nous avait prévenu de ce que nous réservaient nos années d'enseignement à venir. Il disait que les premières impressions étaient décisives. Il disait, La manière dont vous accueillez votre première classe peut être déterminante pour la suite de votre carrière. Toute votre carrière. Ils vous observent. Vous les observez. Vous avez affaire à des adolescents américains, une espèce dangereuse ; ils ne vous feront pas de cadeau. Ils vont vous jauger puis ils décideront que faire de vous. Vous pensez être maîtres de la situation ? Détrompez-vous. Ce sont de vrais missiles à tête chercheuse. Quand ils s'en prennent à vous, ils écoutent leurs instincts primitifs. C'est le rôle des jeunes que de déloger leurs aînés, pour faire de la place sur cette terre. Vous êtes au courant, n'est-ce pas ? Les Grecs le savaient. Lisez les Grecs.

Avant que les élèves entrent dans la salle, il fallait avoir décidé où l'on serait – « attitude et positionnement » – et qui l'on serait – « identité et image ». Je n'aurais jamais cru que faire cours puisse être aussi compliqué. Il disait, Il est tout bonnement impossible d'enseigner si vous ne savez pas que faire de votre corps. La salle de classe peut être un champ de bataille ou une cour de récréation. Et vous devez savoir qui vous êtes. Rappelez-vous Pope : « Ne sonde point de Dieu l'immense profondeur / Travaille sur toi-même, et rentre dans ton cœur / L'étude le plus propre à l'homme est l'homme même. » Le premier jour de cours vous devez vous tenir bien droit devant la porte de la classe et faire comprendre aux élèves que vous êtes content de les voir. Bien droit, j'insiste. Tous les auteurs dramatiques vous le diront : lorsque le comédien s'avachit la pièce s'avachit. La meilleure chose à faire, c'est d'imposer votre présence et de le faire à l'extérieur, dans le couloir. À l'extérieur, j'insiste. C'est votre territoire et d'y être vous fera considérer comme un professeur ferme, courageux, prêt à affronter l'armada. C'est ça, une classe, une armada. Et en tant que professeur, vous êtes un guerrier. Voilà une chose à laquelle les gens ne pensent pas. Votre territoire, c'est votre aura. Il vous suit partout, dans les couloirs, dans les escaliers et, assurément, dans la salle de classe. Ne les laissez jamais envahir votre territoire. Jamais. Et rappelez-vous : les professeurs qui s'asseyent ou qui se tiennent debout, mais derrière leur bureau, témoignent ainsi de leur manque d'assurance et feraient mieux de changer de branche.

J'aimais la manière qu'il avait de dire « assurément », c'était la première fois que je rencontrais ce mot ailleurs que dans un roman victorien. Je me suis promis de l'employer à mon tour quand je serais moi-même devenu enseignant. Ç'avait de la gueule, les élèves se redresseraient et seraient captivés.

Je trouvais géniale cette façon de rester debout sur la petite estrade avec le bureau et de parler pendant une heure avec tout ce monde devant toi qui prenait des notes, en plus si tu avais une certaine allure ou une certaine personnalité les filles se bousculaient pour venir te voir plus tard dans ton bureau ou ailleurs. C'était ce que je croyais, à l'époque.

Le professeur disait qu'il avait procédé à une étude informelle des comportements adolescents au lycée, que si nous étions des enseignants observateurs et réceptifs nous remarquerions certains phénomènes avant que la sonnerie retentisse. Nous remarquerions que la température des adolescents augmente, que leur sang s'emballe et qu'ils ont assez d'adrénaline pour faire avancer un cuirassé. Il a souri, et nous avons senti à quel point ses idées le ravissaient. Nous lui avons rendu son sourire car les professeurs ont le pouvoir. Il a dit que les enseignants devaient observer la manière dont les élèves se présentaient. Il a dit, Cruciale – cruciale, j'insiste – est la manière dont ils entrent dans une pièce. Observez-les. Ils marchent sans se presser, ils se pavanent, ils traînent des pieds, ils se bousculent, ils font des blagues, ils friment. De votre côté, vous n'avez guère d'avis sur la manière dont un ado entre dans une salle, mais pour lui c'est parfois primordial. Entrer dans une salle, c'est passer d'un contexte à un autre et ça, pour un adolescent, ça peut être traumatisant. *Hic sunt dracones*[1], le spectre des horreurs quotidiennes, de A comme acné à Z comme zéro.

Je saisissais à peine ce dont parlait le professeur mais j'étais très impressionné. Je n'avais jamais

---

1. L'auteur cite une expression utilisée par les cartographes sur les cartes anciennes pour décrire les territoires encore vierges : « Ici sont les dragons. »

songé que pénétrer dans une salle constituait un tel enjeu. Je pensais que l'enseignement, c'était simplement une manière de dire aux élèves ce que l'on savait, puis de vérifier ce qu'ils savaient et de les noter. J'apprenais désormais combien la vie d'un enseignant pouvait être compliquée, et j'admirais ce professeur de connaître toutes les ficelles du métier.

L'étudiant assis à mes côtés pendant le cours du professeur a chuchoté, C'est un tissu de conneries. Ce type n'a jamais enseigné en lycée de sa vie. L'étudiant s'appelait Seymour. Il portait une kippa, rien d'étonnant donc à ce qu'il tienne de sages propos de temps à autre, à moins qu'il n'ait été en train de frimer pour la rouquine assise devant lui. Quand elle a jeté un coup d'œil par-dessus son épaule pour sourire aux réflexions de Seymour, on a vu combien elle était belle. J'aurais aimé pouvoir frimer moi aussi, mais je savais rarement quoi dire, alors que Seymour avait son opinion sur tout. La rouquine lui a dit que si ça lui tenait tellement à cœur il devait le dire.

Merde, non, a répondu Seymour. Il va me faire ma fête.

Elle lui a souri et quand elle m'a souri j'ai cru que je lévitais au-dessus de mon siège. Elle a dit qu'elle s'appelait June, puis elle a levé la tête pour attirer l'attention du professeur.

Oui ?

Monsieur, à combien de classes de lycée avez-vous fait cours ?

Oh, j'ai observé des dizaines de classes au cours de ma carrière.

Mais avez-vous déjà enseigné en lycée ?

Quel est votre nom, mademoiselle ?

June Somers.

Ne viens-je pas de vous dire que j'ai analysé et supervisé des dizaines d'élèves professeurs ?

Mon père est prof dans un lycée, monsieur, et il dit qu'on sait pas ce que c'est que de faire cours à des lycéens avant de l'avoir fait.

Il a répondu qu'il ne comprenait pas où elle voulait en venir. Elle faisait perdre du temps à la classe et si elle voulait poursuivre cette discussion il l'encourageait à prendre rendez-vous avec sa secrétaire pour qu'ils se voient dans son bureau.

Elle s'est levée et a attrapé la bandoulière de son sac pour la jeter sur son épaule. Non, elle ne prendrait pas rendez-vous pour le voir et ne voyait pas pourquoi il ne pouvait pas tout simplement répondre à sa question sur son expérience d'enseignant.

Ça suffit, mademoiselle Somers.

Elle a fait demi-tour, a regardé Seymour, m'a jeté un coup d'œil et a pris la porte. Le professeur, l'air effaré, a laissé tomber le morceau de craie qu'il tenait à la main. Le temps qu'il le récupère, elle était partie.

Qu'allait-il faire désormais à propos de Mlle June Somers ?

Rien. Il a dit que le cours était presque terminé, qu'il nous verrait la semaine suivante, a pris sa serviette et est sorti. Seymour a dit que June Somers avait merdé en beauté. En beauté. Il a dit, Je vais te dire une chose. Faut pas déconner avec les profs. On peut pas gagner. Jamais.

La semaine suivante il a dit, Tu crois ça ? Jésus Marie.

Je n'aurais jamais cru qu'une personne coiffée d'une kippa puisse dire si facilement Jésus Marie. Aurait-il apprécié si Yahvé ou Celui-qui-n'est-pas était un juron et que j'en usais à son encontre ? Mais je n'ai rien dit de peur qu'il se moque de moi.

Il a dit, Ils sortent ensemble. Je les ai vus dans un café de Macdougal Street, tout énamourés, en train de boire un café en se tenant la main et en se regardant dans les yeux. Bon sang. Elle a dû avoir une petite discussion avec lui dans son bureau puis, de fil en aiguille...

J'avais la bouche sèche. Je pensais qu'un jour je tomberais sur June et que je retrouverais ma langue et qu'on irait au cinéma tous les deux. Je choisirais un film étranger, sous-titré, pour montrer à quel point j'étais raffiné, et elle m'admirerait et me laisserait l'embrasser dans le noir, ratant ainsi des dizaines de sous-titres et le fil de l'histoire. Ça ne serait pas grave parce qu'on aurait tant de choses à se dire dans ce restaurant italien douillet où danseraient des bougies, faisant scintiller ses cheveux roux, et qui sait où cela nous conduirait puisque nous irions aussi loin que mes rêves le permettraient. Mais pour qui est-ce que je me prenais ? Qu'est-ce qui me faisait croire qu'elle me regarderait une seconde ?

Je rôdais près des cafés de Macdougal Street dans l'espoir qu'elle me verrait, sourirait et que je lui rendrais son sourire en sirotant mon café avec une telle décontraction qu'elle en serait impressionnée, et me regarderait d'un autre œil. Je ferais en sorte qu'elle puisse apercevoir la couverture de mon livre, un texte de Nietzsche ou Schopenhauer, et elle se demanderait pourquoi elle perdait son temps avec le professeur alors qu'elle pourrait être avec cet Irlandais sensible et féru de philosophie allemande. Elle s'excuserait et, en se rendant aux toilettes pour dames, déposerait un bout de papier sur ma table avec son numéro de téléphone.

C'est ce qu'elle a fait le jour où je l'ai vue au Café Figaro. Lorsqu'elle a quitté la table, le professeur l'a regardée avec un air tellement possessif et fier que j'aurais pu lui balancer un coup de poing à le faire valser de sa chaise. Ensuite, il m'a jeté un coup d'œil et j'ai su qu'il ne se souvenait même pas que j'étais un de ses étudiants.

Il a demandé la note, et tandis que la serveuse se tenait devant sa table en lui bouchant la vue June a pu déposer le bout de papier sur ma table. J'ai attendu qu'ils soient partis. *Frank, appelle-moi demain.* Le numéro de téléphone était griffonné avec du rouge à lèvres.

Mon Dieu. Elle m'avait remarqué, pauvre manutentionnaire cherchant maladroitement le chemin qui me conduirait à l'enseignement, et le professeur était, eh bien, mon Dieu, un professeur. Mais elle connaissait mon nom. Le bonheur me rendait idiot. Voilà que mon nom était inscrit sur une serviette en papier avec un rouge à lèvres qui avait touché ses lèvres et je savais que je conserverais ce morceau de papier toute ma vie. On m'enterrerait avec.

Je l'ai appelée et elle a demandé si je connaissais un endroit tranquille pour boire un verre.

Chez Chumley.

D'accord.

Qu'est-ce que j'allais faire ? Comment est-ce que j'allais me tenir ? Qu'est-ce que j'allais dire ? Je prenais un verre avec la plus belle fille de Manhattan, qui couchait sûrement toutes les nuits avec le professeur. C'était mon calvaire, de l'imaginer avec lui. Les hommes du bar regardaient, envieux, et je savais ce qu'ils pensaient : que fait ce misérable individu avec cette fille magnifique, cette beauté, cette Vénus ? Ouais, j'étais sans doute son frère ou son cousin. Non, même ça c'était impossible. Je n'étais même pas assez beau pour être son cousin au troisième ou quatrième degré.

Elle a commandé un verre. Norm est absent, elle a dit. Il donne un cours dans le Vermont deux jours par semaine. Cette grande gueule de Seymour a déjà tout dû te raconter.

Non.

Alors, pourquoi est-ce que t'es là ?

Tu... tu me l'as demandé.

Qu'est-ce que tu penses de toi ?

Quoi ?

Simple question. Qu'est-ce que tu penses de toi ?

Je ne sais pas. Je ...

Elle a eu un air désapprobateur. Tu appelles quand on te dit d'appeler. Tu viens quand on te dit de venir et tu ne sais pas ce que tu penses de toi. Mais bon sang, trouve quelque chose de bien à dire de toi-même. Vas-y.

J'ai senti le sang me monter aux joues. Il fallait que je parle sinon elle risquait de se lever et de partir.

Une fois un contremaître sur les docks m'a dit que j'étais une saleté d'Irlandais, un petit dur à cuire.

Oh là là. Ça casse pas trois pattes à un canard. T'es une âme en peine. Ça se voit tout de suite. Norm apprécie les âmes en peine.

Les mots ont jailli de ma bouche : Je me fiche de ce que Norm apprécie.

Oh, mon Dieu. Elle va se lever et partir. Non. Elle a ri si fort qu'elle a failli s'étrangler avec son vin. Alors tout a été différent. Elle m'a souri et a souri et souri. J'étais tellement heureux que j'avais du mal à ne pas exploser.

Elle a tendu le bras par-dessus la table, a posé sa main sur la mienne et mon cœur était comme un animal furieux dans ma poitrine. Allons-y, a-t-elle dit.

On a rejoint son appartement sur Barrow Street. Une fois entrée, elle s'est retournée et m'a embrassé. Sa tête oscillait dans un mouvement circulaire de façon à ce que sa langue se déplace dans le sens des aiguilles d'une montre dans ma bouche et j'ai pensé, Seigneur, je n'en suis pas digne. Pourquoi Dieu ne m'a-t-il jamais parlé de ça avant mes vingt-six ans ?

Elle a dit que j'étais un paysan en pleine santé et visiblement avide d'affection. Je n'aimais pas m'entendre traiter de paysan – bon Dieu, n'avais-je pas lu des livres, toutes les phrases de R. Laurie Long, P.G. Wodehouse, Mark Twain, E. Philips Oppenheim, Edgar Wallace et ce bon vieux Dickens – et il me semblait que ce qu'on faisait là était bien plus qu'une démonstration d'affection. Je n'ai rien répondu, n'ayant aucune expérience de ce genre d'activités. Elle m'a demandé si j'aimais la lotte et j'ai dit que je l'ignorais parce que je n'en avais jamais entendu parler. Elle a dit que tout dépendait de la façon de la cuisiner. Son secret, c'étaient les échalotes. Tout le monde n'est pas d'accord, a-t-elle ajouté, mais pour elle ça marchait. C'est un poisson blanc et fin qui se cuisine superbement avec un bon vin blanc. Pas un vin blanc ordinaire, de cuisine, non, un bon vin blanc. Norm a fait du poisson une fois mais ç'a été un vrai gâchis, il a utilisé de la pisse californienne qui a transformé le poisson en vieille godasse. Le pauvre chéri s'y connaissait en matière de littérature et de conférences, mais pas en vin ou en poisson.

C'est bizarre d'être avec une femme qui prend votre visage entre ses mains et vous dit d'avoir confiance en vous. Elle a dit, Mon père venait de Liverpool et il a bu à en crever parce que le monde lui faisait peur. Il disait qu'il aurait aimé être catholique, comme ça il aurait pu entrer dans un monastère et ne plus jamais revoir d'êtres humains, et c'est ma mère qui essayait de lui faire dire des choses positives sur lui-même. Il n'y arrivait pas, alors il buvait et il est mort. Est-ce que tu bois ?

Pas beaucoup.

Fais attention. Tu es irlandais.

Ton père n'était pas irlandais.

Non, mais il aurait pu. À Liverpool, tout le monde est irlandais. Préparons cette lotte.

Elle m'a tendu un kimono. Tout va bien. Change-toi dans la chambre. Si c'est assez bien pour un samouraï, c'est assez bien pour une saleté d'Irlandais, un petit dur à cuire qui n'est pas si dur à cuire.

Elle a passé une robe de chambre argentée qui donnait l'impression d'avoir sa propre vie. Par moments le vêtement lui collait au corps, puis il retombait d'une façon qui la laissait bouger librement dedans. Je préférais quand il la moulait et ça me gardait alerte dans mon kimono.

Elle m'a demandé si j'aimais le vin blanc et j'ai dit oui – j'étais en train d'apprendre que oui, c'était la meilleure réponse à toutes les questions, au moins avec June. J'ai dit oui pour la lotte et les asperges et les deux bougies tremblotantes sur la table. J'ai dit oui à sa manière de lever son verre de vin et de l'approcher du mien jusqu'à ce qu'ils fassent *cling*. Je lui ai dit que c'était le plus succulent repas que j'aie mangé de ma vie. J'avais envie de poursuivre et de dire que j'étais au paradis mais ça risquait de sembler forcé et elle aurait pu me lancer un de ces étranges regards qui aurait gâché toute la nuit et, plus encore, toute ma vie.

Jamais il n'y a eu d'allusion à Norm durant les six nuits qui ont suivi celle de la lotte, à part les douze roses fraîches dans un vase de sa chambre accompagnées d'une carte qui disait *Je t'embrasse, Norm*. J'ai repris du vin afin de trouver assez de courage pour demander, Comment est-ce que tu fais, bordel, pour te mettre au lit avec moi à côté des roses de Norm ? mais je ne l'ai pas fait. Comme je n'avais pas assez d'argent pour lui offrir des roses je lui ai acheté des œillets, qu'elle a mis dans un grand vase en verre à côté des roses. Il n'y avait pas photo. À côté des roses de Norm, mes œillets avaient l'air si tristes que je lui ai acheté une douzaine de roses avec mes derniers dollars. Elle les a senties et a dit, Oh, elles sont magnifiques. Je ne savais que répondre, je ne les avais pas cultivées, seulement achetées. Les roses de Norm dans le vase en verre avaient l'air fanées et ça m'a fait plaisir de penser que mes roses allaient remplacer les siennes, mais ce qu'elle a fait par la suite a fait éprouver à mon cœur la plus grande souffrance qu'il ait jamais ressentie.

De la cuisine, sur une chaise, je voyais ce qu'elle faisait dans la chambre, prenant mes roses une par une et les plaçant délicatement parmi les roses de Norm, reculant, les admirant, utilisant mes roses fraîches pour soutenir les roses de Norm qui s'avachissaient, caressant les roses, les miennes et les siennes, et souriant comme si les deux bouquets se valaient.

Elle devait savoir que je regardais. Elle s'est retournée et m'a souri, à moi qui souffrais, au bord des larmes, dans la cuisine. Elles sont magnifiques, a-t-elle répété. Je savais qu'elle parlait des vingt-quatre roses, pas seulement de ma douzaine, et j'ai eu envie de crier quelque chose et de claquer la porte en véritable homme.

Je m'en suis gardé. Je suis resté. Elle a préparé des côtes de porc farcies avec une sauce aux pommes et des pommes de terres écrasées qui avaient un goût de carton. On est allés au lit, je ne pensais qu'à mes roses mêlées aux siennes à lui, ce fils de pute dans le Vermont. Elle a dit que j'avais l'air à plat et j'ai eu envie de lui dire que j'aurais voulu être mort. C'est pas grave, a-t-elle dit. Les gens s'habituent à être ensemble. Il faut garder la flamme.

Est-ce que c'était sa manière de garder la flamme ? Jongler avec les deux en même temps, remplir un vase avec des fleurs offertes par des hommes différents ?

Vers la fin du troisième trimestre, j'ai croisé Seymour sur Washington Square. Comment ça va ? a-t-il demandé, et il a ri comme s'il savait quelque chose. Comment va la sublime June ?

J'ai bégayé, me dandinant d'un pied sur l'autre. Il a dit, T'inquiète pas. À moi aussi, elle me l'a fait, mais elle m'a gardé seulement deux semaines. J'avais compris son petit jeu, et je lui ai dit d'aller se faire voir ailleurs.

Son petit jeu ?

Tout ça, c'est pour le vieux Norm. Elle m'a eu, elle t'a eu, et Dieu sait qui d'autre elle a eu, et elle raconte tout à Norm.

Mais il a déménagé dans le Vermont.

Le Vermont, mon cul. Dès que tu sors de chez elle, il rapplique pour se délecter de tous les détails.

Comment le sais-tu ?

Il me l'a dit. Il m'aime bien. Il a parlé de moi à June, elle lui a parlé de toi, et ils savent que je te parle d'eux, et ils s'éclatent comme des fous. Ils parlent de toi et disent que quoi qu'il advienne, tu as toujours l'air d'une poule qui a trouvé un couteau.

Je suis parti et il m'a appelé, Quand tu veux, mon gars, quand tu veux.

J'ai obtenu de justesse mon habilitation à enseigner. J'ai tout obtenu de justesse. Pour l'avoir, il fallait arriver à soixante-cinq points ; j'en ai eu soixante-neuf. Je pense que j'ai obtenu mon diplôme grâce à la gentillesse du directeur du département d'anglais du lycée de Brooklyn Est qui a noté ma dissertation pédagogique, et à ma bonne étoile, étant donné mes maigres connaissances en matière de poésie de la Grande Guerre. Un professeur alcoolique de l'université de New York a fort aimablement déclaré que j'étais un étudiant demeuré. J'en ai été offusqué jusqu'à ce que j'y repense et comprenne qu'il avait raison. J'étais complètement demeuré, mais j'ai juré qu'un jour je me prendrais en main, m'appliquerais, me concentrerais, tirerais quelque chose de moi-même, me secouerais, me ressaisirais, selon les bons vieux préceptes américains.

Nous étions assis dans les couloirs du lycée technique de Brooklyn à attendre les épreuves orales, remplissant des formulaires, signant des déclarations affirmant notre loyauté envers l'Amérique, assurant au monde que nous n'étions pas, ni n'avions jamais été, membres du Parti communiste.

Je l'ai vue bien avant qu'elle ne s'assoie à côté de moi. Elle portait un foulard vert et des lunettes de soleil et, ôtant son foulard, elle a libéré sa crinière rousse. Je souffrais atrocement à cause d'elle mais je ne voulais pas lui donner le plaisir de me retourner pour la regarder.

Salut, Frank.

Si j'avais été un personnage de roman ou de film je me serais levé et je serais parti, fier. Elle a redit salut. Elle a dit, Tu as l'air fatigué.

Je lui ai répondu d'un ton cassant pour lui montrer que je n'allais pas être poli avec elle après ce qu'elle m'avait fait. Non, je ne suis pas fatigué, ai-je rétorqué. Mais alors ses doigts ont touché mon visage.

Le personnage imaginaire aurait reculé la tête pour montrer qu'il n'avait pas oublié, qu'il n'allait pas se radoucir pour deux salutations et le fait qu'elle ait effleuré mon visage. Elle a souri et m'a de nouveau touché la joue.

Dans le couloir, tout le monde la regardait et j'ai pensé qu'ils se demandaient ce qu'elle faisait avec moi : elle était tellement splendide et je n'étais pas franchement le gros lot. Ils ont vu sa main posée sur la mienne.

Comment ça va, sinon ?

Bien, ai-je croassé. J'ai regardé sa main et je l'ai imaginée en train de caresser le corps de Norm.

Elle a dit, T'es angoissé à cause de l'oral ?

J'ai de nouveau répondu d'un ton cassant. Non, pas du tout.

Tu feras un bon enseignant.

Je m'en fiche.

Tu t'en fiches ? Alors pourquoi est-ce que tu fais tout ça ?

Il n'y a rien d'autre à faire.

Oh. Elle, elle passait l'habilitation à enseigner pour travailler pendant un an et écrire un livre là-dessus. C'était une idée de Norm. Norm le grand spécialiste. D'après lui, l'éducation en Amérique était un beau bazar et un livre dénonçant ce scandale de l'intérieur du système scolaire serait un best-seller. Enseigne un an ou deux, déplore l'état épouvantable des écoles, et tu vendras plein de livres.

On m'a appelé pour l'oral. Elle a dit, Ça te dirait de prendre un café après ?

Si j'avais eu un peu de fierté ou d'amour-propre, je lui aurais dit non et je serais parti mais j'ai répondu que j'étais d'accord, et je suis allé passer mon oral le cœur battant.

J'ai salué les trois examinateurs, mais on leur a appris à ne pas regarder les candidats. L'homme du milieu a dit, Vous avez deux minutes pour lire le poème qui se trouve sur le bureau derrière vous. Une fois que vous l'aurez lu nous vous demanderons de l'analyser et de nous dire comment vous le présenteriez à des lycéens.

Le titre du poème résumait mon sentiment pendant l'épreuve : « J'oublierai, j'oublierai peut-être que je suis moi ».

Le type chauve sur la droite m'a demandé si je connaissais la forme du poème.

Oui, oh, oui. C'est une sonate.

Une quoi ?

Euh, excusez-moi. Un sonnet. Quatorze vers.

Et la disposition des rimes ?

Ah... ah... abbaabbacdcdc.

Ils ont échangé des regards et je ne savais pas si j'avais raison ou tort.

Et le poète ?

Ah, je pense que c'est Shakespeare. Non, non, Wordsworth.

Ni l'un ni l'autre, jeune homme. C'est Santayana.

Le type chauve m'a lancé un regard furibard, comme si je l'avais insulté. Santayana, il a dit, Santayana, et j'ai presque eu honte de mon ignorance.

Ils avaient un air sinistre, j'ai eu envie de dire qu'il était déloyal et injuste de poser des questions sur Santayana car il ne se trouvait dans aucun des manuels ou des anthologies que j'avais consultés lors de mes quatre années passées à roupiller à l'université de New York. Ils ne l'ont pas demandé mais j'ai dit la seule chose que je savais de Santayana, que si on ne prend pas en compte les leçons de l'Histoire on est voué à répéter ses erreurs. Ils n'ont pas semblé impressionnés, même lorsque je leur ai dit que je connaissais le prénom de Santayana, George.

Alors, a fait l'homme du milieu. Comment étudieriez-vous ce poème ?

J'ai bafouillé. Eh bien... je pense que... je pense que... ça parle partiellement du suicide et du fait que Santayana en a marre, et je parlerais de James Dean que les adolescents admirent, et du fait qu'il s'est probablement, même inconsciemment, suicidé en moto, et je continuerais avec le monologue du suicide d'*Hamlet,* « Être ou ne pas être », et les ferais parler de leurs propres désirs de suicide, s'il s'avérait qu'ils en aient déjà eu.

Le type sur la droite a dit, Qu'est-ce que vous feriez pour la consolidation ?

Je ne sais pas, monsieur. C'est quoi, la consolidation ?

Il a haussé les sourcils et a regardé les autres comme s'il s'efforçait de garder son calme. Il a répliqué, La consolidation c'est une activité, un enrichissement, un suivi, une sorte de dissertation où vous condensez les connaissances pour qu'elles restent gravées dans la mémoire des élèves. On n'enseigne pas dans le vide. Un bon enseignant doit relier le matériel pédagogique à la vraie vie. Vous comprenez, n'est-ce pas ?

Oh. J'étais en proie au désespoir. J'ai lâché, Je leur dirais d'écrire une lettre de suicide de cent cinquante mots. Ça serait un bon moyen de les encourager à penser à la vie en général, parce que Samuel Johnson a dit que le projet de se pendre au matin permet à l'esprit de se concentrer merveilleusement.

L'homme du milieu a explosé. Quoi ?

L'homme sur la droite a secoué la tête. Nous ne sommes pas là pour parler de Samuel Johnson.

L'homme sur la gauche a sifflé. Une lettre de suicide ? Il ne faut pas faire une chose pareille. Vous m'entendez ? Nous parlons d'esprits sensibles. Bonté divine ! Vous pouvez partir.

J'ai dit, Merci, mais à quoi bon ? J'étais certain d'être fichu. Il était facile de comprendre qu'ils ne m'aimaient pas plus moi que mon ignorance de Satayana et de la consolidation, et j'étais certain que l'idée de la lettre de suicide avait été la cerise sur le gâteau. Ces gens occupaient des fonctions de proviseurs ou d'autres postes importants et ils m'étaient antipathiques comme tous ceux qui avaient du pouvoir sur moi, les patrons, les évêques, les professeurs d'université, les inspecteurs des impôts, les chefs en général. Pourtant, je me demandais pourquoi les gens comme ces examinateurs étaient discourtois au point de vous faire vous sentir nuls. J'ai pensé que si j'étais à leur place j'essaierais d'aider les candidats à surmonter leur anxiété. Si des jeunes gens veulent devenir enseignants ils devraient être encouragés, et non pas intimidés par des examinateurs qui semblent songer que Santayana est le centre du monde.

Voilà que je ressentais alors, mais je n'avais pas encore l'expérience de la vie en société. J'ignorais que les gens d'en haut doivent se protéger contre les gens d'en bas. J'ignorais que les plus âgés doivent se protéger des plus jeunes, qui veulent les éjecter de la surface de la terre.

Lorsque je suis sorti de mon oral elle était déjà dans le couloir, nouant son foulard sous son menton, me disant, C'était fastoche.

Pas du tout. Ils m'ont interrogé sur Santayana.

Vraiment ? Norm adore Santayana.

Cette femme avait-elle deux sous de jugeote, pour me gâcher ainsi la journée avec Norm et ce satané Santayana ?

Je n'en ai rien à foutre de Norm. Ni de Santayana.

Oh là là. Que d'emportement. Notre Irlandais nous ferait-il un petit caprice ?

J'ai voulu étreindre ma poitrine pour calmer ma rage. Au lieu de quoi, je suis parti et j'ai continué de marcher alors qu'elle criait, Frank ! Frank ! ça pourrait être sérieux entre nous.

J'ai traversé le pont de Brooklyn, en répétant, Ça pourrait être sérieux entre nous, sur le chemin du

McSorley sur la 7e Rue Est. Qu'est-ce qu'elle voulait dire ?

J'ai bu bière sur bière, ai mangé des saucisses et des oignons avec des crackers, ai copieusement pissé dans les urinoirs imposants de McSorley's, l'ai appelée d'une cabine téléphonique, ai raccroché en entendant la voix de Norm, me suis apitoyé sur mon sort, ai voulu rappeler Norm, le provoquer en duel sur le trottoir, ai décroché le téléphone, l'ai raccroché, suis rentré chez moi, ai pleurniché contre un coussin, me suis méprisé, me suis traité de con jusqu'à ce que je sombre dans un sommeil d'ivrogne.

Le lendemain, la gueule de bois et mal en point, je me suis rendu au lycée de Brooklyn Est, pour l'épreuve pédagogique, le dernier obstacle pour l'habilitation. Je devais y être avec une heure d'avance, mais j'ai pris un mauvais métro et je suis arrivé avec une demi-heure de retard. Le directeur du département d'anglais a dit que je pouvais revenir une autre fois, mais je voulais en finir, surtout depuis que je savais que de toute façon j'allais droit dans le mur.

Le directeur m'a tendu des bouts de papier avec le sujet de mon épreuve : *Poèmes de guerre*. Je connaissais les poèmes par cœur « Est-ce que ça compte ? » de Siegfried Sassoon et « Hymne à une jeunesse condamnée » de Wilfred Owen.

Quand on enseigne à New York, on doit suivre un plan de cours. D'abord, fixer un objectif. Puis on doit motiver la classe car, comme chacun sait, les gamins ne veulent pas apprendre.

Je motive la classe en leur parlant du mari de ma tante, qui a été gazé pendant la Première Guerre mondiale et qui, une fois rentré chez lui, n'a trouvé à s'employer qu'en ramassant du charbon, du coke et de la houille dans une usine à gaz de Limerick. La classe éclate de rire et le directeur a un léger sourire, un bon signe.

Il ne suffit pas d'apprendre le poème. On doit « éveiller et susciter », impliquer les élèves. Les exciter. Ce sont les termes de l'Éducation nationale. Il faut poser des questions centrales pour encourager la participation. Un bon professeur doit poser des questions suffisamment centrales pour conserver l'attention de la classe pendant cinquante-cinq minutes.

Quelques mômes parlent de la guerre, des membres de leur famille qui ont survécu à la Seconde Guerre mondiale et à la Corée. Ils disent que ce n'était pas juste que certains soient rentrés chez eux défigurés et culs-de-jatte. Perdre un bras ne semblait pas si terrible parce qu'on en a quand même un autre. En perdre deux, ça fait vraiment suer parce qu'on doit se faire nourrir par quelqu'un. Être défiguré c'est encore autre chose. On n'a qu'un visage et quand il n'est plus là, c'est fini, mon gars. Une fille à la silhouette sublime, vêtue d'un corsage rose en dentelle, a déclaré que sa sœur avait épousé un type qui avait été blessé à Pyongyang et qu'il n'avait plus de bras, pas même des moignons sur lesquels on pouvait coller des faux bras. Alors il fallait que sa sœur le nourrisse et le rase et fasse tout et lui, il voulait seulement du sexe. Du sexe, du sexe, du sexe, c'est la seule chose qu'il ait jamais voulue, et sa sœur n'en pouvait plus.

Le directeur au fond de la classe dit, Helen, sur un ton menaçant, et elle dit à toute la classe, Ben, c'est la vérité. Comment vous sentiriez-vous si vous deviez donner son bain à quelqu'un et le nourrir et puis coucher avec trois fois par jour. Certains garçons ricanent mais s'arrêtent lorsque Helen dit, Je suis désolée. Je suis tellement triste pour ma sœur et Roger, elle a dit qu'elle ne peut plus continuer. Elle voudrait bien le quitter mais alors il atterrirait à l'hôpital des anciens combattants. Il a prévenu, si jamais ça se produisait il se suiciderait. Elle se retourne pour parler au directeur, au fond de la classe. Je suis désolée d'avoir dit ça sur le sexe mais c'est ce qui est arrivé et je ne voulais pas vous manquer de respect.

J'étais tellement époustouflé par Helen, sa maturité, son courage, sa merveilleuse poitrine que j'ai eu du mal à poursuivre le cours. J'ai pensé que ça me serait bien égal d'être amputé si elle passait ses journées à mes côtés, me nettoyant, me séchant, me prodiguant un massage quotidien. Évidemment, un professeur n'est pas censé nourrir de telles pensées mais que faire lorsqu'on a vingt-sept ans, que quelqu'un comme Helen est assis en face de vous et aborde des sujets comme le sexe avec le physique qu'elle avait ?

Un garçon insiste. Il dit qu'Helen ne devrait pas redouter que son beau-frère se suicide parce que c'est impossible quand on n'a pas de bras. Si on n'a pas de bras on n'a pas de solution pour mourir.

Deux garçons ajoutent que ça ne devrait pas exister d'avoir à affronter la vie sans visage ou sans jambes quand on a seulement vingt-deux ans. Oh, bien sûr, on peut toujours avoir des prothèses pour les jambes, mais il n'en existe pas pour le visage et alors qui voudra sortir avec vous ? Ça sera fini et vous n'aurez jamais d'enfants, ni rien. Votre propre mère ne voudra pas vous regarder et vous devrez absorber votre nourriture avec une paille.

C'est très triste de savoir que vous ne vous regarderez jamais plus dans le miroir de la salle de bains de peur de ce que vous pourriez voir ou ne pas voir, un visage disparu. Imaginez à quel point ç'a dû être terrible pour la pauvre mère quand elle a décidé de jeter le rasoir de son fils et sa crème à raser en sachant qu'il ne les utiliserait plus jamais. Jamais, plus jamais. Elle n'a bien évidemment pas pu aller dans sa chambre en disant, Fiston, tu n'utiliseras plus jamais ton matériel à raser et y a plein de choses qui s'entassent alors je vais les balancer. Imaginez ce qu'il ressentirait, assis dans son coin sans plus de visage, alors que sa propre mère lui dit, en gros, que tout est fini ? On ne peut faire ça qu'à quelqu'un qu'on n'aime pas et c'est difficile de penser qu'une mère n'aime pas son fils même s'il n'a plus de visage. Quel que soit l'état dans lequel on se trouve une mère doit vous aimer et vous soutenir. Si ce n'est pas le cas, qui sommes-nous et à quoi ça sert de vivre ?

Certains garçons de la classe voudraient faire leur propre guerre pour aller là-bas et se venger. Un garçon dit, Oh, c'est des conneries, on n'arrive jamais à se venger, et les autres hurlent et le huent. Il s'appelle Richard et ils crient que tout le monde au lycée sait qu'il est communiste. Le directeur prend des notes, probablement sur la manière dont j'ai perdu le contrôle de la classe en autorisant plus d'une personne à parler à la fois. Je suis désespéré. J'élève la voix, Quelqu'un a-t-il vu ce film sur des soldats allemands intitulé *À l'Ouest rien de nouveau ?*. Non, ils ne l'ont jamais vu et pourquoi devraient-ils raquer pour voir un film sur les Allemands après ce qu'ils nous ont fait ? Salauds de boches.

Combien d'entre vous sont italiens ? La moitié de la classe.

Est-ce que ça signifie que vous ne verrez jamais de films italiens parce qu'ils se sont battus contre les États-Unis pendant la guerre ?

Non, aucun rapport avec la guerre. C'est seulement qu'ils refusent de voir ce genre de films avec ces sous-titres à la noix qui changent tellement vite qu'on n'arrive jamais à suivre l'histoire et quand il y a de la neige dans le film et que les sous-titres sont blancs comment est-ce qu'on se débrouille pour lire quoi que ce soit ? Des tas de films italiens montrent de la neige et des chiens qui pissent contre des murs, et de toute façon ils sont déprimants avec ces gens qui traînent dans les rues à attendre qu'il arrive quelque chose.

Selon les consignes de l'Éducation nationale, un cours doit comprendre un résumé qui reprend tout et permet de donner des devoirs à la maison ou de consolider les connaissances, ou une espèce de conclusion, mais j'oublie de le faire, et quand la sonnette retentit une dispute éclate entre deux garçons : l'un défend John Wayne, l'autre affirme que c'était un sale escroc qui n'avait jamais fait la guerre. J'essaie de tout faire tenir dans un majestueux résumé, la discussion périclite. Je leur dis, Merci, mais personne n'écoute et le directeur se gratte le front en prenant des notes.

J'ai marché en direction du métro, en me maudissant. À quoi bon ? Professeur de mes deux. J'aurais dû rester dans l'armée avec les troufions. J'aurais été mieux à bosser sur les docks et dans les entrepôts, à porter, soulever, jurer, à manger des sandwichs mixtes, à boire de la bière, à chasser la pouffiasse sur les quais. Au moins, j'aurais été avec les miens, des gens de mon milieu, ne cherchant pas à péter plus haut que mon cul. J'aurais dû écouter les curés et les honnêtes Irlandais qui nous disaient de nous méfier de la vanité, d'accepter notre sort, il y a une place au paradis pour les doux de cœur, les humbles d'âme.

Monsieur McCourt, monsieur McCourt, attendez.

C'était le directeur qui m'appelait, un demi-pâté de maisons derrière moi. Attendez ! J'ai fait demi-tour dans sa direction. Il avait un visage bon. J'ai pensé qu'il venait me consoler d'un, Dommage, jeune homme.

Il était hors d'haleine. Écoutez, je ne suis absolument pas censé vous parler mais je voulais simplement vous dire que vous aurez vos résultats d'examen dans quelques semaines. Vous allez faire un bon professeur. Enfin, je veux dire, bordel, vous connaissiez vraiment Sassoon et Owen. Enfin, je veux dire, la moitié des gens qui entrent là-dedans ne peuvent pas faire la différence entre Emerson et Mickey Spillane. Alors, quand vous aurez vos résultats et que vous rechercherez un poste, appelez-moi. OK ?

Oh, oui, bien sûr, oui, sans faute. Merci.

Je dansais dans la rue, ne touchais plus terre. Des oiseaux gazouillaient sur le quai du métro aérien. Les gens me souriaient en me regardant avec respect. Ils pouvaient voir en moi un homme pourvu d'un poste d'enseignant. Je n'étais pas aussi bête que ça, après tout. Oh, Seigneur. Oh, mon Dieu. Qu'allait dire ma famille ? Professeur. La nouvelle allait faire le tour de Limerick. Vous êtes au courant pour Frankie McCourt ? Vingt dieux, il est professeur, là-bas en Amérique. Il était quoi quand il est parti ? Rien. C'est ce qu'il était. Un pauvre couillon misérable qu'avait l'air d'un machin apporté par un chat. J'appellerais June. Lui dirais qu'on m'avait déjà offert un poste. Dans un lycée. Pas aussi chic que pour le professeur Norman, mais tout de même... J'ai enfoncé une pièce dans le téléphone. Elle est tombée. J'ai raccroché une nouvelle fois. L'appeler voudrait dire que j'avais besoin de l'appeler, et je n'avais pas besoin de ce besoin. Je pouvais vivre sans elle dans la baignoire et la lotte et le vin blanc. Le métro est arrivé dans un grondement. Je voulais le dire aux gens, assis ou debout, On m'a offert un poste d'enseignant. Ils auraient souri en levant les yeux de leur journal. Non, pas de coup de fil à June. Qu'elle reste avec Norm, qui bousillait les lottes et était ignare en matière de vin, Norm le dépravé, incapable de prendre June comme elle était. Non, j'irais au centre-ville jusqu'aux entrepôts du port, prêt à travailler avant de recevoir mon habilitation à enseigner. J'aimerais l'agiter tout en haut de l'Empire State Building.

Quand j'ai appelé pour le poste, l'établissement a répondu que, désolé, le sympathique directeur était décédé et, désolé, il n'y avait aucune place et bonne chance pour mes recherches. Tout le monde disait que du moment que je décrochais l'habilitation, je n'aurais aucun problème pour trouver du travail. Qui serait assez dingo pour vouloir un boulot aussi minable que celui-là ? De grosses semaines, peu d'argent et quelle reconnaissance attendre quand on s'occupe des sales gosses de l'Amérique ? C'est la raison pour laquelle le pays réclamait des enseignants à grands cris.

Les uns après les autres, les établissements m'ont dit, Désolé, votre accent va poser problème. Les mômes, vous savez, aiment imiter, et on se retrouverait avec un lycée plein d'accents irlandais. Qu'est-ce que les parents diraient si leurs enfants revenaient à la maison en parlant comme, vous savez, comme Barry Fitzgerald ? Vous comprônez notre pôsition ? Les proviseurs adjoints se demandaient comment j'avais fait pour dégoter une habilitation avec un accent pareil. L'Éducation nationale n'avait-elle donc plus d'exigences ?

J'étais démoralisé. Pas de place pour moi dans le grand rêve américain. Je suis retourné sur les quais, où je me sentais plus à l'aise.

4

HÉ, M'SIEUR MCCOURT, VOUS AVEZ DÉJÀ FAIT un vrai travail, pas prof, non, vous voyez, un vrai travail.

Tu plaisantes ? C'est quoi, pour toi, prof ? Regarde autour de toi, dans cette salle, et demande-toi si tu aimerais venir ici pour te retrouver en face de toi tous les jours. Toi. Enseigner, c'est plus dur que travailler sur les docks ou dans un entrepôt. Combien d'entre vous ont des membres de leur famille qui vont aux docks ?

La moitié de la classe, surtout des Italiens, quelques Irlandais.

Avant de venir dans ce lycée, je travaillais sur les quais de Manhattan, Hoboken et Brooklyn, ai-je dit. Un garçon a dit que son père m'avait connu à Hoboken.

Je leur ai raconté, Après la faculté, j'ai décroché mon habilitation à enseigner mais je ne pensais pas que j'étais fait pour la vie d'enseignant. Je ne connaissais rien aux adolescents américains. N'aurais pas su quoi vous dire. Travailler sur les docks, c'était plus facile. Les camions arrivaient en marche arrière. On maniait les crochets. Soulever, hisser, tirer, pousser. Empiler les palettes. Le Fenwick se faufile, lève la charge, la redescend, la pose dans l'entrepôt, et retourne vers la plateforme. C'était ton corps qui trimait pendant que ton cerveau se la coulait douce. Tu travaillais de 8 heures à midi, tu prenais un sandwich de trente centimètres et un litre de bière pour le déjeuner, que tu suais de 16 heures à 17 heures, tu rentrais chez toi, mort de faim, prêt à regarder un film et à boire quelques bières dans un bar de la Troisième Avenue.

Une fois le coup de main pris, tu fonctionnais comme un robot. Tu suivais le rythme du type le plus costaud sur la plateforme, la carrure n'a rien à voir à l'affaire. Tu te servais de tes genoux pour protéger ton dos. Si tu oubliais, les gars sur la plateforme aboyaient, Vingt dieux, t'as une colonne en caoutchouc ou sur ressorts ? Tu apprenais à utiliser le crochet de façon différente selon les charges : boîtes, sacs, meubles, énormes pièces de machines graisseuses. Un sac de haricots ou de poivre n'en fait qu'à sa tête. Il peut se déformer à sa guise et il faut s'en accommoder. Tu regardais la taille, la forme et le poids d'un article et tu savais en une seconde comment le porter et le balancer. Tu apprenais à connaître les camionneurs et les aides-camionneurs. Les camionneurs indépendants étaient tranquilles. Ils étaient à leur compte, travaillaient à leur propre rythme. Les camionneurs salariés te bousculaient pour que tu te dépêches, mon gars, accroche c'te saloperie de charge, allez, faut qu'je m'tire d'ici. Les aides-camionneurs faisaient toujours la tête, quel que soit leur employeur. Ils te jouaient des sales tours pour te mettre à l'épreuve et se débarrasser de toi, surtout quand ils croyaient que tu venais de débarquer. Quand tu travaillais au bord de l'embarcadère ou de la plateforme ils relâchaient leur prise sur le sac ou la caisse si brusquement que tu aurais pu te démettre une épaule, alors tu apprenais à travailler loin des bords, quels qu'ils soient. Puis ils rigolaient et disaient, Joue-nous un coup de biniou, l'Irlandais, ou, Bien le bonjour chez vous, avec un faux accent irlandais. Tu ne te plaignais jamais au chef de ce genre de choses. Il aurait répondu, Qu'esse ça peut foutre, fiston ? Tu peux pas supporter une petite blague ? Se plaindre ne faisait qu'empirer les choses. Un camionneur ou un aide-camionneur aurait pu l'apprendre et t'éjecter par mégarde de la plateforme ou même du quai. Un grand type qui venait d'arriver de Mayo n'avait pas apprécié que quelqu'un ait glissé une queue de rat dans son sandwich et, quand il a menacé de tuer celui qui avait fait ça, il a par mégarde été jeté dans l'Hudson et tout le monde s'est bidonné, avant de lui lancer une corde pour le faire ressortir du fleuve tout dégoulinant de saletés. Il a appris à en rire et ils ont arrêté de le tourmenter. Impossible de travailler sur les quais si tu fais la gueule. Au bout d'un moment, ils cessent de t'asticoter et tout le monde sait que tu es capable d'encaisser en silence. Eddie Lynch, le chef de plateforme, m'a dit que j'étais une saleté d'Irlandais, un petit dur à cuire, et ça m'a plus touché que le jour où j'ai été promu caporal dans l'armée des États-Unis parce que je savais que je n'étais pas aussi dur que ça, seulement désespéré.

J'ai dit à mes élèves que j'ignorais totalement si j'allais devenir prof ou non, si bien que j'avais songé à passer ma vie à aux entrepôts, les borgnes étant rois au royaume des aveugles. Mes patrons seraient tellement impressionnés par mon diplôme universitaire qu'ils me prendraient comme pointeur et que j'aurais sûrement une promotion d'employé de bureau qui me permettrait de gravir les échelons. Je pourrais devenir chef pointeur. Je savais comment ça se passait pour ceux qui travaillaient dans les bureaux de l'entrepôt ou d'ailleurs. Ils brassaient des paperasses, bâillaient, nous observaient par la fenêtre trimer comme des chiens sur la plateforme.

Je n'ai rien dit à mes élèves sur Helena, la standardiste qui n'offrait pas que des beignets à l'arrière du bâtiment. J'ai été tenté jusqu'à ce qu'Eddie me dise que je n'aurais qu'à l'effleurer pour me retrouver à l'hôpital Saint-Vincent la queue dégoulinante.

Ce qui m'a manqué quand j'ai quitté les docks, c'était la manière qu'avaient les gens de te dire tes quatre vérités, en s'en battant l'œil. Pas comme les profs de fac qui disaient, D'un côté, oui, de l'autre, non, et tu ne savais plus quoi penser. C'était important de connaître l'opinion des professeurs, comme ça tu pouvais la ressortir pendant l'examen. Aux entrepôts, tout le monde insultait tout le monde sur un ton badin jusqu'à ce que quelqu'un dépasse les bornes et qu'on sorte les crochets. C'était impressionnant quand ça se produisait. On le sentait venir à la manière dont les rires se taisaient et dont les sourires se crispaient parce qu'une grande gueule appuyait un peu trop là où ça faisait mal et on s'attendait alors à voir surgir le crochet ou le poing.

Le travail s'interrompait lorsqu'une bagarre éclatait sur les quais et l'aire de chargement. Eddie me disait que les gars étaient fatigués de soulever et de hisser et de poser, toujours les mêmes satanés gestes, d'année en année, et que c'était pour ça qu'ils s'insultaient et s'acculaient les uns les autres à la limite de la vraie bagarre. Il leur fallait trouver quelque chose à faire pour briser la routine et les longues heures de silence. Je lui ai dit que ça ne me dérangeait pas de travailler toute la journée sans dire un mot et il a répondu, Ouais, mais pour toi c'est pas pareil. Ça fait seulement un an et demi que t'es là. Si tu faisais ça depuis quinze ans, tu commencerais toi aussi à ouvrir ta gueule. Certains de ces types se sont battus en Normandie et dans le Pacifique et ils sont quoi maintenant ? Des ânes. Des ânes avec des médailles. De pauvres ânes dans un cul-de-sac. Ils se saoulent sur Hudson Street et se font mousser avec leurs décorations comme si on en avait quelque chose à foutre. Ils prétendront travailler pour leurs mômes, leurs mômes, leurs mômes. Pour qu'ils aient une vie meilleure. Bon Dieu ! Ce que je suis content de ne m'être jamais marié.

Si Eddie n'avait pas été là, les bagarres auraient été pires. Ce type avait des yeux et des oreilles absolument partout et il flairait les ennuis qui se profilaient à l'horizon. Si deux hommes étaient sur le point de se mettre sur la gueule, Eddie glissait entre eux sa formidable bedaine et leur disait de se barrer de sa plateforme, d'aller régler leurs comptes ailleurs. Ce qu'ils ne faisaient jamais, trop contents d'avoir une bonne excuse pour échapper aux coups de poing et, surtout, au crochet. On peut éviter un coup de poing mais on ne sait jamais d'où peut venir un crochet. Toutefois, ils continuaient de grommeler et de se faire des bras d'honneur, mais ce n'était plus que du chiqué, le moment était révolu, le défi était terminé, les autres s'étaient remis au travail et à quoi bon se bagarrer si personne n'est là pour admirer le genre de caïd qu'on est ?

Helena sortait du bureau pour regarder les bagarres et quand c'était terminé elle chuchotait à l'oreille des vainqueurs et les invitait à passer un bon moment dans un coin sombre de l'entrepôt.

Eddie disait que certains de ces gros dégueulasses faisaient semblant de se battre pour qu'Helena soit gentille avec eux, et que si jamais il me trouvait à l'arrière avec elle après une bagarre il me balancerait dans le fleuve à coups de pied dans le cul. Il a dit ça parce qu'une fois je m'étais battu ou avais failli me battre avec Gros Dominic, un chauffeur qui était dangereux – des rumeurs disaient qu'il faisait partie de la Mafia. Eddie affirmait que c'était des conneries. Si on en faisait vraiment partie, on n'était pas chauffeur et on ne se cassait pas le cul à décharger des semi-remorques. Nous autres, on croyait que Dominic connaissait sûrement des gens introduits, ou même des gros bonnets, donc c'était pas une mauvaise idée d'être coopératif avec lui. Mais comment peux-tu être coopératif avec lui quand il se met à ricaner, Qu'esse t'as, sale Irlandais ? T'as perdu ta langue ? P't'êt' passqu'un mongolien a tringlé ta p'tite môman, hein ?

Tout le monde sait que sur les quais ou les plateformes, ou n'importe où ailleurs, tu ne dois permettre à personne d'insulter ta mère. Les gamins le savent dès qu'ils savent parler. Même si tu n'aimes pas ta mère, ça ne compte pas. On peut dire n'importe quoi sur toi, mais insulter ta mère c'est pousser le bouchon trop loin, et si tu laisses passer, plus personne ne te respectera. Quand tu auras besoin d'aide lors d'un chargement sur la plateforme ou la jetée, les autres te tourneront le dos. Tu n'existes plus. Ils refuseront même de partager un sandwich à la saucisse avec toi pendant la pause-déjeuner. Si tu te promènes entre les quais et les entrepôts et que tu vois des hommes qui mangent seuls, tu sais qu'ils sont dans une merde noire, qu'ils ont laissé insulter leur mère ou ont refusé de faire grève. Un jaune se fera pardonner en un an mais un homme qui a laissé insulter sa mère, jamais.

J'ai répondu à Dominic par une insulte de soldat. Hé, Dominic, espèce de gros plouc, c'est quand la dernière fois que t'as vu ta bite, t'es sûr qu'elle est toujours là ?

Il a pivoté sur lui-même et m'a éjecté de la plateforme du plat de la main et lorsque j'ai touché le trottoir j'ai perdu les pédales, j'ai bondi sur la plateforme, essayant de l'attaquer avec mon crochet. Il a alors eu cette espèce de sourire, celui qui signifie, Espèce de misérable petite merde, tu vas crever, et quand je me suis jeté sur lui il m'a repoussé avec la paume de sa main et m'a réenvoyé valdinguer sur le trottoir. Avec la paume, c'est la chose la plus insultante dans une bagarre. Un bon coup de poing, c'est franc et respectable. C'est ce que font les boxeurs. Mais la paume en plein visage, ça signifie qu'on est en deçà du méprisable et mieux vaut récolter deux yeux au beurre noir qu'être en deçà du méprisable. Les yeux au beurre noir disparaîtront, mais le reste durera à jamais.

Puis il a ajouté l'insulte à l'insulte. Lorsque j'ai agrippé le bord de la plateforme pour m'y hisser de nouveau il m'a écrasé la main avec le pied et m'a craché sur le crâne, ce qui m'a mis dans une rage telle que j'ai fait balancer mon crochet pour l'attraper par l'arrière de la jambe et j'ai tiré jusqu'à ce qu'il hurle, Espèce de petite merde. Y a du sang sur ma jambe, tu es mort !

Il n'y avait aucune trace de sang. Le crochet avait été dévié par le cuir épais de ses bottes, mais j'étais prêt à continuer à frapper jusqu'à atteindre la chair avant qu'Eddie ne dévale l'escalier et ne s'interpose. File-moi ce crochet. T'es vraiment un sale taré d'Irlandais. Si Dominic te prend en grippe, tu passeras pour une merde aux yeux de tous.

Il m'a dit de rentrer, de me changer, de sortir par l'autre porte, de retourner chez moi, de me casser d'ici.

Est-ce que je vais me faire virer ?

Non, bon sang. On va pas se mettre à virer quelqu'un dès qu'il y a de la bagarre, mais tu vas perdre la demi-journée de travail qu'on devra filer à Dominic.

Mais pourquoi Dominic récupérerait mon argent ? C'est lui qui a commencé.

Dominic nous ramène du travail, toi, tu ne fais que passer. Quand t'auras ton diplôme universitaire il continuera de charger de la marchandise. T'as de la chance d'être en vie, fiston, alors fais le gros dos et rentre chez toi. Réfléchis-y.

En sortant, j'ai jeté un coup d'œil derrière moi pour voir si Helena était là et elle y était, avec son petit sourire aguicheur, mais Eddie lui aussi était là, et je savais que je n'avais aucune chance d'aller dans un coin sombre avec elle vu le regard furibard d'Eddie.

Un jour, quand ce serait mon tour de conduire le Fenwick, je prendrais ma revanche sur Gros Dominic. J'enfoncerais la pédale et j'écrabouillerais ce gros sac contre un mur, puis je l'écouterais hurler. C'était mon rêve.

Mais ça n'est jamais arrivé : tout a changé entre nous un jour qu'il faisait marche arrière avec son semi-remorque et a appelé Eddie depuis la cabine, Hé, Eddie, qui c'est qui décharge aujourd'hui ?

Durkin.

Nan. J'veux pas Durkin. Envoie-moi cette grande gueule d'Irlandais qui joue du crochet.

Dominic, t'es dingue ? Laisse tomber.

Nan. Envoie-moi la grande gueule, j'te dis.

Eddie m'a demandé si je m'en sortirais. Si je ne voulais pas le faire, je n'étais pas obligé. Il a dit, Dominic n'est pas le patron ici. J'ai répondu que je pouvais m'en sortir avec n'importe quel gros plouc et Eddie m'a dit ça suffit. Nom de Dieu, ferme un peu ton clapet. On réussira pas à te tirer d'affaire une deuxième fois. Va bosser et ferme ton clapet.

Dominic était sur la plateforme, tirant la tête. Il a dit que ça c'était un vrai boulot, des caisses de whiskey irlandais, et qu'il y aurait peut-être dans le tas une caisse qui tomberait du camion. Une ou deux bouteilles seraient peut-être cassées, mais le reste serait pour nous et il était certain qu'on leur réglerait leur sort. Il a esquissé un petit sourire et j'étais trop gêné pour le lui rendre. Comment un homme pouvait-il sourire après avoir utilisé la paume de sa main au lieu de son poing pour me frapper ?

Eh ben, t'es vraiment rabat-joie, pour un sale Irlandais, a-t-il dit.

J'allais le traiter de sale Rital, mais je ne voulais pas tâter de nouveau de la paume de sa main.

Il parlait d'un ton enjoué comme si rien ne s'était jamais passé entre nous. Je trouvais ça curieux parce que dès que je me disputais ou me battais avec quelqu'un je l'évitais pendant un moment. On chargeait les palettes de caisses de whiskey et il m'a raconté d'un ton égal que sa première femme était irlandaise mais qu'elle était morte de la tuberculose.

Tu te rends compte ? Cette saloperie de tuberculose. Une cuisinière épouvantable, ma première femme, comme toutes les Irlandaises. Prends-le pas mal, fiston. Me regarde pas comme ça. Mais, bon sang, ce qu'elle chantait bien. Des trucs d'opéra, aussi. Maintenant, je suis marié avec une Italienne. Elle chante comme une casserole mais, bon sang, ce qu'elle cuisine bien.

Il m'a regardé droit dans les yeux. Elle me nourrit. C'est pour ça que je suis un gros plouc qui voit pas ses genoux.

J'ai souri et il a crié Eddie ! Hé, trou-du-cul. Tu me dois dix sacs. J'ai fait sourire le sale petit Irlandais.

On a fini de décharger et d'empiler les palettes à l'intérieur et c'était le moment de lâcher la caisse de whiskey pour qu'il y ait de la casse, avant de s'asseoir sur des sacs de poivre dans la salle de fumigation avec les camionneurs et les dockers, histoire de s'assurer que rien de ce qu'il y avait dans la caisse serait gâché.

Eddie était le genre de type qu'on aimerait avoir comme père. Dès qu'on s'asseyait sur le banc de la plateforme entre deux cargaisons, il m'expliquait des choses, et je n'en revenais pas de ne pas les connaître déjà. J'étais censé être le petit étudiant mais il en savait plus que moi et j'avais plus de respect pour lui qu'envers n'importe quel professeur d'université.

Sa vie était une impasse. Il s'occupait de son père

qui était rentré avec un traumatisme grave de la Première Guerre mondiale. Eddie aurait pu le mettre dans un hôpital pour anciens combattants mais il disait que c'était tous des bouges. Pendant qu'Eddie travaillait, une femme venait chaque jour nourrir son père et le nettoyer. Le soir, il le promenait dans le parc en fauteuil roulant, puis le ramenait à la maison pour regarder les informations à la télévision, telle était la vie d'Eddie. Il ne se plaignait pas, disant seulement qu'il avait toujours rêvé d'avoir des enfants mais qu'il n'avait pas eu de bol. Son père avait perdu la boule mais restait bien portant. Il vivrait jusqu'à la fin des temps et Eddie ne pourrait jamais vivre seul.

Il fumait comme un pompier sur la plateforme et engloutissait d'énormes sandwichs aux boulettes de viande qu'il faisait passer avec des pintes de boisson chocolatée. Une quinte de toux due au tabac l'a emporté un jour qu'il criait après Gros Dominic pour qu'il redresse son satané semi-remorque et qu'il fasse sa marche arrière, Tu conduis comme une pute d'Hoboken, et quand la toux a surgi elle s'est mêlée à son rire et il n'a pas réussi à reprendre sa respiration, il s'est écroulé sur la plateforme, la cigarette aux lèvres, Gros Dominic, dans la cabine de camion, l'abreuvant d'insultes jusqu'à ce qu'il voie Eddie devenir plus blanc que blanc et suffoquer. Le temps que Gros Dominic se soit extrait de la cabine et hissé sur la plateforme, Eddie n'était plus et plutôt que de s'approcher de lui pour lui parler, comme dans les films, Gros Dominic, s'est reculé et a descendu les marches en se dandinant pour rejoindre son camion, sanglotant comme une grosse baleine, avant de démarrer en oubliant qu'il avait une cargaison à livrer.

Je suis resté avec Eddie jusqu'à ce que l'ambulance l'emmène. Helena est sortie du bureau, m'a dit que je faisais peur à voir, et s'est montrée pleine de compassion à mon égard, comme si Eddie était mon père. Je lui ai avoué que j'avais honte de moi parce qu'à peine Eddie avait disparu que j'avais songé à me proposer pour reprendre son poste. J'ai dit, Je pourrais le faire, n'est-ce pas ? J'ai un diplôme universitaire. Elle m'a répondu que le patron m'embaucherait sur-le-champ. Il serait fier de dire que les Entrepôts avaient à leur service l'unique pointeur et chef de plateforme diplômé du port. Elle m'a dit de m'asseoir derrière le bureau d'Eddie pour m'y habituer et d'écrire un mot au patron pour dire que le poste m'intéressait.

Le bloc-notes d'Eddie était sur le bureau. Il y avait toujours le manifeste de Gros Dominic. Un stylo rouge était accroché au bloc-notes par une ficelle. Une tasse à moitié remplie de café noir traînait sur le bureau. Il y avait marqué EDDIE sur le côté. J'ai pensé qu'il faudrait que je me dégote une tasse comme celle-ci avec FRANK inscrit dessus. Helena saurait où en trouver. Ça m'a réconforté de penser qu'elle pouvait me donner un coup de main. Elle a demandé, Qu'est-ce que t'attends ? Écris ta lettre. J'ai jeté un nouveau coup d'œil à la tasse d'Eddie. J'ai jeté un coup d'œil à la plate-forme d'où il était tombé et où il était mort et je n'ai pas pu écrire la lettre. Helena a dit que c'était la chance de ma vie. Je me ferais cent dollars par semaine, bon sang de bonsoir, bien mieux que les misérables soixante-dix-sept dollars que je me faisais en ce moment.

Non, je ne pourrais jamais remplacer Eddie sur la plateforme, je n'avais pas un ventre et un cœur assez grands. Helena a dit, D'accord, d'accord, t'as raison. À quoi ça sert d'aller à la fac si c'est pour rester sur la plateforme à pointer des sacs de poivre ? C'est à la portée du premier abruti venu, sans vouloir offenser Eddie. Tu veux être le nouvel Eddie ? Passer ta vie à surveiller Gros Dominic ? Tu ferais mieux d'être prof, mon chou. On te respectera plus.

Est-ce que ç'a été la tasse et les quelques encouragements d'Helena qui m'ont fait quitter les quais pour les salles de classe ou ma conscience qui m'a dit, Affronte le problème, arrête de fuir et sois prof, mon vieux ?

Quand je racontais des histoires de docker ils me regardaient d'un autre œil. Un garçon a dit que ça faisait drôle de penser qu'on était en face d'un prof qui avait travaillé comme les vraies gens et n'était pas sorti directement de l'université pour parler de bouquins et tout. Il pensait qu'il aimerait travailler sur les quais, aussi, à cause de tout l'argent qu'on gagne avec les heures sup et en magouillant un peu ici et là avec les marchandises tombées des camions mais son père lui a dit qu'il lui casserait la gueule, ah ah, et dans une famille italienne on ne répond pas à son père. Son père a dit, Si cet Irlandais a réussi à devenir prof, alors toi aussi, Ronnie, toi aussi. Alors laisse tomber les docks. Tu te feras peut-être de l'argent mais à quoi ça sert si tu te bousilles le dos ?

5

BIEN LONGTEMPS APRÈS MES ANNÉES D'ENSEIGNEMENT, je griffonne des chiffres sur des bouts de papier, et je suis impressionné par ce qu'ils signifient. À New York, j'ai enseigné dans cinq lycées différents et une fois en fac : le lycée professionnel et technique McKee, à Staten Island ; le lycée des industries de la mode à Manhattan ; le lycée de Seward Park à Manhattan ; le lycée Stuyvesant à Manhattan ; des cours du soir au lycée Washington-Irving à Manhattan ; le centre universitaire de New York à Brooklyn. J'ai enseigné le jour, la nuit, et donné des cours de vacances. L'arithmétique me dit qu'environ douze mille garçons et filles, hommes et femmes, se sont assis à leur table pour m'écouter faire cours, scander, encourager, radoter, chanter, déclamer, réciter, prêcher, perdre le fil. Je pense à ces douze mille personnes et me demande ce que j'ai fait pour elles. Puis je pense à ce qu'elles ont fait pour moi.

L'arithmétique me dit que j'ai dirigé au moins trente-trois mille cours.

Trente trois mille cours sur trente ans : jours, nuits, étés.

À l'université, on peut faire cours avec des vieilles notes décrépites. Dans un lycée public, ça ne passerait pas. Les adolescents américains sont maîtres dans l'art de découvrir les astuces des profs, et si tu essayes de les duper ils auront ta peau.

Donc, hep, m'sieur, qu'est-ce qui s'est passé d'autre en Irlande ?

Je ne peux pas en parler maintenant. Il faut qu'on finisse le chapitre de vocabulaire. Ouvrez votre manuel à la page soixante-douze.

Oh, p'tain, vous racontez des histoires aux autres classes. Vous pouvez pas nous en dire rien qu'une petite ?

D'accord, rien qu'une petite. Quand j'étais enfant, à Limerick, je n'aurais jamais cru que je deviendrais prof à New York. On était pauvres.

Oh, ouais. Paraît que vous aviez pas de frigo.

C'est vrai, et on n'avait pas de papier-toilette.

Quoi ? Pas de papier-toilette ? Tout le monde en a. Même en Chine où tout le monde meurt de faim ils en ont, du papier-toilette. Même en Afrique.

Ils pensent que j'en rajoute et ils n'aiment pas ça. Il y a des limites aux histoires de pas-de-bol.

Z'êtes en train de nous dire qu'vous remontiez vot' pantalon sans vous essuyer ?

Nancy Castigliano lève la main. Excusez-moi, m'sieur McCourt. C'est bientôt l'heure du repas, et j'ai pas envie d'entendre encore des histoires sur les gens qu'ont pas de papier-toilette.

D'accord, Nancy, on change de sujet.

Te retrouver face à des dizaines d'adolescents chaque jour te remet les pieds sur terre. À 8 heures du matin ils se fichent pas mal de ton état d'esprit.

Tu penses à la journée qui t'attend : cinq classes, presque cent soixante-quinze adolescents américains ; lunatiques, affamés, amoureux, anxieux, obsédés sexuels, bouillonnant d'énergie, provocateurs. Pas d'échappatoire. Ils sont là et tu es là avec ta migraine, ton indigestion, les échos de la dispute avec ton épouse, ta maîtresse, ton propriétaire, ton emmerdeur de fils qui se prend pour Elvis, ne t'est reconnaissant de rien de ce que tu fais pour lui. Tu n'as pas fermé l'œil de la nuit. Ton cartable est toujours rempli des copies de cent soixante-quinze élèves, leurs prétendues dissertations, leurs griffonnages brouillons. Oh, monsieur, vous avez lu mon devoir ? Non pas que ça les intéresse. Ils n'ont pas l'intention de passer leur vie à écrire des disserts. C'est une chose que l'on ne fait que dans ce cours rasoir. Ils te regardent. Tu ne peux pas te cacher. Ils attendent. Qu'est-ce qu'on fait aujourd'hui, m'sieur ? Les parties ? Oh, ouais. Hé, tout le monde, on va étudier les parties, leur structure, l'idée principale et tout et tout. J'ai hâte de le dire à ma mère en rentrant. Elle me demande toujours ce qu'on a fait à l'école. Les parties, maman. C'est son truc, au prof, les parties. Maman dira, Très bien, et continuera de regarder son feuilleton télé.

Ils arrivent tous de garages automobiles, de la vie réelle, où ils démontent et remontent tout ce qui leur passe sous la main, de la Volkswagen à la Cadillac, et voilà que ce prof n'arrête pas de tchatcher sur les différentes sous-parties d'une partie. Ça alors, vieux, t'as pas besoin de parties chez un garagiste.

Si tu aboies ou criailles, tu les perds. C'est ce que leurs parents et l'école en général leur servent, des aboiements et des criailleries. Si pour te punir ils répondent par le silence, c'en est fini pour toi dans cette classe. Leurs visages se métamorphosent et leurs yeux s'assombrissent comme ils savent si bien le faire. Dis-leur d'ouvrir leurs cahiers. Ils te regardent fixement. Ils prennent leur temps. Ouais, ils vont ouvrir leurs cahiers. Ouais, monsieur, voilà, on les ouvre nos cahiers, sans broncher, comme ça tout se passera bien. Dis-leur de recopier ce qu'il y a au tableau. Ils te regardent fixement. Oh, ouais, murmurent-ils entre eux. Il veut qu'on recopie ce qu'il y a au tableau. Voyez-vous ça. Le type écrit un truc au tableau et veut qu'on le recopie. Ils secouent la tête au ralenti. Tu demandes, Vous avez des questions ? et tout le monde dans la salle prend un air innocent. Tu restes là à attendre. Ils savent que c'est une épreuve de force de quarante-cinq minutes, toi contre eux, trente-quatre adolescents new-yorkais, les futurs mécaniciens et artisans de l'Amérique.

T'es qu'un prof de plus, mec, alors qu'est-ce que tu vas faire ? Fusiller du regard toute la classe ? Tous les sacquer ? Reprends-toi, mec. Ils te tiennent par les couilles et c'est de ta faute, vieux. Fallait pas leur parler comme ça. Ils se fichent de tes états d'âme, de ta migraine, de tes problèmes. Ils ont aussi les leurs, et tu en fais partie.

Fais gaffe, prof. Cause pas d'embrouilles. Ils pourraient te réduire en bouillie.

La pluie change l'ambiance d'un lycée, atténue toute chose. La première classe entre en silence. Un ou deux élèves disent bonjour. Ils secouent les gouttes de leurs vêtements. Ils sont distraits. Ils s'asseyent et attendent. Personne ne parle. Personne ne demande à aller aux toilettes. Pas de plaintes, ni de défis, ni d'impertinences. La pluie est magique. La pluie est reine. Fais avec, monsieur le prof. Prends ton temps. Baisse la voix. Ne songe même pas à faire un cours d'anglais. Évite de faire l'appel. L'ambiance est semblable à celle qui règne dans une maison après un enterrement. Pas d'horribles gros titres aujourd'hui, ni de cruelles nouvelles du Vietnam. Venus du dehors, des bruits de pas, le rire d'un prof. La pluie s'abat contre les vitres. Assieds-toi derrière ton bureau et laisse l'heure s'écouler. Une fille lève la main. Elle dit, Eh, m'sieur McCourt, vous avez déjà été amoureux ? Tu es nouveau mais tu sais déjà que quand ils posent une question comme celle-ci c'est à leur cas personnel qu'ils pensent. Tu réponds, Oui.

C'est elle qui vous a laissé tomber ou c'est vous ?

Les deux.

Ah, ouais ? Vous voulez dire que vous avez été amoureux plusieurs fois ?

Oui.

Waouh.

Un garçon lève la main. Il dit, Pourquoi les profs ils nous traitent pas comme des êtres humains ?

Tu l'ignores. Eh bien, si tu l'ignores, dis-leur, Je ne sais pas. Parle-leur de l'école en Irlande. Tu allais à l'école rongé de terreur. Tu en avais horreur et rêvais d'avoir quatorze ans pour avoir un boulot. Tu n'as jamais repensé à ta scolarité comme ça, n'en as jamais parlé. Tu aimerais que la pluie ne cesse jamais. Ils sont sur leurs chaises. Personne n'a eu à leur dire d'accrocher leur veste. Ils te regardent comme s'ils venaient seulement de s'apercevoir de ta présence.

Il faudrait qu'il pleuve tous les jours.

Et il y a les jours de printemps, où les vêtements

épais sont remisés et où chaque cours offre un grand déballage de poitrines et de biceps. Une douce brise entre par la fenêtre et caresse les joues des professeurs et des élèves, fait passer des sourires de table en table, de rangée en rangée jusqu'à ce que la classe soit tout illuminée. Un pigeon qui roucoule et un moineau qui gazouille nous disent y a de la joie, l'été s'apprête à arriver. Ces pigeons sans vergogne, vibrations adolescentes dans ma classe, copulent sur le rebord des fenêtres et c'est bien plus intéressant que le meilleur cours du plus extraordinaire professeur au monde.

Ces jours-là j'ai l'impression que je pourrais faire cours au plus difficile de tous les élèves difficiles, au plus brillant de tous les élèves brillants. Je pourrais serrer dans mes bras et dorloter le plus triste des élèves tristes.

Ces jours-là il y a une musique de fond et un soupçon de brise, de poitrines, de biceps, de sourires et d'été.

Et si mes élèves avaient écrit quelque chose comme ça je les aurais envoyés à l'école de la sobriété.

Deux fois par an à McKee, une journée portes ouvertes et une soirée portes ouvertes donnaient l'occasion aux parents de visiter le lycée pour s'informer des résultats de leurs enfants. Les professeurs s'installaient dans une salle de classe pour parler aux parents ou écouter leurs réclamations. La plupart des parents présents étaient les mères parce que cette tâche incombe aux femmes. Si la mère considérait que son fils ou sa fille se comportait mal ou ne réussissait pas bien alors c'était au père d'intervenir. Bien évidemment le père n'intervenait que s'il s'agissait du fils. La fille, c'était l'affaire de la mère. Il n'aurait pas été correct que le père balance des torgnoles à sa fille dans la cuisine ou lui apprenne qu'elle était privée de sorties pendant un mois. Certains problèmes étaient du ressort de la mère. En plus, elle devait décider de la quantité d'informations divulguées au père. Si le fils ne se comportait pas bien et que le mari était violent, il arrivait qu'elle atténue les faits pour que son garçon ne finisse pas par terre le nez pissant le sang.

Parfois, toute une famille venait voir le prof et la salle était pleine de pères et de mères et de petits enfants qui couraient en tous sens dans les couloirs. Les femmes bavardaient entre elles amicalement, mais les hommes restaient assis en silence derrière des bureaux peu adaptés à leur corpulence.

Personne ne m'a jamais dit comment me comporter avec les parents lors des journées portes ouvertes. La première fois, à McKee, une chef de classe, Norma, distribuait des numéros pour que les parents sachent qui serait le suivant.

Le premier problème qui s'est posé à moi a été celui de mon accent, surtout avec les femmes. Dès que j'ouvrais la bouche elles s'exclamaient, Oh, mon Dieu ! quel joli accent irlandais. Ensuite elles me racontaient que leurs grands-parents venaient de la mère patrie, qu'ils étaient arrivés ici sans rien en poche et qu'ils possédaient à présent leur propre station-service à New Dorp. Elles voulaient savoir depuis quand j'étais arrivé dans ce pays et comment j'étais devenu enseignant. Elles trouvaient esstraordinaire que je soye prof parce que la plupart des nôtres ils étaient flics ou curés et elles murmuraient qu'il y avait trop de juifs dans cette école.

Elles auraient bien envoyé leur gamin dans une école catholique mais les écoles catholiques n'avaient pas bonne réputation pour l'enseignement technique et professionnel. Il n'y était question que d'histoire et de prières, ce qui était parfait pour l'autre monde, mais leurs gamins devaient penser à ce monde-ci. Sans vouloir offenser personne. Enfin, elles demandaient comment ça se passait pour leur petit Harry ?

Je devais faire attention au cas où le père aurait été assis dans le coin. Si je faisais des observations négatives sur Harry le père risquait de le frapper en rentrant à la maison et mes autres élèves sauraient que je n'étais pas digne de confiance. Donc, les profs et les mômes devaient rester soudés face aux parents, aux surveillants et au monde en général.

Je disais des choses positives sur chaque élève. Ils étaient attentifs, ponctuels, sages, avides d'apprendre et chacun d'entre eux avait un avenir brillant et les parents devaient en être fiers. Papa et maman échangeaient des regards et souriaient et disaient, Tu vois ? ou alors ils étaient incrédules et demandaient, Vous causez de not' môme ? De not' Harry ?

Oh, oui, Harry.

Est-ce qu'il se tient bien en classe ? Il est poli ?

Oh, oui. Il participe à tous les débats.

Ah, ouais ? C'est pas le Harry qu'on connaît. Il doit pas être pareil à l'école parce qu'à la maison c'est un vrai chieur, si vous me passez l'expression. À la maison, on peut pas lui tirer un mot. On peut rien en faire. Tout ce qu'il veut c'est glander en écoutant son fichu rock'n'roll, de nuit comme de jour, bordel, de nuit comme de jour.

Le père était véhément. La pire chose qui soit

jamais arrivée à ce pays, c'est cet Elvis qui n'arrête pas de tortiller du cul à la télé, si vous me passez l'expression. Ça me débecterait, à l'heure actuelle, d'avoir une fille qui regarde ces saloperies. Ça me démange de balancer le tourne-disque à la poubelle. Et de bazarder la télé, aussi, mais faut bien que je me détende un peu après avoir trimé toute la journée sur les quais, voyez ce que je veux dire ?

Les autres parents s'impatientaient et posaient des questions, d'un ton faussement poli, à savoir s'il était envisageable d'éviter les discussions sur Elvis Presley pour qu'ils puissent enfin parler de leurs fils et de leurs filles. Les parents de Harry les ont informés que c'était leur tour de s'occuper de leur gamin. On était dans un pays libre, aux dernières nouvelles, et ils n'avaient pas l'intention de se laisser interrompre au milieu de leur entretien avec ce gentil prof qui venait de la mère patrie.

Mais les autres parents ont répondu, Ouais, eh, professeur, magnez-vous ! On n'a pas toute la nuit devant nous. Nous aussi, on travaille.

Je ne savais que faire. J'ai songé que si je disais merci aux parents assis devant moi ils comprendraient et s'en iraient mais le père véhément a dit, Hé, on n'a pas fini.

Norma, la chef de classe, a compris mon dilemme et a pris la situation en main. Elle a déclaré aux parents que s'ils voulaient s'entretenir plus longuement avec moi ils pouvaient prendre rendez-vous pour me voir les après-midi.

Je n'avais jamais rien dit de tel à Norma. Je n'avais pas l'intention de passer ma vie dans cette salle de classe, jour après jour, avec des parents mécontents, mais elle a calmement poursuivi, a fait circuler une feuille, a demandé aux parents mécontents d'inscrire, en lettres capitales s'il vous plaît, pas en minuscules, leurs nom et numéro de téléphone et leur a annoncé que M. McCourt prendrait contact avec eux.

Le grondement s'est calmé, tout le monde a complimenté Norma pour son efficacité et a dit qu'elle devrait elle aussi enseigner. Elle leur a répondu qu'elle n'en avait aucune intention. Son rêve, c'était de travailler dans une agence de voyages pour avoir des billets gratuits et aller n'importe où. Une mère a dit, Oh, vous voulez pas vous installer et avoir des enfants ? Vous feriez une mère merveilleuse.

Alors Norma a dit ce qu'il ne fallait pas et la tension est remontée dans la salle. Non, a-t-elle dit, je ne veux pas d'enfants. Les mômes, quelle plaie. Il faut changer leurs couches et après il faut aller à l'école pour voir comment ils se débrouillent et on n'est jamais libre.

Elle n'était pas censée tenir un tel discours et l'hostilité envers elle a sensiblement monté dans la salle. Si quelques instants auparavant les parents la félicitaient pour son efficacité, ils se sentaient désormais insultés par ses remarques sur la maternité et les mômes. Un père a déchiré la feuille qu'elle avait tendue pour récolter les noms et les numéros de téléphone. Il l'a jetée vers l'entrée de la salle où j'étais assis. Hé, il a dit, faut que quelqu'un mette ça à la poubelle. Il a récupéré son manteau et a dit à sa femme, Tirons-nous d'ici. On se croirait dans un asile de fous. Sa femme m'a aboyé dessus, Vous savez pas tenir ces gosses ? Si c'était ma fille je lui flanquerais une de ces branlées. Pour qui elle se prend, d'insulter comme ça les mères américaines ?

J'avais le visage en feu. Je voulais m'excuser

auprès des parents qui étaient dans la salle et des mères américaines. Je voulais dire à Norma, Va-t'en, tu as bousillé ma première journée portes ouvertes. Elle se tenait à la porte, disant bonsoir d'un ton détaché aux parents qui s'en allaient, ignorant les regards furieux qu'ils lui lançaient. Bon, que devais-je faire ? Où était le livre de pédagogie qui pourrait m'aider ? Quinze parents étaient restés dans la salle, attendant de m'écouter parler de leurs fils et de leurs filles. Qu'est-ce que je devais leur dire ?

Norma a repris la parole et mon cœur a failli lâcher. Mesdames et messieurs, ce que j'ai dit était stupide et j'en suis désolée. Ce n'est pas la faute de M. McCourt. C'est un bon professeur. Il est débutant, vous savez, il est là que depuis quelques mois, donc c'est encore un apprenti prof. J'aurais mieux fait de la fermer parce que je l'ai mis dans la mouise et j'en suis désolée.

Sur quoi elle a fondu en larmes. Un groupe de mères s'est précipité pour la consoler tandis que je me rasseyais derrière mon bureau. C'était à Norma d'appeler les parents, un par un, mais elle était entourée par ce groupe de mères consolatrices et je ne savais pas si je devais prendre l'initiative et dire, Suivants ? Les parents semblaient plus intéressés par l'état de Norma que par l'avenir de leurs enfants, et quand la sonnerie a signifié la fin des entretiens, ils ont souri et sont partis en disant que ç'avait été agréable, cette rencontre avec moi, et en me souhaitant bonne chance dans ma carrière d'enseignant.

La mère de Paulie avait sans doute raison. Lors de la deuxième journée portes ouvertes elle m'a dit que j'étais un imposteur. Elle était fière de son Paulie, futur plombier, un gentil garçon qui désirait monter sa propre affaire, un jour, épouser une gentille fille, fonder une famille et éviter les ennuis.

J'aurais dû m'indigner et lui demander pour qui elle me prenait, mais au fond de moi j'étais taraudé par la crainte d'enseigner sans en avoir réellement les compétences.

Elle dit, Je demande à mon môme ce qu'il a appris à l'école et il me raconte des histoires sur l'Irlande et votre arrivée à New York. Des histoires, des histoires, des histoires. Vous savez ce que vous êtes ? Un imposteur, un sale imposteur. Et je dis ça pour votre bien, pour vous aider.

Je voulais être un bon prof. Je voulais susciter l'approbation lorsque je renvoyais mes élèves chez eux, la tête farcie d'orthographe et de vocabulaire et de tout ce qui mène à une vie meilleure mais, mea culpa, je ne savais pas comment.

La mère a dit qu'elle était irlandaise, mariée à un Italien, et qu'elle lisait en moi comme dans un livre. Elle avait tout de suite compris mon petit jeu. Quand je lui ai répondu que j'étais d'accord avec elle, elle a dit, Ooh, vous êtes d'accord avec moi ? Vous reconnaissez donc que vous êtes un imposteur ?

J'essaie seulement d'arriver à mes fins. Ils me posent des questions sur ma vie et je réponds parce qu'ils ne m'écoutent pas quand j'essaie de leur faire un cours d'anglais. Ils regardent par la fenêtre. Ils somnolent. Ils grignotent des sandwichs. Demandent à sortir.

Vous devez leur apprendre ce qu'y doivent savoir, l'orthographe et les mots difficiles. Mon fils, Paulie, y faut qu'il affronte la vie, et quesse qu'y va devenir si y connaît pas l'orthographe et les mots difficiles, hein ?

J'ai répondu à la mère de Paulie qu'un jour j'espérais être un professeur hors pair, et sûr de moi en classe. En attendant, je ne pouvais que m'efforcer d'y arriver. Ce qui, étrangement, l'a émue et lui a tiré des larmes. Elle a trifouillé dans son sac à main pour trouver un mouchoir, elle mettait si longtemps que je lui ai offert le mien. Elle a secoué la tête. Elle a dit, Qui s'occupe de votre linge ? Ce mouchoir. Bon sang, je ne me torcherais pas le cul avec un mouchoir pareil. Z'êtes célibataire ou quoi ?

En effet.

Je le savais, vu l'allure de ce mouchoir, le mouchoir le plus triste, le plus gris que j'aie vu de ma vie. C'est un gris de célibataire, voilà ce que c'est. Vos chaussures aussi. J'ai jamais vu des chaussures aussi tristes. Aucune femme ne vous laisserait acheter des chaussures pareilles. Ça crève les yeux que vous avez jamais été marié.

Elle s'est essuyé les joues du dos de la main. Vous pensez que mon Paulie arrive à écrire correctement « mouchoir » ?

Je ne crois pas. Il n'est pas sur la liste.

Vous voyez ce que je veux dire ? Les gens comme vous sont à côté de la plaque. Il n'y a pas « mouchoir » sur la liste et lui il va se moucher toute de sa vie. Et vous savez ce qu'il y a sur la liste ? « Usufruit », bon sang de bon Dieu, u-s-u-f-r-u-i-t. Qui c'est qu'a pondu ça, ce genre de mots qu'on lâche dans vos réceptions chic à Manhattan ? Dites-moi ce que Paulie va bien pouvoir fiche avec un mot pareil ? Et en voici un autre, i-d-o-i-n-e. J'ai demandé à six personnes différentes si elles savaient ce que ça voulait dire. J'ai même demandé au proviseur adjoint dans le couloir. Il a fait comme s'il savait mais j'ai bien vu qu'il racontait des craques. Plombier. Mon môme sera plombier et y prendra plein d'oseille pour aller chez les gens, comme le médecin y fait, alors je vois pas pourquoi il a besoin de se gaver le cerveau avec des mots de crâneur comme « usufruit » et l'autre, croyez pas ?

J'ai dit qu'il fallait faire attention à ce qu'on se mettait dans le crâne. Le mien était tellement plein de choses venues l'Irlande et du Vatican que j'avais du mal à penser par moi-même.

Elle a rétorqué qu'elle se foutait de ce que j'avais dans le ciboulot. Bon sang, c'était mes oignons, et je ferais mieux de garder ça pour moi. Chaque jour, mon Paulie rentre à la maison pour nous raconter ces histoires et on s'en passerait volontiers. On a nos propres problèmes. Elle a dit que ça se voyait comme le nez au milieu de la figure que je venais à peine de débarquer, naïf comme un petit moineau qu'est tombé du nid.

Non, je ne viens pas de débarquer. J'ai fait l'armée. Comment pourrais-je être naïf ? J'ai fait toutes sortes de boulots. J'ai été docker. Je suis diplômé de l'université de New York.

Vous voyez ? elle a dit. C'est ce que je voulais dire. Je vous ai posé une seule question et vous me déballez toute votre vie. C'est à ça qu'il va falloir faire gaffe, m'sieur McCurd. Ces mômes ont pas besoin de connaître la vie de leurs profs. Moi, j'étais chez les sœurs. Elles refusaient même de vous donner l'heure. On leur posait des questions sur leur vie et elles nous répondaient de nous occuper de nos affaires, nous tiraient les oreilles, nous filaient une tape sur les doigts. Concentrez-vous sur l'orthographe et les mots, monsieur McCurd, et les parents de ce lycée vous en seront à jamais reconnaissants. Laissez tomber les histoires. Si on en veut, des histoires, on a le programme télé ou le *Reader's Digest,* à la maison.

Je me suis battu. J'ai cru que j'aimerais être un professeur d'anglais carré, sévère et savant, autorisant quelques rires de temps en temps, mais pas plus. À la cantine des profs, les vétérans me disaient, Il faut les mater, ces petits salopards. Si tu leur donnes le petit doigt, fiston, tu te fais bouffer le bras.

C'est une question d'organisation. J'allais repartir de zéro. Pour chaque classe, je dresserais un plan où seraient comptabilisées toutes les minutes qu'il restait dans le trimestre. J'étais le capitaine du navire et j'allais fixer le cap. Ils comprendraient l'objectif. Ils sauraient où l'on allait et ce que l'on attendait d'eux... sinon.

Sinon... Ouais, m'sieur, c'est ce qu'y disent tous, les profs. Sinon. On pensait que ça serait pas pareil vu que vous êtes irlandais et tout.

Il est temps de prendre les choses en main. Ça suffit, j'ai dit. Oubliez ce truc d'Irlande. Plus d'histoires. Plus d'idioties. Le prof d'anglais va enseigner l'anglais et ce ne sont pas vos petites feintes d'adolescents qui vont l'en empêcher.

Sortez vos cahiers. C'est ça, vos cahiers.

J'ai écrit au tableau, « John est allé au magasin. »

Une plainte a traversé la classe. Qu'est-ce qu'il est en train de nous faire ? Les profs d'anglais. Tous les mêmes. Et c'est reparti. Ce bon vieux John au magasin. De la grammaire, nom de Dieu.

Très bien. Quel est le sujet de cette phrase ? Est-ce que quelqu'un peut me donner le sujet de cette phrase ? Oui, Mario ?

Ça parle d'un type qui veut aller dans un magasin. C'est facile à comprendre.

Oui, oui, c'est ce que dit la phrase, mais quel est le sujet ? Il s'agit d'un mot. Oui, Donna.

Je crois que Mario a raison. Ça parle d'un...

Non, Donna. Le sujet ici c'est un mot.

Comment ça ?

Qu'est-ce que ça veut dire, comment ça ? Vous ne faites pas d'espagnol ? Vous ne faites pas de grammaire espagnole ? Mme Grober ne vous parle-t-elle pas des différents éléments d'une phrase ?

Ouais, mais elle ne passe pas son temps à nous casser les pieds avec John qui va au magasin.

Mon sang ne fait qu'un tour et j'ai envie de crier, Pourquoi êtes-vous aussi cons ? On ne vous a jamais fait de leçon de grammaire avant ? Dieu du ciel, même moi, j'ai eu des cours de grammaire, et en irlandais, qui plus est. Pourquoi est-ce que je dois me battre ici, par ce matin ensoleillé de printemps alors que les oiseaux gazouillent au-dehors ? Pourquoi est-ce que je dois contempler vos visages sombres et pleins de ressentiment ? Vous êtes assis là, le ventre plein. Vous êtes bien habillés, au chaud. Vous recevez une éducation gratuite et vous n'éprouvez pas le moindre sentiment de reconnaissance. Tout ce qu'on vous demande, c'est de coopérer, de participer un petit peu. D'apprendre les différents éléments de la phrase. Bon sang, c'est trop demander ?

Il y a des jours où j'aimerais quitter la salle, claquer la porte derrière moi, dire au proviseur que son boulot, il peut se le carrer dans le fion, descendre la colline pour prendre le ferry, aller à Manhattan, me promener dans les rues, prendre une bière et un hamburger au White Horse, m'asseoir dans Washington Square, regarder les étudiantes pulpeuses de l'université de New York en train de flâner, oublier à jamais le lycée technique et professionnel McKee. À jamais. Manifestement, je suis incapable de leur apprendre quoi que ce soit sans devoir affronter leur opposition. Leur résistance. Une phrase simple : thème, prédicat et, peut-être, si on y arrive un jour, le complément d'objet, direct et indirect. Je ne sais pas quoi faire avec eux. Essayer les bonnes vieilles menaces. Faites attention ou vous allez échouer. Si vous échouez vous n'aurez pas votre diplôme et si vous n'avez pas votre diplôme bla, bla, bla. Tous vos amis iront de par le vaste monde, leur diplôme punaisé sur les murs de leur bureau, couronnés de succès, respectés de tous sans exception. Pourquoi ne pouvez-vous pas simplement regarder cette phrase et, pour une fois dans votre misérable existence d'adolescents, essayer d'apprendre quelque chose.

Chaque classe a son alchimie. Il y en a certaines que tu apprécies et auxquelles tu attends avec impatience de faire cours. Les élèves le savent, quand tu les apprécies et ils t'apprécient en retour. Parfois ils te disent que le cours n'était pas mal et tu es sur un petit nuage. Tu ne sais pas pourquoi mais ça te donne de l'énergie, ça te donne envie de chanter en rentrant chez toi.

Tu aimerais que certaines classes prennent le ferry pour Manhattan et n'en reviennent jamais. L'espèce d'hostilité avec laquelle les élèves entrent et quittent la salle t'indique ce qu'ils pensent de toi. C'est peut-être le fruit de ton imagination et tu essaies de savoir comment tu pourrais te les mettre dans la poche. Tu essaies de faire des cours qui ont fonctionné avec d'autres classes mais même ça, ça ne marche pas, et c'est à cause de cette alchimie.

Ils savent quand ils t'ont mis en difficulté. Ils détectent instinctivement tes frustrations. Certains jours j'avais envie de rester à mon bureau et de les laisser faire à leur guise. Ils étaient tout simplement hors de portée. Après quatre années d'enseignement, en 1962, je n'en avais plus rien à faire. Je me suis d'abord dit que je n'en avais jamais rien eu à faire. Tu les distrais en leur parlant de ton enfance malheureuse. Ils font semblant d'en faire tout un fromage. Oh, le pauv' m'sieur McCourt, quesse que ça a dû êt' horrible d'être élevé comme ça en Irlande. Comme si ça les intéressait. Non. Ils ne sont jamais contents. J'aurais dû suivre les conseils des vieux profs qui me disaient de fermer ma grande gueule. Ne leur dis rien. Ils profitent de toi. Ils te cernent et te foncent dans le lard comme des missiles à tête chercheuse. Ils trouvent ton point faible. Se peut-il qu'ils sachent que « John est allé au magasin » figure au sommet de mes compétences grammaticales ? Ne m'entraînez pas du côté des gérondifs, des participes mal placés, des objets internes. Je me perdrais sûrement.

Je leur ai jeté un regard sévère et me suis assis derrière mon bureau. Assez. Je ne pouvais plus continuer la comédie du professeur de grammaire.

J'ai dit, Pourquoi John est-il allé au magasin ?

Ils ont eu l'air surpris. Hep, m'sieur, quesse c'est ça ? Ç'a rien à voir avec la grammaire.

Je vous pose une question facile. Qui n'a rien à voir avec la grammaire. Pourquoi John est-il allé au magasin ? Vous n'arrivez pas à deviner ?

Une main se lève au fond de la salle. Oui, Ron ?

Je crois que John est allé au magasin pour acheter un livre de grammaire anglaise.

Et pourquoi John est-il allé au magasin pour acheter un livre de grammaire anglaise ?

Passqu'il voulait tout savoir et v'nir ici pour impressionner ce bon vieux m'sieur McCourt.

Et pourquoi voudrait-il impressionner ce bon vieux m'sieur McCourt ?

Passque John a une petite amie qui s'appelle Rose et c'est une gentille fille qu'en connaît un rayon en grammaire et elle veut avoir son diplôme pour devenir secrétaire dans une grande entreprise de Manhattan et John y veut pas avoir l'air d'un gros con vu qu'y veut essayer de se marier avec Rose. C'est à cause de ça qu'il va au magasin pour acheter un livre de grammaire. Y veut être un bon garçon et étudier son livre et quand y comprendra pas un truc il demandera à m'sieur McCourt d'y expliquer passque m'sieur McCourt il sait tout et quand John va se marier avec Rose il invitera m'sieur McCourt à son mariage et il demandera à m'sieur McCourt d'être le parrain de leur premier enfant, qui s'appellera Frank en hommage à m'sieur McCourt.

Merci, Ron.

D'un coup, la classe a éclaté en acclamations et en applaudissements, mais Ron ne s'arrêtait pas. Sa main s'est de nouveau levée.

Oui, Ron ?

Quand John est allé au magasin il avait pas d'argent alors il a été obligé de piquer le livre de grammaire mais quand il a essayé de sortir du magasin on l'en a empêché et ils ont appelé les flics et maintenant il est à Sing Sing et la pauvre Rose pleure toutes les larmes de son corps.

Ils font des commentaires compatissants. Pauvre

Rose. Les garçons voulaient savoir où on pouvait la trouver et se proposaient de remplacer John. Les filles se tamponnaient les yeux jusqu'à ce que Kenny Ball, le caïd de la classe, dise que c'était rien qu'une histoire et quesse que c'était que ces conneries de toute façon ? Il a dit, Le prof écrit une phrase au tableau et voilà qu'on se retrouve avec ce type qui va piquer un livre et atterrit à Sing Sing. Vous avez déjà entendu des conneries pareilles, on est en cours d'anglais ou quoi ?

Ron a dit, Eh bien, tu dois pouvoir faire mieux, alors ?

Ce genre d'histoires à la noix ça rime à rien. Ça t'aide pas à trouver un boulot.

La sonnerie a retenti. Ils sont sortis et j'ai effacé « John est allé au magasin » du tableau.

Le lendemain Ron a de nouveau levé la main. Hé, m'sieur, qu'est-ce qu'y se passerait si vous faisiez n'importe quoi avec les mots ?

Qu'est-ce que tu veux dire ?

D'accord. Si vous écrivez : « Au magasin John est allé. » Qu'est-ce que ça donne ?

La même chose. John reste le sujet de la phrase.

D'accord. Et ça : « John est au magasin allé. »

La même chose.

Ou « John au magasin est allé ». Est-ce que c'est bon ?

Bien sûr. Ça veut dire quelque chose, non ? Mais on pourrait en faire une qui n'a pas de sens. Si vous dites à quelqu'un, John magasin est allé au, on pensera que c'est du charabia.

C'est quoi « charabia » ?

Un langage qui ne veut rien dire.

J'ai eu une idée soudaine, un flash. J'ai dit, La psychologie, c'est l'étude du comportement des gens. La grammaire, c'est l'étude du comportement de la langue.

Continue, prof, parle-leur de ta brillante trouvaille, de ta découverte capitale. Demande, Qui sait ce qu'est la psychologie ?

Écris le mot au tableau. Ils aiment les mots compliqués. Ils les rapportent chez eux pour impressionner leur famille.

Psychologie. Qui sait ce que c'est ?

C'est quand les gens ils deviennent fous et qu'y faut trouver ce qui cloche chez eux avant de les envoyer chez les dingues.

Les élèves ont rigolé. Ouais, ouais. Comme dans ce bahut, vieux.

J'ai poursuivi. Si quelqu'un a un comportement irrationnel, les psychologues l'examinent pour savoir ce qui ne va pas. Si quelqu'un parle bizarrement et qu'on ne le comprend pas, alors on pense à la grammaire. Comme John magasin est allé au.

Donc c'est du charabia, c'est ça ?

Le mot leur plaisait et je me suis félicité de le leur avoir appris, ce nouveau mot puisé dans le vaste univers de la langue anglaise. Enseigner, c'est apporter de la nouveauté. Une découverte capitale pour un jeune professeur. Charabia. Ils l'ont répété entre eux et ont ri. Mais il resterait dans leur tête. Une carrière d'enseignant entamée depuis quelques années, et j'avais réussi à graver un mot dans leur tête. Dans dix ans, quand ils entendraient « charabia », ils penseraient à moi. Quelque chose était en train de se produire. Ils commençaient à comprendre ce qu'était la grammaire. Si je persistais, je finirais peut-être moi aussi par comprendre.

L'étude du comportement de la langue.

Plus rien ne pouvait désormais m'arrêter. J'ai dit, Magasin le au est allé John. Est-ce que ça veut dire quelque chose ? Bien sûr que non. Donc vous comprenez, il faut placer les mots dans le bon ordre. Dans le bon ordre ça veut dire que ça a un sens et si ça n'a pas de sens vous baragouinez et les hommes en blanc vont venir vous chercher. Et vous coller dans le secteur charabia de Bellevue. La grammaire, c'est ça.

La petite amie de Ron, Donna, a levé la main. Et qu'est-ce qui est arrivé à John, le premier garçon à avoir été envoyé en prison parce qu'il avait volé un livre de grammaire ? Vous l'avez laissé à Sing Sing avec tous ces méchants. Et Rose elle est devenue quoi ? Est-ce qu'elle a attendu John ? Est-ce qu'elle lui est restée fidèle ?

Ken, le caïd, a dit, Nan, elles t'attendent jamais.

Désolée, a répondu Donna, en prenant un air moqueur. Moi, si Ron allait en prison pour avoir dévalisé un livre de grammaire, je l'attendrais.

Volé, ai-je dit. Le professeur d'anglais est chargé par ses supérieurs de corriger ce genre de petites erreurs.

Quoi ? a dit Donna.

Pas dévalisé. Le mot correct, c'est volé.

Ouais. D'accord.

Je me suis dis, La ferme. Cesse de les interrompre. Ça vaut pas un pet de lapin de chipoter sur la différence entre voler et dévaliser. Laisse-les parler.

Ken a répliqué à Donna, méprisant. Ouais, c'est ça. Je parie que t'attendrais. Et tous les bonshommes qui se prenaient des pruneaux dans le cul en France et en Corée, tout ce qu'y z'ont eu c'est des lettres qui commençaient par Cher John[1] écrites par leur petite amie et leur femme. Oh, ouais.

Il fallait que j'intervienne. D'accord, d'accord. On parle du John qui a été condamné à aller à Sing Sing pour avoir volé un livre de grammaire.

Ken a repris du même ton méprisant, Ouais, ils sont calés en grammaire, à Sing Sing. Y a tous ces assassins dans le couloir de la mort qui causent grammaire toute la sainte journée.

Ken, j'ai dit, Il ne s'agit pas de Ron, mais de John.

C'est vrai, a dit Donna. C'est John qu'est là-bas et il apprend la grammaire à tout le monde et ils sortent tous de Sing Sing en parlant comme des profs de fac et le gouvernement en est si reconnaissant à John qu'il lui trouve un poste pour enseigner la grammaire au lycée technique et professionnel McKee.

Ken voulait répondre mais les élèves ont poussé des vivats et applaudi et ont crié, Vas-y ! Donna, Vas-y ! et ils l'ont fait taire.

Les profs d'anglais disent que si tu arrives à enseigner la grammaire dans un lycée technique tu peux enseigner n'importe quoi n'importe où. Mes élèves écoutaient. Ils participaient. Ils ne savaient pas que je leur apprenais la grammaire. Peut-être pensaient-ils qu'on se contentait de raconter des histoires sur John à Sing Sing mais quand ils ont quitté la salle ils m'ont regardé d'un œil neuf. Si enseigner c'était tous les jours comme ça, je continuerais jusqu'à mes quatre-vingts ans. Voilà le vieux à la tête chenue, un peu tordu, mais faut pas le

1. En anglais : « Dear John Letter », en référence aux lettres que recevaient les soldats à l'étranger pendant la Seconde Guerre mondiale, lorsque leur compagne restée au pays souhaitait rompre ou divorcer.

sous-estimer. Posez-lui une seule question sur la structure d'une phrase et il se redresse comme un I pour vous expliquer comment il a fait fusionner psychologie et grammaire il y a bien longtemps de cela, au milieu du XXe siècle.

6

MIKEY DOLAN M'A TENDU UN MOT DE SA MÈRE justifiant son absence de la veille :

Cher Monsieur McCourt, la grand-mère de Mikey, qui est ma mère et âgée de quatre-vingts ans, est tombée dans l'escalier à force de boire trop de café et j'ai gardé Mikey à la maison pour qu'il s'occupe d'elle et de sa petite sœur pour que je puisse aller à mon travail au café qui se trouve au terminal du ferry. Excusez Mikey s'il vous plaît et il fera de son mieux à l'avenir parce qu'il aime bien votre cours. Veuillez agréer, Monsieur, l'expression de mes sentiments distingués, Imelda Dolan. P.-S. Sa grand-mère va bien.

Lorsque Mikey m'a tendu le mot, impudemment gribouillé sous mon nez, je n'ai rien dit. Je l'avais vu l'écrire à son bureau de la main gauche, pour déguiser son écriture qui, grâce à ses années passées dans une école primaire catholique, était la plus belle de la classe. Les sœurs se fichaient de savoir si tu irais au paradis ou en enfer ou si tu épouserais un protestant tant que ton écriture était lisible et élégante et si tu n'étais pas doué en la matière elles te tordaient le pouce vers l'arrière jusqu'à que tu cries grâce en promettant une calligraphie qui t'ouvrirait les portes du paradis. Ainsi, si tu étais gaucher, c'était la preuve manifeste que tu avais des tendances démoniaques et il incombait aux sœurs de te tordre les pouces, même ici en Amérique, pays de la liberté et patrie des braves.

Donc, voilà Mikey qui s'était escrimé de la main gauche à maquiller son exquise calligraphie catholique. Ce n'était pas la première fois qu'il jouait au faussaire mais je n'ai rien dit parce que la plupart des mots d'excuses parentaux que j'avais dans le tiroir de mon bureau étaient écrits par les garçons et les filles du lycée professionnel et technique McKee. Si je devais gronder tous les faussaires ça m'occuperait vingt-quatre heures sur vingt-quatre. Cela susciterait également leur indignation, ils en concevraient de la peine, et nos relations s'en trouveraient crispées.

J'ai dit à un garçon, C'est vraiment ta mère qui a écrit ce mot, Danny ?

Il était sur la défensive, agressif. Ouais, c'est ma mère qui l'a écrit.

C'est un joli mot, Danny. Elle écrit bien.

Les élèves de McKee étaient fiers de leur mère, et seul un rustre aurait laissé un tel compliment sans remerciement.

Il a dit merci, et a regagné sa chaise.

J'aurais pu lui demander si c'était de lui mais je m'en suis gardé. Je l'aimais bien, je ne voulais pas le voir ronger son frein au troisième rang. Il aurait dit à ses camarades que j'avais des soupçons sur lui et eux aussi se seraient mis à ronger leur frein car ils faisaient leurs mots d'excuses depuis qu'ils avaient appris à écrire et ils n'avaient pas l'intention de se faire tarabuster avec des années de retard par des profs soudainement sujets à des problèmes de conscience.

Un mot d'excuses fait partie de la vie scolaire, c'est tout. Chacun sait que ce sont des inventions, alors quel est le problème ?

Les parents qui envoient leurs enfants à l'école le matin ont peu de temps pour écrire des mots qui, ils le savent, vont de toute façon finir dans les poubelles du lycée. Ils sont tellement pressés qu'ils diront, Oh, t'as besoin d'un mot d'excuses pour hier, chéri ? Écris-le toi-même et je le signe. Ils signent sans même le regarder et le plus triste, c'est qu'ils ne savent pas ce qu'ils ratent. S'ils lisaient ces mots ils découvriraient que leurs enfants sont capables de produire la plus belle prose d'Amérique : éloquente, imaginative, claire, dramatique, fantastique, précise, convaincante, utile.

J'ai jeté le mot de Mikey dans le tiroir du bureau, parmi des dizaines d'autres, écrits sur des feuilles de toutes les couleurs et de tous les formats, gribouillés, raturés, tachés. Tandis que mes élèves faisaient un contrôle ce jour-là, je me suis mis à les lire car je n'y avais jusqu'alors jeté qu'un rapide coup d'œil. J'ai fait deux tas, un pour les vrais mots écrits par les mères, l'autre pour les faux. Le deuxième tas était le plus gros, avec des textes qui allaient de l'inventif au délirant.

J'ai eu une révélation. Je m'étais toujours demandé ce que ça ferait d'avoir une révélation et désormais je savais. Je me suis aussi demandé pourquoi je n'avais pas eu cette révélation-là plus tôt.

N'est-il pas frappant, ai-je songé, de voir comment ils rechignent devant toutes sortes de devoirs écrits, en classe ou à la maison. Ils pleurnichent, disent qu'ils ont trop de travail, qu'il leur est difficile d'accoucher de deux cents mots sur un sujet quelconque. Or, quand ils fabriquent de faux mots d'excuses, ils sont surdoués. Pourquoi ? J'ai un tiroir plein de mots d'excuses qui pourraient être recyclés en Anthologie des meilleures excuses américaines ou des meilleurs mensonges américains.

Le tiroir regorgeait d'échantillons du talent américain qu'on ne mentionne jamais dans les chansons, les histoires ou les études universitaires. Comment avais-je pu ignorer cette mine d'or, ces pépites de fiction, d'imagination, de créativité, de vitupération, de pleurnicheries, de problèmes familiaux, de chauffe-eaux qui explosent, de plafonds qui s'effondrent, de feux qui rasent tout un pâté de maisons, de bébés et d'animaux domestiques qui pissent sur les devoirs, de naissances inopinées, de crises cardiaques, d'infarctus, de fausses couches, de cambriolages ? Là se trouvaient les meilleures rédactions des lycées américains – brutes, vraies, impérieuses, lucides, concises, mensongères :

La cuisinière a pris feu et le papier peint s'est embrasé et les sapeurs-pompiers nous ont pas permis de retourner dans la maison de toute la nuit.

Les toilettes étaient bouchées et il a fallu qu'on aille un peu plus bas dans la rue au Kilkenny Bar où mon cousin travaille pour utiliser leurs toilettes mais là-bas aussi elles étaient bouchées depuis la veille et vous imaginez comme ça a été difficile pour mon Ronnie de se préparer pour aller au lycée. J'espère que vous l'excuserez pour cette fois, ça ne se reproduira plus. L'homme du Kilkenny Bar était très gentil vu qu'il connaît votre frère, M. McCord.

Arnold n'a pas apporté son devoir aujourd'hui

parce que hier, alors qu'il sortait du train, la porte s'est refermée sur son cartable et le train l'a emporté. Il a appelé le conducteur qui a dit des choses très grossières tandis que le train partait. Il faudrait faire quelque chose.

Le chien de sa sœur a mangé ses devoirs et j'espère qu'il s'étouffera.

Son petit frère a fait pipi sur son histoire quand elle était aux toilettes, ce matin.

Un homme est mort dans sa baignoire à l'étage du dessus, elle a débordé et ça a complètement détruit les devoirs de Roberta, qui étaient sur la table.

Son grand frère a piqué une crise contre elle et a jeté sa dissertation par la fenêtre et elle s'est envolée jusqu'à Staten Island ce qui n'est pas une bonne chose parce que les gens qui vont la lire vont comprendre de travers sauf s'ils lisent la fin qui explique tout.

Il avait fait la dissertation que vous lui aviez demandé d'écrire et il s'apprêtait à la relire sur le ferry quand soudain un vent violent l'a emportée.

Nous avons été expulsés de notre appartement et le méchant policier a dit que si mon fils continuait de réclamer son cahier en hurlant il nous coffrerait tous.

J'imaginais les auteurs des mots d'excuses dans le bus, le train, le ferry, au café, sur le banc d'un parc, tentant de découvrir de nouvelles et imparables excuses plausibles, tentant d'écrire comme ils pensaient que leurs parents le feraient.

Ils ignoraient que les honnêtes mots d'excuses écrits par les parents sont fréquemment banals. « Peter a été en retard parce que le réveil n'a pas sonné. » Un mot comme celui-là ne méritait même pas de finir à la poubelle.

Vers la fin du trimestre j'ai tapé à la machine une dizaine de mots d'excuses sur un stencil et les ai distribués à mes deux classes de terminale. Ils ont lu, en silence et avec attention.

Hep, m'sieur McCourt, c'est quoi ?

Des mots d'excuses.

Quesse ça veut dire, des mots d'excuses ? Qui les a écrits ?

Vous, ou certains d'entre vous. J'ai enlevé les noms pour protéger les coupables. Vos parents sont censés les avoir écrits, mais vous et moi en connaissons les vrais auteurs. Oui, Mikey ?

Alors, qu'esse-ce qu'on doit faire avec ces mots d'excuses ?

Nous allons les lire à voix haute. Je veux que vous réalisiez que vous êtes la première classe au monde à étudier l'art des mots d'excuses, la première classe de tous les temps à apprendre à les écrire. Vous avez beaucoup de chance d'avoir un prof comme moi qui a récupéré vos meilleurs textes, vos mots, et en a fait un sujet digne d'être étudié.

Ils sourient. Ils comprennent. On est dans le même bateau. Pécheurs que nous sommes.

Certains ont été écrits par des élèves de cette classe. Vous vous reconnaissez. Vous vous êtes creusé les méninges et ne vous êtes pas contentés de la bonne vieille histoire du réveil. Vous allez passer le reste de votre vie à trouver des excuses et mieux vaut qu'elles soient plausibles et originales. Vous allez peut-être même devoir écrire des excuses pour vos propres enfants quand ils seront en retard ou absents ou sur le point de faire quelque diablerie. Essayez tout de suite. Imaginez que vous avez un fils ou une fille de quinze ans qui a besoin d'un mot d'excuses parce qu'il a décroché en anglais. Ne vous bridez pas.

Ils n'ont pas regardé dans le vide. Ni mâchouillé leur stylo. Ni lambiné. Ils étaient enthousiastes, prêts à tout pour trouver des excuses à leur fille ou leur fils de quinze ans. C'était un acte de loyauté et d'amour et, sait-on jamais, un jour ces mots pourraient leur être utiles.

Ils ont produit une rhapsodie d'excuses, allant d'une famille frappée par une épidémie de diarrhée à un camion de quinze tonnes s'écrasant sur une maison en passant par un grave cas d'intoxication alimentaire mis sur le compte de la cantine du lycée McKee.

Ils ont dit, Encore, encore ! On peut en faire encore ?

J'étais interloqué. Comment gérer tant d'enthousiasme ?

J'ai eu une autre révélation ou inspiration fulgurante ou illumination ou je ne sais quoi. Je suis allé au tableau et j'ai écrit : « Devoirs pour la prochaine fois ».

C'était une erreur. Le mot devoir comporte des connotations négatives. Je l'ai effacé et ils ont fait, Ouais, ouais.

Je leur ai dit, Vous pouvez commencer ici, en classe ou n'importe où si ça vous chante. Ce que j'aimerais, c'est que vous écriviez...

J'ai poursuivi au tableau : « Un mot d'excuses pour Dieu de la part d'Adam » ou « Un mot d'excuses pour Dieu de la part d'Ève ».

Ils ont baissé la tête. Les stylos ont couru sur le papier. Ils auraient pu le faire une main attachée dans le dos. Les yeux fermés. Des sourires mystérieux dans toute la salle. Oh, ça c'est chouette, vieux, et on sent ce qui va se passer, n'est-ce pas ? Adam accuse Ève. Ève accuse Adam. Ils accusent tous les deux Dieu ou Lucifer. Accusent tout le monde à part Dieu, qui a toujours raison et les renvoie de l'Éden si bien que leurs descendants finissent au lycée technique et professionnel McKee à écrire des mots d'excuses pour le premier homme et la première femme, et peut-être que Dieu Lui-même a besoin d'un mot pour certaines de Ses Erreurs Majeures.

La sonnerie a retenti, et pour la première fois depuis trois ans et demi d'enseignement, j'ai vu des lycéens tellement absorbés qu'il a fallu que des camarades impatients de déjeuner les encouragent à sortir.

Hep, Lenny. Viens. Tu finiras à la cantine.

Le lendemain tout le monde avait des mots d'excuses, pas seulement pour Adam et Ève mais aussi pour Dieu et Lucifer, certains compatissants, d'autres méchants. Lisa Quinn s'est justifiée de la part d'Ève d'avoir séduit Adam, arguant qu'elle en avait marre de traîner au Paradis sans rien faire jour après jour. Elle en avait également marre que Dieu n'arrête pas de fourrer Son nez dans leurs histoires et ne leur laisse jamais un moment d'intimité. Ça roulait pour Lui. Il pouvait s'éloigner et se cacher quelque part derrière un nuage et beugler de temps en temps s'Il les voyait, elle ou Adam, s'approcher de Son précieux pommier.

Il s'ensuit des débats passionnés sur la culpabilité relative et les péchés d'Adam et Ève. Il est entendu, à l'unanimité, que Lucifer le Serpent est un salaud, un fils de pute, un tocard. Personne n'a le courage de dire quoi que ce soit de négatif à propos de Dieu malgré les allusions et les insinuations. Il aurait pu se montrer un petit peu plus compréhensif vis-à-vis des difficultés du premier homme et de la première femme.

Mikey Dolan dit, Tu n'aurais jamais pu parler comme ça dans une école catholique. Bon Dieu (désolé), les sœurs t'auraient soulevé de ta chaise par les oreilles et auraient convoqué tes parents pour comprendre d'où te venaient des idées qui n'étaient que pur blasphème.

Les autres garçons de la classe, qui ne sont pas catholiques, se vantent qu'ils n'auraient jamais toléré de telles conneries. Ils auraient dérouillé les sœurs et comment ça se fait que tous les catholiques soient de telles mauviettes ?

La discussion dérivait et je craignais que certains détails puissent revenir aux oreilles des parents catholiques qui risquaient de se plaindre que des religieuses puissent être si mal traitées. Je leur ai demandé de penser à n'importe qui sur terre, dans le présent comme dans le passé, qui pourrait avoir besoin d'un bon mot d'excuses.

J'ai écrit les suggestions au tableau :

Eva Braun, la petite amie d'Hitler.

J'ai demandé, Que pensez-vous d'Hitler lui-même ?

Nan, nan, jamais. Y a pas d'excuses.

Mais peut-être qu'il a eu une enfance malheureuse.

Ils n'étaient pas d'accord. Un mot d'excuses pour Hitler pouvait être un formidable défi à relever pour un écrivain mais jamais cette classe ne lui fournirait d'excuses.

Au tableau : Julius et Ethel Rosenberg, exécutés en 1953 pour trahison.

Et pourquoi pas excuser les déserteurs ?

Oh, ouais, m'sieur McCourt. Ces types ont des tonnes de mots d'excuses. Ils veulent pas se battre pour leur pays, c'est pas comme nous.

Sur le tableau : Judas, Attila le Hun, Lee Harvey Oswald, Al Capone, tous les hommes politiques des États-Unis.

Hep, m'sieur McCourt, vous pourriez ajouter des profs là-dessus ? Pas vous mais tous ces enquiquineurs de profs qui nous filent des contrôles tous les jours.

Oh, impossible de faire ça. Ce sont mes collègues.

D'accord. D'accord, on peut écrire des mots d'excuses pour eux en expliquant pourquoi ils sont obligés d'être comme ça.

M'sieur McCourt, y a le proviseur à la porte.

Mon cœur s'arrête.

Le proviseur entre dans la salle, accompagné de l'inspecteur de Staten Island, M. Martin Wolfson. Ils font comme s'ils ne me voyaient pas et ne s'excusent pas d'avoir interrompu le cours. Ils se promènent dans les rangées, observant les cahiers des élèves. Ils en prennent pour les regarder de plus près. L'inspecteur en montre un au proviseur. L'inspecteur fronce les sourcils et pince les lèvres. Le proviseur également. Les élèves comprennent qu'il s'agit de gens importants et puissants. Pour prouver leur loyauté et leur solidarité ils répriment leur envie de demander à sortir.

Lorsqu'il est sur le point de s'en aller, le proviseur me regarde en fronçant les sourcils et murmure que l'inspecteur aimerait me voir pendant la prochaine heure même s'il faut envoyer quelqu'un pour surveiller ma classe. Je sais. Je sais. J'ai encore fait les choses de travers. Ça va barder et je ne sais pas pourquoi. Il va y avoir une mauvaise appréciation dans mon dossier. Vous faites de votre mieux. Vous prenez la balle au bond. Vous essayez quelque chose qui n'a jamais été tenté dans toute l'histoire de l'humanité. Vous réussissez à ce que vos gamins sautent de joie en rédigeant des mots d'excuses. Mais maintenant il va falloir régler l'addition, monsieur le professeur. Prenez le couloir qui mène au bureau du proviseur.

Il est assis à son bureau. La manière qu'a l'inspecteur de se tenir au milieu de la pièce m'évoque un lycéen contrit.

Ah, monsieur... monsieur...

McCourt.

Entrez. Entrez. Rien qu'une minute. Je voulais seulement vous dire que ce cours, ce projet, bref, ce que vous fabriquiez dans votre classe, c'était tip-top. Tip-top. C'est, jeune homme, ce dont nous avons besoin, des méthodes d'enseignement proches de la réalité. Le niveau de rédaction de ces gamins était digne de l'université.

Il se tourne vers le proviseur et dit, Ce gamin qui écrivait un mot d'excuse pour Judas... Brillant ! Mais j'aurais quelques réserves. Je ne suis pas certain que la rédaction de mots pour excuser des personnes criminelles ou malfaisantes soit défendable ou judicieuse, bien qu'en y repensant, ce soit ce que font les avocats, n'est-ce pas ? Et, d'après ce que j'ai vu dans votre classe, il se pourrait qu'il y ait de la graine d'avocat prometteur, là-dedans. Alors, je voulais juste vous serrer la main et vous dire de ne pas vous étonner si vous trouvez dans votre dossier un rapport qui rend compte de votre enseignement énergique et créatif. Merci et peut-être devriez-vous leur suggérer des personnages historiques un peu plus éloignés ? Un mot d'excuses pour Al Capone me semble un peu osé. Merci encore.

Dieu du ciel. Les plus vifs louanges de l'inspecteur de Staten Island. Dois-je esquisser des pas de danse dans le couloir ou dois-je léviter et voler ? Le monde verra-t-il une objection à ce que je chante ?

Je chante. Le lendemain, je dis aux élèves que je connais une chanson qu'ils vont apprécier, une chanson avec des phrases difficiles à prononcer, et la voici :

O ro the rattlin' bog, the bog down in the valley O,
O ro the rattlin' bog, the bog down in the valley O.
And in that bog there was a tree, a rare tree, a rattlin' tree,
And the tree in the bog and the bog down in the valley O[1].

Nous avons chanté couplet après couplet et ils riaient en essayant de prononcer correctement les mots et si c'était pas incroyable de voir le prof qui chantait devant eux. Oh là là, le bahut, ça devrait être comme ça tous les jours, nous qui écrivons des mots d'excuses et les profs qui se mettent à chanter sans qu'on sache pourquoi.

La raison en était que j'ai réalisé qu'il y avait assez de matière dans l'histoire de l'humanité pour des millions de mots d'excuses. Tôt ou tard, on a tous besoin d'une excuses. De plus, puisque nous avons chanté aujourd'hui nous pourrions chanter demain, après tout ? Nul besoin d'excuse pour chanter.

---

1. *O ro le marais bruyant, le marais au fond de la vallée O*
O ro le marais bruyant, le marais au fond de la vallée O
Dans le marais il y avait un arbre, un arbre rare, un arbre bruyant
Et l'arbre est dans le marais et le marais dans la vallée O.

7

AUGIE ÉTAIT UN VRAI CASSE-PIEDS EN CLASSE, il répondait, embêtait les filles. J'ai appelé sa mère. Le lendemain, la porte s'ouvre en grand et un homme vêtu d'un T-shirt noir, doté d'une musculature d'haltérophile, se met à gueuler, Hé, Augie, viens là.

Augie en a le souffle coupé.

Quesse j'ai dit, Augie. Si y faut que je vais te chercher par la peau du cul tu vas le regretter. Viens là.

Augie glapit, J'ai rien fait.

L'homme pénètre d'un pas lourd dans la salle, traverse la classe jusqu'au siège d'Augie, le soulève dans les airs, le plaque contre le mur, le cogne, à plusieurs reprises, contre le mur.

J't'ai dit – *boum* – de jamais – *boum* – jamais faire chier – *boum* – ton prof – *boum*. Si j'entends que tu fais chier ton prof – *boum* – je t'arrache la tronche – *boum* – et j'te la fourre dans l'cul – *boum*. Tu m'entends – *boum* ?

Hé. Attendez. C'est ma classe. Je suis le prof. Je ne peux pas laisser n'importe qui débarquer ici n'importe comment. C'est moi le chef, ici.

Excusez-moi.

L'homme m'ignore. Il est trop occupé à cogner son fils tellement fort contre le mur qu'Augie pendouille mollement entre ses mains.

Je dois montrer qui est le chef, dans cette classe. Les gens ne peuvent tout de même pas débouler comme ça et réduire leurs fils en bouillie. Je répète, Excusez-moi.

L'homme ramène Augie sur sa chaise et se tourne vers moi. Si y vous fait encore des problèmes, monsieur, j'l'envoie dans le New Jersey à coups de pied au cul. On y a appris la politesse.

Il se tourne vers la classe, Le prof il est là pour vous apprendre quèque chose à vous aut' les mômes. Si vous écoutez pas le prof vous aurez pas de diplôme, vous aut'. Si vous avez pas de diplôme vous finirez sur les quais à faire un boulot sans avenir. Si vous écoutez pas quesse que l'prof y dit vous vous rendez pas service. Vous pigez c'que j'dis ?

Ils ne répondent pas.

Vous pigez c'que j'dis ou vous êtes qu'une bande d'abrutis ? Sauf si y a un caïd dans la salle qui veut ramener sa fraise ?

Ils disent que oui, ils comprennent, et tous les caïds se taisent.

D'accord, prof, remettez-vous donc au boulot, vous aut'.

En partant, il claque la porte si violemment que de la poussière de craie tombe du tableau et que les fenêtres vibrent. Un silence hostile envahit la salle et il signifie, On sait que tu as appelé le père d'Augie. On n'aime pas les profs qui appellent les pères des élèves.

Il ne sert à rien de dire, Oh, écoutez, je n'ai pas

demandé au père d'Augie de faire ça. J'ai juste dit un mot à sa mère en pensant qu'ils lui parleraient et lui diraient de se conduire correctement en classe. C'est trop tard. J'ai agi dans leur dos, je leur ai montré que je ne pouvais maîtriser la situation tout seul. Il n'y a pas de respect pour les profs qui vous envoient dans le bureau du proviseur ou appellent les parents. Si vous ne pouvez pas vous débrouiller tout seul vous ne devriez même pas être prof. Plutôt être balayeur ou éboueur.

Sal Battaglia souriait tous les matins en disant, B'jour, m'sieur. Sal s'asseyait à côté de sa petite amie, Louise, et avait l'air content. Quand ils se tenaient la main dans le couloir tout le monde les évitait parce qu'il était entendu que c'était vraiment de l'amour. Un jour Sal et Louise se marieraient et c'était sacré.

La famille italienne de Sal et la famille irlandaise de Louise n'approuvaient pas, mais au moins le mariage serait catholique et ça allait. Pour rigoler, Sal a dit devant la classe que sa famille redoutait qu'il crève de faim avec une épouse irlandaise parce que les Irlandais ne savent pas faire la cuisine. Il a ajouté que sa mère se demandait comment les Irlandais se débrouillaient pour survivre. Louise a élevé la voix, dit qu'ils pouvaient dire ce qu'ils voulaient, mais que les Irlandais faisaient les plus beaux bébés au monde. Sal a rougi. Cet Italien aux manières très cool, de presque dix-huit ans, avec son abondante chevelure bouclée, a piqué un fard. Louise a ri et nous avons ri de concert quand elle a tendu sa délicate main blanche pour toucher son visage empourpré.

La classe s'est tue quand Sal a pris la main de Louise et l'a posée contre son visage. On voyait ses yeux brillants emplis de larmes. Que lui arrivait-il ? Je suis resté planté le dos contre le tableau, ne sachant que dire ou faire, ne voulant pas rompre le charme. Dans un moment pareil, comment pouvais-je continuer notre discussion sur *La Lettre écarlate* ?

Je suis allé derrière mon bureau, ai fait mine de m'affairer, ai refait l'appel en silence, rempli un formulaire, attendu dix minutes que la sonnerie retentisse, regardé Sal et Louise s'en aller, main dans la main, et les ai enviés d'avoir tout planifié ainsi. Leur diplôme en poche, ils se fianceraient. Sal deviendrait un plombier hors pair, et Louise greffière, ayant grimpé jusqu'à l'échelon le plus élevé du monde du secrétariat, à moins d'avoir l'idée folle de devenir avocate. J'ai dit à Louise qu'elle était assez brillante pour faire tout ce qu'elle voulait, mais elle a répondu non non, que dirait sa famille ? Il fallait qu'elle gagne sa vie, qu'elle soit prête pour vivre avec Sal. Elle apprendrait la cuisine italienne comme ça elle ne serait pas tout le temps pendue aux basques de la mère de Sal. Un an après le mariage naîtrait un bébé, un petit bébé dodu bien nourri, italo-irlando-américain, et cela rapprocherait les deux familles pour toujours et à quoi bon se soucier des pays d'origine des parents.

Rien de tout cela n'est advenu parce qu'un jeune irlandais a attaqué Sal à coups de bâton. Sal ne faisait même pas partie d'un gang. Il ne faisait que passer afin de livrer une commande du restaurant pour lequel il travaillait le soir et le week-end. Lui et Louise savaient que ces guerres de gangs étaient stupides, surtout entre Irlandais et Italiens, qui étaient catholiques et blancs. Alors pourquoi ? À quoi cela rimait-il ? Une question de territoire, de secteur, et même pire, de filles. Hé, vire tes mains de macaroni de ma gonzesse. Casse-toi de mon quartier, espèce de sale gros con d'Irlandais. Sal et Louise pouvaient comprendre qu'on se batte contre des Portoricains ou des nègres, mais pas entre soi, bon Dieu.

Sal est revenu avec un bandage recouvrant ses points de suture. Il est allé se mettre sur la droite de la salle, loin de Louise. Il a ignoré ses camarades et personne ne lui a jeté un coup d'œil ni adressé la parole. Louise a gagné sa chaise habituelle, essayant de croiser son regard. Elle s'est tournée vers moi comme si je pouvais lui donner des réponses ou arranger les choses. Je me sentais incompétent et indécis. Devais-je aller vers elle, lui serrer l'épaule, murmurer des paroles d'encouragement, affirmer que Sal s'en remettrait ? Devais-je m'approcher de lui, présenter des excuses au nom des Irlandais, dire qu'on ne pouvait juger tout un peuple à cause des actes d'un abruti de Prospect Park, lui rappeler que Louise était toujours charmante, l'aimait toujours ?

Comment pouvait-on parler de la conclusion de *La Lettre écarlate*, la fin heureuse pour Hester et Pearl, alors que Louise était assise quelques rangs derrière, le cœur brisé, que Sal gardait les yeux braqués devant lui, l'air prêt à tuer le premier Irlandais qui aurait le malheur de croiser son chemin ?

Ray Brown a levé la main. Ce brave Ray, toujours prêt à aider. Eh, m'sieur McCourt, comment ça se fait qu'il y ait pas de nègres dans ce livre ?

J'ai dû prendre un air interdit. Tous les élèves,

sauf Louise et Sal, ont rigolé. Je ne sais pas, Ray. Je ne crois pas qu'il y ait eu des nègres dans la Nouvelle-Angleterre des origines.

Sal a bondi de sa chaise. Si, y avait des nègres, Ray, mais les Irlandais les ont tous butés. Ils les ont attaqués par-derrière et ils leur ont pété la gueule.

Oh, ouais ? a fait Ray.

Ouais, a dit Sal. Il a pris son sac, est sorti, est allé chez le conseiller d'éducation. Le conseiller m'a dit que Sal avait demandé à passer dans la classe de M. Campbell, qui avait au moins le mérite de ne pas être irlandais, et n'avait pas cet accent stupide. Au moins on n'imaginait pas que M. Campbell vous frappe par-derrière avec une matraque, Mais avec ce McCourt. C'est un Irlandais et on ne peut pas faire confiance à ces sales faux jetons.

Que faire avec Sal ? Nous étions à trois mois des examens de fin d'année, j'aurais dû essayer de lui parler mais je ne savais que dire. Dans les couloirs du lycée, je voyais souvent des profs réconforter des gamins. Le bras autour de leurs épaules. Une accolade chaleureuse. T'inquiète pas, ça va aller. Le garçon ou la fille répondant merci, en larmes, le prof lui serrant l'épaule une dernière fois. C'est ce que j'avais envie de faire. Aurais-je dû dire à Sal que je n'étais pas un abruti jouant de la matraque ? Aurais-je dû insister pour lui dire qu'il était injuste de faire souffrir Louise à cause des actes de quelqu'un qui était sûrement saoul ? Hein, tu sais comment sont les Irlandais, Sal. Et il aurait rigolé et aurait dit, OK, c'est vrai que les Irlandais ont ce problème, et se serait remis avec Louise.

Ou bien j'aurais dû parler à Louise, lui débiter quelques banalités du genre, Oh, ça te passera avec le temps, ou Un de perdu dix de retrouvés, ou Tu ne vas pas rester seule longtemps, Louise. Les garçons vont se bousculer à ta porte.

Si j'essayais de parler à l'un ou à l'autre je serais maladroit et je balbutierais. La meilleure chose à faire était de ne rien faire, ce qui était tout ce dont j'étais capable, de toute façon. Un jour, je réconforterais quelqu'un dans le couloir, mon bras ferme autour de ses épaules, des mots apaisants, une accolade.

Les profs refusent d'avoir Kevin Dunne en cours. Le gamin n'est qu'un sacré emmerdeur, chahuteur, incontrôlable. Si le proviseur insiste pour le coller dans leur classe, ils vont rendre leur tablier, demander à prendre leur retraite, s'en aller. Ce gamin devrait être au zoo, avec les singes, pas à l'école.

Alors ils le refilent au nouveau prof, au prof qui ne peut pas dire, Non : pas à moi. De plus, on voit à ses cheveux roux, à ses taches de rousseur partout, à son nom, que le gamin est irlandais, et un prof irlandais avec son accent authentique arrivera sûrement à maîtriser le petit con. Le conseiller d'orientation dit qu'il compte sur quelque chose, vous savez, d'atavique, qui pourrait faire vibrer une corde en lui. Un vrai enseignant irlandais pourrait sûrement faire remuer un truc ethnique dans les gènes de Kevin. N'est-ce pas ? Le conseiller d'orientation ajoute que Kevin va sur ses dix-neuf ans et devrait réussir à l'examen cette année mais qu'après avoir redoublé deux fois il n'a aucune chance de porter le costume universitaire. Pas la moindre. Le lycée joue la montre, espérant qu'il abandonnera ses études, s'engagera dans l'armée ou autre. Ils prennent n'importe qui dans l'armée de nos jours, les boiteux, les estropiés, les aveugles, tous les Kevin du monde. Ils disent qu'il ne viendra jamais dans ma classe de lui-même, alors pourrais-je avoir l'obligeance d'aller le chercher dans le bureau du conseiller.

Il est assis dans un coin du bureau, perdu dans une parka trop grande pour lui, le visage enfoncé dans sa capuche. Le conseiller d'orientation dit, Le voici, Kevin. Voici ton nouveau prof. Enlève ta capuche pour qu'il te voie.

Kevin ne bouge pas.

Oh, allez, Kevin. Enlève ta capuche.

Kevin secoue la tête. La tête remue mais la capuche reste en place.

OK, va avec M. McCourt, et essaye de te montrer coopératif.

Le conseiller d'orientation murmure, Il va peut-être, vous savez, s'identifier à vous.

Il ne s'identifie à rien du tout. Il s'assied derrière son pupitre et, caché par sa capuche, martèle le bois de ses doigts. Le proviseur, pendant sa ronde, colle sa tête à la porte et lui dit, Fiston, enlève ta capuche. Kevin fait comme s'il n'existait pas. Le proviseur se tourne vers moi. On a un petit problème de discipline ici ?

C'est Kevin Dunne.

Oh, et le proviseur s'en va.

Je suis empêtré dans une sorte de mystère. Quand je fais allusion à lui les autres profs roulent des yeux et me disent qu'on refile souvent les cas désespérés aux nouveaux professeurs. Le conseiller d'orientation me dit de ne pas m'en faire, c'est un enquiquineur mais il a des problèmes et il ne va pas rester longtemps. Soyez un peu patient.

Le lendemain, juste avant midi, Kevin demande à

sortir de classe. Il dit, Comment ça se fait que vous me donniez la permission si facilement ? Comment ça se fait ? Vous voulez vous débarrasser de moi, hein ?

Tu as dit que tu voulais la permission de sortir. La voici. Vas-y.

Pourquoi vous me dites d'y aller ?

C'est seulement une façon de parler.

C'est pas juste, j'ai rien fait de mal. J'aime pas les gens qui me disent d'y aller comme si j'étais juste un chien.

J'aimerais pouvoir le prendre à part pour discuter, mais je sais que ce n'est pas mon fort. J'ai plus de facilité pour parler à toute une classe qu'à un seul garçon. Ce n'est pas aussi intime.

Il perturbe la classe avec des remarques hors de propos : l'anglais a plus de gros mots que les autres langues ; Si tu portes ta chaussure droite au pied gauche et ta chaussure gauche au pied droit ça te muscle la cervelle et tous tes enfants seront des jumeaux ; Dieu a un stylo qui n'a pas besoin d'encre ; les bébés savent tout dès leur naissance. C'est pour ça qu'ils ne parlent pas parce que s'ils parlaient on passerait tous pour des idiots.

Il dit les fayots font péter et c'est bien d'en donner aux petits enfants parce que les cultivateurs de fayots dressent les chiens à retrouver les petits au cas où ils sont perdus ou ont été kidnappés. Il sait pertinemment que les familles de richards filent plein de fayots à bouffer à leurs enfants parce que les enfants de richards ont toujours eu peur d'être kidnappés et quand il sortira du lycée il travaillera dans le marché du dressage de chiens pour retrouver les petits enfants de richards bouffeurs de fayots grâce à leurs pets et il fera la une des journaux et sera sur toutes les télés, et peut-il avoir la permission de sortir maintenant.

Sa mère est venue lors de la journée portes ouvertes. Elle n'arrive à rien avec lui, ne sait pas ce qui cloche. Son père est parti quand Kevin avait quatre ans, le salaud, et maintenant il vit à Scranton, en Pennsylvanie, avec une femme qui élève des souris blanches de laboratoire. Kevin adore les souris blanches mais déteste sa belle-mère parce qu'elle les vend à des gens qui vont leur fourrer des trucs à l'intérieur ou les ouvrir juste pour voir si elles ont perdu ou pris du poids. À dix ans, il a menacé de s'en prendre à sa belle-mère et il a fallu appeler la police. Maintenant, sa mère se demande s'il réussit dans ma classe. Est-ce qu'il fait des progrès ? Est-ce que je lui donne des devoirs ? Parce qu'il ne rapporte jamais de livres à la maison, de cahiers ou de stylos ?

Je lui dis que c'est un garçon très intelligent qui a beaucoup d'imagination. Elle dit, Ouais, c'est bien pour vous, d'avoir un garçon très intelligent en classe, mais pour son avenir ? Elle a peur qu'il se fasse entraîner dans l'armée et finisse au Vietnam, où il se fera facilement repérer avec sa tignasse rousse et sera une cible mouvante pour les Viets. Je lui dis que je ne pense pas qu'il puisse être incorporé dans l'armée, et elle a l'air vexée. Elle dit, Qu'est-ce que vous voulez dire ? Il vaut bien n'importe quel autre gamin de ce lycée. Son père a fait une année d'études supérieures, vous savez, et il lisait les journaux.

Je veux dire que je ne pense pas qu'il ait le profil d'un militaire.

Mon Kevin peut faire tout ce qu'il veut. Mon Kevin vaut bien n'importe quel autre gamin de ce lycée, et à votre place je ne le sous-estimerais pas.

J'essaye de lui parler mais il m'ignore ou fait

comme s'il ne m'entendait pas. Je l'envoie chez le conseiller d'orientation, qui me le renvoie avec un mot me suggérant de l'occuper. Faites-lui nettoyer le tableau. Envoyez-le à la cave pour laver les brosses. Peut-être, ajoute-t-il, qu'il pourrait partir dans l'espace avec la prochaine fusée et rester en orbite. C'est une blague de conseiller d'orientation.

J'annonce à Kevin que je le nomme chef de classe et qu'il devra s'occuper de tout. Il s'acquitte de sa tâche en quelques minutes et dit aux élèves de regarder comme il est rapide. Danny Garino dit qu'il est plus rapide pour tout et tout le temps, et qu'il retrouvera Kevin après le cours. Je les sépare et leur fais promettre de ne pas se battre. Kevin demande la permission de sortir, puis n'en veut plus, affirmant qu'il n'est pas un bébé contrairement à d'autres dans cette salle qui doivent y aller toutes les cinq minutes.

Sa mère l'adore, les autres profs n'en veulent pas, le conseiller d'orientation se défile et je ne sais qu'en faire.

Dans le placard il découvre des centaines de petits pots d'aquarelle, dont le contenu est sec et craquelé. Il dit, Waouh, Waouh. Oh, vieux. Des pots, des pots. De la peinture, de la peinture. À moi, à moi.

D'accord, Kevin. Tu veux bien les nettoyer ? Tu peux rester près de l'évier, avec cette table-ci, et tu n'as plus besoin de t'asseoir à ton bureau.

C'est risqué. Il pourrait mal prendre le fait de se voir proposer un travail qui n'est qu'une corvée.

Ouais, ouais. Mes pots. Ma table. Je vais enlever ma capuche.

Il enlève sa capuche et ses cheveux étincellent. Je lui dis que je n'ai jamais vu des cheveux aussi roux, il me fait un grand sourire. Il s'active devant l'évier pendant des heures, retirant à l'aide d'une cuiller la vieille pâte pour la mettre dans un grand bocal, frottant les bouchons, rangeant les pots sur les étagères. À la fin de l'année, il continue de travailler, n'a toujours pas fini. Je lui dis qu'il ne peut pas venir pendant l'été et il pleure de contrariété. Est-ce qu'il peut emporter les pots chez lui ? Ses joues sont trempées.

D'accord, Kevin. Emporte-les chez toi.

Il me touche l'épaule de sa main multicolore, me dit que je suis le meilleur prof au monde et que si un jour quelqu'un me cherche des noises il s'en occupera, il sait comment s'y prendre avec les gens qui emmerdent les profs.

Il emporte une dizaine de pots chez lui.

Il ne revient pas en septembre. Les services du rectorat l'envoient dans un lycée spécialisé pour les irrécupérables. Il s'enfuit et vit quelque temps avec les souris blanches dans le garage de son père. Puis l'armée vient le chercher et sa mère passe au lycée pour me dire qu'il a disparu au Vietnam et elle me montre une photo de sa chambre. Sur la table, les pots sont disposés de façon à former une série de lettres qui disent MCCORT OK.

Vous voyez, dit sa mère, il vous aimait bien parce que vous l'avez aidé, mais les communistes lui ont fait la peau, alors dites-moi, à quoi ça a servi ? Et toutes ces mères qu'ont leurs mômes déchiquetés en petits morceaux. Mon Dieu, t'as même pas un doigt à enterrer, et va-t-on enfin m'expliquer ce qui se passe là-bas dans ce pays dont personne n'a jamais entendu parler ? Va-t-on enfin m'expliquer ? Une guerre finit, une autre commence et on peut s'estimer heureux quand on n'a que des filles, parce qu'elles sont pas envoyées là-bas.

Elle sort d'un sac en toile le grand pot en verre

rempli des restes de peinture de Kevin. Elle dit, Regardez-moi ça. Toutes les couleurs de l'arc-en-ciel dans ce bocal. Et vous savez quoi ? Il s'est rasé le crâne et il a mis ses cheveux là-dedans et les a mélangés avec la peinture. C'est de l'art, non ? Et je sais qu'il aurait aimé que vous le gardiez.

J'aurais pu être honnête avec la mère de Kevin, lui dire que je n'avais pas fait grand-chose pour son fils. Il avait l'air d'une âme en peine, à la dérive, cherchant un endroit où jeter l'ancre, mais je n'en savais pas assez, ou j'étais trop timide pour témoigner de l'affection.

J'ai gardé le bocal sur mon bureau, où il rayonnait, incandescent, et quand je regardais la touffe de cheveux de Kevin je regrettais amèrement de l'avoir laissé partir de l'école pour qu'il se retrouve au Vietnam.

Mes élèves, surtout les filles, disaient que le bocal était magnifique, ouais, une vraie œuvre d'art, et cela avait dû demander beaucoup de travail. Je leur ai parlé de Kevin et certaines filles ont pleuré.

Un homme de ménage en nettoyant la salle de classe a cru que le bocal était un détritus et l'a jeté dans la poubelle de la cave.

J'ai parlé de Kevin aux profs, à la cantine. Ils ont secoué la tête. Ils ont dit, C'est dommage. Certains de ces mômes passent au-travers des mailles du filet mais qu'est-ce qu'un prof peut faire, bordel ? On a des classes surchargées, pas de temps, et on n'est pas psys.

8

À TRENTE ANS, JE ME SUIS MARIÉ AVEC ALBERTA SMALL et j'ai commencé à suivre des cours à la faculté de Brooklyn pour obtenir un master de littérature anglaise, un diplôme qui m'aiderait à m'élever dans la société, à être respecté, et ferait grimper mon salaire d'enseignant.

Pour obtenir mon diplôme, j'ai dû écrire un mémoire sur Oliver St. John Gogarty, scientifique, poète, dramaturge, romancier, homme d'esprit, athlète, buveur hors pair d'Oxford, mémorialiste, sénateur, ami (brièvement) de James Joyce, qui lui a inspiré le Buck Mulligan d'*Ulysse* et l'a rendu célèbre dans le monde entier et pour toujours.

Mon mémoire était intitulé « Oliver St. John Gogarty : étude critique ». Il n'y avait rien de critique dans ce mémoire. J'avais choisi Gogarty parce que je l'admirais. Si je le lisais et écrivais sur lui, un peu de son charme, de son talent et de son érudition déteindrait sûrement sur moi. J'aurais peut-être un peu de son élan, de son style, de son souffle flamboyant. C'était une figure de Dublin, et j'espérais comme lui devenir un Irlandais débonnaire, gros buveur et poète. Je serais une figure de New York. Je ferais hurler de rire ma tablée et régnerais sur les bars de Greenwich Village avec mes chansons et mes histoires. Au Lion's Head Bar, je buvais whiskey sur whiskey pour me donner le courage de devenir pittoresque. Les barmans me conseillaient d'y aller mollo. Mes amis disaient qu'ils ne comprenaient pas un mot de mon baragouin. Ils me faisaient sortir du bar et me mettaient dans un taxi, payaient la course et disaient au chauffeur de ne pas s'arrêter avant que je sois devant ma porte à Brooklyn. Avec Alberta, j'essayais d'être aussi spirituel que Gogarty mais elle me disait, Pour l'amour de Dieu tais-toi, et pour toute récompense à mes efforts pour être gogartien je récoltais une gueule de bois si carabinée que je tombais à genoux et suppliais Dieu de me rappeler à Lui.

Le professeur Julian Kay a validé mon mémoire malgré « un style répétitif et une solennité antithétiques au sujet, Gogarty. »

Mon premier professeur, et mon préféré, à la faculté de Brooklyn a été Morton Irving Seiden, spécialiste de Yeats. Il portait un nœud papillon, pouvait faire trois heures de cours sur les *Chroniques anglo-saxonnes* ou Chaucer ou Matthew Arnold, sans jamais avoir à lire ses notes. Il était là pour faire cours, déverser du savoir dans des coquilles vides, et quand on avait des questions on allait le voir dans son bureau. Il refusait de prendre sur le temps de cours.

Il avait écrit sa thèse de doctorat à l'université de Columbia sur Yeats et un livre, *Le Paradoxe de la haine*, dans lequel il soutenait que la peur de la sexualité juive était l'une des causes principales de l'antisémitisme en Allemagne.

J'ai suivi son cours d'histoire de la littérature anglaise, sur toute l'année, il s'étendait du *Beowulf* à Virginia Woolf, du combat au tracas. Manifestement, il voulait qu'on sache et comprenne comment la littérature anglaise s'était développée, en corrélation avec la langue. Il insistait pour que nous connaissions la littérature comme un médecin connaît l'anatomie.

Tout ce qu'il disait était nouveau pour moi – un des bienfaits de la naïveté et du manque d'éducation. Je connaissais des bribes de littérature anglaise mais avec Seiden c'était exaltant de passer d'un écrivain à l'autre, d'un siècle à l'autre, de s'arrêter pour examiner plus attentivement Chaucer, John Skelton, Christopher Marlowe, John Dryden, les Lumières, les romantiques, les victoriens avant de s'attaquer au XXe siècle. Seiden lisait des extraits pour illustrer l'évolution de l'anglo-saxon au moyen anglais et à l'anglais moderne.

Après ces cours, je plaignais les gens dans le métro qui ne savaient pas ce que je savais et j'étais impatient de retourner dans ma propre classe pour raconter à mes élèves comment la langue anglaise avait évolué au cours des siècles. J'ai tenté de le prouver en leur lisant des passages du *Beowulf* mais ils ont dit, Nan, c'est pas de l'anglais, ça. Vous nous prenez pour des glandus ?

J'ai essayé d'imiter le style élégant de Seiden avec mes classes de plombiers, d'électriciens, de mécanos, mais ils me regardaient comme si j'avais perdu l'esprit.

Les professeurs pouvaient monter sur l'estrade et

faire cours jusqu'à plus soif sans jamais craindre la contradiction ou la chicane. Une vie enviable. Ils n'avaient jamais besoin de dire à quiconque de s'asseoir, d'ouvrir son cahier, et non, vous ne pouvez pas sortir. Ils n'avaient jamais à intervenir dans une bagarre. Les devoirs étaient rendus à temps. Pas d'excuses, monsieur ou madame, on n'est pas au lycée. Si vous avez des difficultés à suivre le rythme je vous conseille d'abandonner ce cours. Les excuses, c'est pour les enfants.

J'enviais Seiden, et les professeurs de faculté en général, leurs quatre ou cinq heures de cours hebdomadaires. J'en donnais vingt-cinq. Leur autorité n'était jamais remise en cause. Je devais asseoir la mienne. Je disais à ma femme, Pourquoi est-ce que je devrais me battre avec des adolescents acariâtres alors que je pourrais mener la vie facile d'un prof de fac ? Ce ne serait pas plaisant d'entrer dans la salle de classe avec désinvolture, de hocher la tête en guise de salutation, de faire cours au mur du fond ou à l'arbre derrière la fenêtre, de gribouiller quelques mots illisibles sur le tableau, d'indiquer le sujet de la prochaine dissertation, sept cents mots sur la symbolique de l'argent dans *Bleak House* de Dickens ? Ni plaintes, ni provocations, ni excuses.

Alberta disait, Oh, cesse de geindre. Bouge-toi le cul et fais une thèse et tu pourras devenir un gentil petit prof de fac. Tu pourras débiter tes conneries aux étudiantes de deuxième année.

Quand Alberta a passé son habilitation à enseigner elle a rencontré Arlene Dahlberg et l'a ramenée à la maison pour dîner. Celle-ci a ôté ses chaussures d'un coup de talon et s'est assise sur le divan en sirotant du vin et en nous parlant de sa vie avec son mari, Edward. Ils vivaient à Majorque mais elle rentrait aux États-Unis de temps en temps pour enseigner et gagner assez d'argent pour subvenir à leurs besoins en Espagne. Elle disait qu'Edward était assez connu et je n'ai rien dit parce que je me souvenais avoir aperçu son nom une seule fois dans un essai d'Edmund Wilson sur les écrivains prolétariens. Arlene a dit qu'il reviendrait d'Espagne d'ici quelques mois et qu'elle nous inviterait à boire un verre.

Dès que j'ai vu Edward Dahlberg je ne l'ai pas aimé, à moins que cela n'ait été dû à ma nervosité à l'idée de rencontrer un homme de lettres, d'être introduit dans le cercle de la littérature américaine.

Le soir où Alberta et moi leur avons rendu visite, il était assis dans un large fauteuil, dans un coin, près de la fenêtre, devant un demi-cercle d'admirateurs. Ils parlaient de livres. Ils lui demandaient son opinion sur divers auteurs. Il agitait la main et, à part lui, détestait tous les écrivains du XXe siècle : le style d'Hemingway se résumait à « un babil enfantin », celui de Faulkner à « de la boue », l'*Ulysse* de Joyce était « une promenade éprouvante dans les immondices de Dublin ». Il exigeait que tout le monde rentre chez soi pour lire des auteurs dont je n'avais jamais entendu parler : Suétone, Anaxagore, sir Thomas Brown, Eusèbe, les Pères du désert, Flavius Josèphe, Randolph Bourne.

Arlene m'a présenté : voici Frank McCourt, il vient d'Irlande. Il enseigne l'anglais au lycée.

J'ai tendu la main mais il l'a boudée. Oh, toujours lycéen, alors ?

Je ne savais pas quoi dire. J'avais envie de frapper

ce fils de pute discourtois, mais je n'en ai rien fait. Il a ri et a dit à Arlene, Notre ami enseigne-t-il l'anglais à des sourds-muets ? Dans l'esprit de Dahlberg l'enseignement était réservé aux femmes.

Je suis retourné m'asseoir, embarrassé.

Dahlberg avait une grosse tête et quelques mèches de cheveux gris parsemaient son crâne presque chauve. Un de ses yeux était mort dans l'orbite et l'autre bougeait vivement, travaillant pour deux. Il avait un nez fort, une moustache fournie et lorsqu'il souriait on apercevait l'éclat de ses fausses dents blanches, qui claquaient.

Il n'avait pas terminé. Il a tourné son œil valide dans ma direction. Notre lycéen lit-il ? Et que lit-il ?

Je me suis creusé les méninges pour trouver quelque chose que j'avais lu récemment, quelque chose d'assez distingué pour lui plaire.

Je suis en train de lire l'autobiographie de Sean O'Casey.

Il m'a laissé mariner quelques minutes, a passé sa main sur son visage, a grogné, Sean O'Casey. Je vous en prie, récitez-m'en un peu.

Mon cœur s'est emballé et s'est mis à cogner. Le demi-cercle d'admirateurs attendait. Dahlberg a relevé la tête comme s'il disait Oui ? Ma bouche était sèche. Je n'arrivais pas à trouver quoi que ce soit chez O'Casey qui égalerait les sublimes passages des anciens maîtres. J'ai marmonné, Eh bien, j'admire O'Casey pour le naturel avec lequel il écrit sur son enfance à Dublin.

Il m'a de nouveau laissé souffrir tandis qu'il souriait à ses admirateurs. Il a fait un signe de tête dans ma direction. Le naturel avec lequel il écrit, dit notre ami irlandais. Quand on admire tellement l'écriture dite naturelle, autant aller scruter les murs des toilettes publiques.

Les admirateurs ont éclaté de rire. Le visage en feu, j'ai lâché, O'Casey a lutté pour s'extraire des bas-fonds de Dublin. Il était à moitié aveugle. C'est un… un… défenseur des travailleurs… Vous ne lui arrivez pas à la cheville. Tout le monde connaît Sean O'Casey. Qui a déjà entendu parler de vous ?

Il a secoué la tête à l'intention de ses admirateurs et ils ont secoué la tête de concert. Puis il a appelé Arlene, Dis à ton lycéen de prendre congé. Il n'est pas le bienvenu ici, contrairement à sa charmante femme, qui me ferait honneur en restant.

J'ai suivi Arlene dans la chambre pour récupérer mon manteau. Je lui ai dit que j'étais désolé d'avoir gâché la soirée et m'en suis voulu de m'excuser, mais elle a gardé la tête baissée sans rien dire. Au salon, Dahlberg tripotait l'épaule d'Alberta, lui disant qu'il était sûr qu'elle était un excellent professeur ; il espérait qu'elle reviendrait les voir.

Nous avons pris le métro jusqu'à Brooklyn, en silence. J'étais perturbé et je me demandais pourquoi Dahlberg s'était senti obligé de se comporter ainsi, d'humilier un inconnu ? Et pourquoi m'étais-je laissé faire ?

Parce que je n'avais pas plus confiance en moi qu'une coquille d'œuf. Il avait soixante ans, j'en avais trente. C'était comme si je débarquais de chez les sauvages. Je ne serais jamais à l'aise dans les cénacles littéraires. J'étais complètement dépassé et trop ignorant pour appartenir à l'équipe d'admirateurs qui balançaient des noms littéraires à Dahlberg.

Pétrifié, honteux, je me suis juré de ne plus jamais revoir cet homme. Je renoncerais à la voie de garage qu'était l'enseignement, à cette carrière qui ne suscitait aucun respect, prendrais un boulot à temps partiel, passerais mes journées en bibliothèque, irais dans des fêtes comme celle-ci, citerais et déclamerais, ne m'en laisserais pas conter par les gens de l'espèce de Dahlberg et son cercle d'adorateurs. Arlène nous a réinvités mais Dahlberg était désormais poli et moi prudent et assez futé pour m'en remettre à lui, accepter le rôle de disciple. Il me questionnait toujours sur mes lectures et j'évitais les conflits en débitant les Grecs, les Romains, les Pères de l'Église, Miguel de Cervantès, *L'Anatomie de la mélancolie* de Burton, Emerson, Thoreau et, bien sûr, Edward Dahlberg, comme si je ne faisais dorénavant rien d'autre que passer mes journées à bouquiner, le cul dans un confortable fauteuil, à bouquiner en attendant qu'Alberta me serve mon dîner et masse ma pauvre nuque. Si la conversation prenait une tournure mauvaise et dangereuse, je citais un de ses livres et voyais son visage s'illuminer et se radoucir. J'étais surpris qu'un homme qui régnait sur sa cour et se faisait des ennemis partout puisse se laisser si facilement berner par les flagorneries. J'étais surpris, aussi, d'être assez malin pour avoir élaboré une stratégie qui l'empêchait d'exploser dans son fauteuil. J'apprenais à me mordre la langue et à supporter ses injures parce que je pensais pouvoir profiter de son savoir et de sa sagesse.

Je l'enviais car il menait une vie d'écrivain, un rêve que j'étais trop timoré pour essayer d'atteindre. Je l'admirais, ainsi que tous ceux qui suivaient leur cap et le gardaient coûte que coûte. Malgré les différentes expériences que j'avais eues en Amérique j'avais toujours l'impression d'avoir tout juste débarqué. Quand il grommelait en évoquant la dure vie de l'écrivain, la souffrance quotidienne de l'homme devant son bureau, j'avais envie de répondre, Oh, angoisse de mes deux, Dahlberg. Tout ce que vous faites, c'est de taper à la machine quelques heures chaque matin et de lire le reste de la journée tandis qu'Arlene rôde dans le coin, prête à exaucer votre moindre désir. Vous n'avez pas connu une journée de dur labeur de toute votre vie. Une seule journée d'enseignement devant cent soixante-dix adolescents vous renverrait illico presto à votre douce vie littéraire.

Je l'ai revu de temps en temps jusqu'à ce qu'il meure en Californie, âgé de soixante-dix-sept ans. Il m'invitait à dîner en me demandant de ramener ma gerce. Le dictionnaire m'a informé que gerce signifiait garce. J'ai compris qu'il était davantage intéressé par ma gerce que par moi, et quand il a suggéré que nous passions l'été ensemble pour nous balader en voiture dans le pays j'ai su quelles étaient ses intentions, une aventure sur la route avec Alberta. Le gros malin trouverait un moyen de m'envoyer faire une course inutile tandis qu'il descendrait en ondulant de son arbre.

Un samedi matin, il a appelé pour nous inviter à dîner et comme j'ai répondu que nous étions pris ce soir-là il a dit, Et alors, mon cher ami irlandais, que vais-je faire de la nourriture que j'ai commandée ? J'ai répondu, Mangez-la. De toute façon, vous n'êtes plus bon qu'à ça.

Ce n'était pas une très bonne repartie mais ça a été mon dernier mot. Je n'ai plus jamais eu de ses nouvelles.

Tous les mois de juin, pendant les huit années que j'ai passées à McKee, les gens du département d'anglais se réunissaient dans une salle de classe pour lire, évaluer, noter l'examen d'anglais de fin d'année de New York. À peine la moitié des élèves de McKee avaient décroché la moyenne. Il a fallu donner un coup de pouce à l'autre moitié. Nous avons essayé de gonfler les notes éliminatoires situées autour de cinquante points et plus, afin qu'ils obtiennent les soixante-cinq points requis.

Il n'y avait rien à faire avec les questionnaires à choix multiples, les réponses étant bonnes ou mauvaises, mais on a soutenu les dissertations de littérature et de culture générale. C'est tout à l'honneur du gosse de s'être présenté. Et puis merde, il aurait pu être ailleurs, à faire des conneries, à embêter les gens. Trois points parce qu'il s'est présenté, pour son civisme désintéressé. La copie est écrite de façon lisible ? Oui. Encore deux ou trois points.

Le môme a-t-il déjà causé des problèmes à ses profs, en cours ? Euh, peut-être, une fois. Ouais, mais il avait dû être provoqué. En plus, son père est mort, c'était un docker qui s'était opposé à la Mafia et à cause de ça il a fini dans le canal Gowanus. Donnez-lui deux points en plus parce que son père est mort dans le canal. Voilà, on y est presque, non ?

L'élève a-t-il fait des parties ? Oh, ouais. Regardez-moi ces alinéas. Ce môme est un pro de l'alinéa. Il y a sans conteste trois parties, ici.

Y a-t-il des phrases d'introduction dans les différentes parties ? Eh bien, vous savez, on pourrait dire que la première phrase est une phrase d'introduction. Entendu, mettez-lui encore trois points pour les phrases d'introduction. Bon, où en sommes-nous, maintenant ? Soixante-trois ?

C'est un chouette môme ? Oh, oui. Serviable, en classe ? Oui, il a lavé les brosses à tableau pour son prof de sciences sociales. Poli, dans les couloirs ? Toujours à dire bonjour. Regardez-moi ça, il a donné un titre à sa copie, « Mon pays ; Bon ou mauvais ». C'est pas rien ! Plutôt recherché, non, de donner un titre à sa dissertation. Ne pourrait-on pas rajouter trois points parce qu'il a choisi un sujet patriotique et un point car il a eu recours au point-virgule, même si dans le cas présent il fallait mettre deux points ? Est-ce vraiment un point-virgule ou est-ce une crotte de mouche ? Certains gamins dans ce lycée ne savent même pas que les deux points existent, ils s'en fichent, et s'il fallait monter sur l'estrade pour leur expliquer la différence entre les deux points et leur cousin, le point-virgule, ils demanderaient la permission de sortir dans la seconde.

Pourquoi ne pas lui mettre trois points de plus ? C'est un chouette gosse et son frère, Stan, est au Vietnam. Son père a eu la polio quand il était môme. Il est dans un fauteuil roulant. Allez, mettez un point de plus à ce garçon dont le père est en fauteuil roulant et le frère au Vietnam.

Donc, il en est à soixante-huit. Avec soixante-huit, il y a guère de chances que ça suscite des soupçons à Albany, où ils vérifient les épreuves. Il est peu probable qu'ils contrôlent toutes les copies, avec les milliers qui affluent de tout l'État. En plus, si on nous posait des questions, nous, les profs, nous nous serrerions les coudes pour défendre notre système de notation.

Allons déjeuner.

M. Bibberstein, le conseiller d'orientation, disait que si j'avais le moindre problème avec un gamin il faudrait que je le lui fasse savoir et il s'en occuperait. Il disait que dans ce système les jeunes profs étaient traités comme des chiens, ou pire. C'est marche ou crève.

Je ne lui ai jamais rien dit de mes difficultés avec les élèves. L'information circule. Ouais, mec, le nouveau prof, McCourt, il va t'envoyer chez le conseiller d'orientation et avant que t'aies pu faire ouf il appellera ton vieux et tu sais ce que ça veut dire. M. Bibberstein plaisantait en disant que je devais être un excellent professeur, qui s'en sortait si bien avec les gamins qu'il n'avait jamais besoin d'en envoyer un chez lui. Il disait que ce devait être mon charme irlandais. Vous ne payez pas de mine mais les filles adorent votre accent. Elles me l'ont dit, alors gaspillez pas votre salive.

Quand nous avons fait grève avec le nouveau syndicat, la Fédération unie des enseignants, M. Bibberstein, M. Tolfsen et Mme Gilfillan, le professeur de dessin, ont traversé le piquet de grève. Nous les avons interpellés, N'entrez pas. N'entrez pas, mais ils sont entrés, Mme Gilfillan pleurait. Les profs qui passaient à travers le piquet de grève étaient plus vieux que ceux qui restaient dehors. Ils avaient peut-être appartenu à l'ancien syndicat enseignant, qui avait disparu pendant la période maccarthyste et la chasse aux sorcières. Ils ne voulaient plus être harcelés, même si nous faisions surtout grève pour être reconnus en tant que syndicat.

J'avais de la sympathie pour les vieux profs et quand la grève s'est achevée j'ai eu envie de leur dire que j'étais désolé de leur avoir crié dessus. Au moins, dans le piquet de grève, personne n'a crié, Sale jaune ! comme ça se faisait dans d'autres établissements. Pourtant, la tension et la division étaient palpables au lycée McKee, et je ne savais pas si je pourrais rester ami avec ceux qui avaient ignoré le piquet de grève. Avant d'être prof, j'avais participé au piquet de grève du Syndicat des travailleurs de l'hôtellerie, des routiers et de l'Association internationale des dockers, et je m'étais fait virer d'une banque pour la simple raison que j'avais parlé à un représentant syndical. Il y avait des avertissements que personne n'aurait osé ignorer. Franchis cette ligne, mon pote, on sait où tu crèches. On sait où tes enfants vont à l'école.

Il était impossible de dire des choses pareilles dans un piquet de grève d'enseignants. On était des gens civilisés : des profs, des diplômés de l'université. Quand la grève s'est achevée nous avons battu froid aux jaunes à la cantine. Ils mangeaient ensemble de l'autre côté de la salle. Au bout d'un moment, ils ont carrément cessé de venir à la cantine et nous sommes restés seuls, membres loyaux de la Fédération unie des enseignants.

M. Bibberstein me faisait à peine un signe de tête dans les couloirs et ne me proposait plus de m'aider avec les gamins difficiles. J'ai été surpris lorsqu'un jour il s'est arrêté pour aboyer, C'est quoi, au juste, cette histoire de Barbara Sadlar ?

Qu'est-ce que vous voulez dire ?

Elle est venue dans mon bureau et m'a appris que vous l'encouragiez à aller en fac.

C'est exact.

Que voulez-vous dire par « c'est exact » ?

Je veux dire que je lui ai suggéré d'aller en fac.

Je vous signale que nous sommes dans un lycée technique et professionnel, et non un vivier pour l'université. Ces mômes apprennent un métier, fiston. Ils ne sont pas préparés pour l'enseignement supérieur.

Je lui ai dit que Barbara Sadlar était l'une des plus brillantes élèves de mes cinq classes. Elle écrivait bien, lisait des livres, participait en cours, et si moi, professeur diplômé, j'avais pu entrer à la fac sans la moindre éducation supérieure pourquoi Barbara n'en serait-elle pas capable ? Il n'était pas écrit qu'elle devait devenir esthéticienne, secrétaire ou quoi que ce soit d'autre.

Parce que, jeune homme, vous donnez à ces gosses des espoirs qu'ils ne devraient pas avoir. Nous, on essaie d'avoir les pieds sur terre, ici, et vous arrivez avec vos idées à la noix. Il va falloir que j'aie une discussion avec elle pour lui remettre les pieds sur terre. Je vous serais reconnaissant de ne plus vous mêler de tout ça. Contentez-vous d'enseigner l'anglais et laissez-moi orienter les élèves. Il a commencé à faire demi-tour pour s'en aller mais il s'est ravisé. Bien sûr, tout cela n'a rien à voir avec le fait que Barbara soit une jolie blonde, n'est-ce pas ?

J'ai eu envie de dire quelque chose de méchant. Sale jaune m'est venu à l'esprit mais je me suis tu. Il s'est éloigné et ç'a été la dernière fois que nous nous sommes adressé la parole. Était-ce la grève, ou était-ce vraiment Barbara ?

Il a déposé une carte de vœux dans ma boîte aux lettres, avec un mot : *La portée d'un homme doit excéder celle de ses bras, mais mieux vaut s'assurer qu'il y ait quelque chose à leur portée. N'encouragez pas de rêves impossibles. Meilleures salutations, Fergus Bibberstein.*

DEUXIÈME PARTIE

Un âne sur un chardon

9

EN 1966, APRÈS AVOIR PASSÉ SIX ANS À MCKEE, il était temps que je fasse autre chose. J'avais toujours du mal à capter l'attention de mes cinq classes même si j'étais en train de me rendre à l'évidence : il faut t'imposer dans la classe. Il faut te trouver. Il faut élaborer ton propre style, tes propres techniques. Et dire la vérité, sinon tu seras démasqué. Oh, m'sieur le prof, c'est pas ce que vous avez dit la semaine dernière. Il ne s'agit pas de vertu ni d'éthique irréprochables.

Alors, au revoir, lycée technique et professionnel McKee. Mon master en poche, je me retrouve à la faculté de Brooklyn, à New York, où un ami, le professeur Herbert Miller, m'a aidé à trouver un poste de maître-assistant, le grade le plus bas du système universitaire. Je donnerai des cours cinq ou six fois par semaine, et non tous les jours. Tout ce temps libre, ce sera le paradis. Je gagnerai moitié moins qu'un prof de lycée, mais les étudiants seront mûrs, ils écouteront et feront preuve de respect. Ils ne lanceront pas d'objets. Ils ne protesteront pas et ne se plaindront pas de faire des devoirs sur table ou des dissertations à la maison. En plus, ils m'appelleront monsieur, ce qui me donnera l'impression d'être quelqu'un d'important. Je suis chargé de deux cours : Introduction à la littérature et Principes de la dissertation.

Mes étudiants étaient des adultes, âgés pour la plupart de moins de trente ans, et travaillaient dans des magasins, des usines, des bureaux. J'avais une classe de trente-trois pompiers qui voulaient obtenir leurs UV pour prendre du galon, tous blancs, des Irlandais pour la plupart.

Presque tous les autres étaient des Noirs ou des Hispaniques. J'aurais pu être l'un d'entre eux, travaillant la journée, étudiant le soir. Puisqu'il n'y avait pas de problèmes de discipline, il a fallu que je m'adapte et expérimente des méthodes d'enseignement qui ne m'imposaient pas de dire asseyez-vous, s'il vous plaît, et taisez-vous. S'ils étaient en retard, ils s'excusaient et gagnaient leur place. J'ai eu du mal, quand les premiers élèves sont entrés, se sont assis et ont attendu que je commence. Personne ne me demandait la permission d'aller aux toilettes. Personne ne levait la main pour accuser quelqu'un d'avoir volé son sandwich ou son livre ou sa chaise. Personne n'essayait de m'éloigner du sujet en me posant des questions sur l'Irlande en général et sur mon enfance malheureuse en particulier.

Faut y aller, mec, et faire ton cours.

Une note de bas de page, mesdames et messieurs, se place au bas d'une page pour indiquer la source de vos informations.

Une main.

Oui, monsieur Fernandez ?

Comment ça ?

Quoi, comment ça ?

Je veux dire, si j'écris un truc sur les Giants de New York, pourquoi est-ce que je ne peux pas dire tout simplement que je l'ai lu dans le *Daily News*, pourquoi ?

Parce que, monsieur Fernandez, il s'agit d'un travail de recherche, ce qui veut dire que vous devez indiquer exactement, très exactement, monsieur Fernandez, d'où vous tirez vos informations.

J'sais pas, monsieur, ça a l'air d'être vachement compliqué. J'écris juste un article sur les Giants et pourquoi ils ont raté leur saison. Je veux dire, je fais pas une formation pour être avocat ni rien.

M. Tomas Fernandez avait vingt-neuf ans et il travaillait comme mécanicien pour la ville de New York. Il espérait qu'un diplôme de premier cycle l'aiderait à obtenir une promotion. Il avait une femme et trois enfants et parfois, pendant les cours, il s'endormait. Quand il ronflait, les autres élèves me regardaient, épiant ma réaction. Je lui touchais l'épaule et lui proposais d'aller faire une pause dehors. Il disait, d'accord, quittait la salle, et un soir il n'est pas revenu. La semaine suivante, il n'a pas assisté aux cours et quand il a réapparu il a dit que non, il n'avait pas été malade. Il était allé dans le New Jersey pour voir le match de foot avec les Giants, vous savez. Il était obligé d'aller voir les Giants quand ils jouaient à domicile. Il ne pouvait pas les louper, ses Giants. Il disait que c'était dommage que le cours ait lieu le lundi, le même soir que les matchs à domicile des Giants.

Dommage, monsieur Fernandez ?

Ouais. C'est que, vous voyez, je ne peux pas être dans deux endroits à la fois.

Mais, monsieur Fernandez, nous sommes à la faculté. Ce cours est obligatoire.

Ouais, dit M. Fernandez. Je comprends votre problème, monsieur.

Mon problème ? Mon problème, monsieur Fernandez ?

Ben, voyons, faut que vous fassiez quelque chose pour moi et les Giants. Pas vrai ?

Ce n'est pas ça, monsieur Fernandez. C'est seulement que si vous n'assistez pas aux cours vous allez échouer.

Il me dévisage, l'air de ne pas comprendre pourquoi je tiens des propos aussi étranges. Il me dit, ainsi qu'aux autres étudiants, qu'il suit les Giants depuis toujours et qu'il ne va pas leur faire faux bond alors qu'ils sont en train de rater leur saison. Plus personne ne le respecterait. Son fils de sept ans le mépriserait. Même sa femme, qui n'en a jamais rien eu à fiche des Giants, n'aurait plus aucune estime pour lui.

Pourquoi donc, monsieur Fernandez ?

C'est facile à comprendre, monsieur. Tous les dimanches et tous les lundis que je consacre aux Giants, elle les passe à la maison, à m'attendre, à s'occuper des gosses et de tout, elle m'a même pardonné la fois où j'ai pas pu aller à l'enterrement de sa mère à cause des Giants qui jouaient les *playoffs*, dis donc. Alors si je devais laisser tomber les Giants maintenant elle dirait, À quoi est-ce que ça a rimé, tout ça, que je passe mon temps à t'attendre ? Elle dirait que ça a été du gâchis. C'est comme ça qu'elle perdrait toute estime pour moi parce que s'il y a bien une chose chez elle, c'est qu'elle reste fidèle à ses idées tout comme je reste fidèle aux Giants, vous voyez ce que je veux dire ?

Rowena, qui vient de la Barbade, dit que cette discussion fait perdre leur temps aux étudiants et qu'il serait bon que Fernandez devienne adulte. Pourquoi n'a-t-il pas choisi un autre jour que le lundi pour le cours ?

Les autres cours étaient complets et j'ai entendu dire que M. McCourt était un type sympa, et que ça le dérangerait pas si j'allais voir les matchs de foot après une dure journée de labeur. Vous voyez ?

Rowena, qui vient de la Barbade, répond que non, elle ne voit pas. Sans vouloir t'offenser, c'est pour aujourd'hui ou pour demain ? On vient tous ici après une dure journée de labeur, et on ronfle pas en cours, on part pas voir les matchs de foot non plus. Il faudrait voter.

Dans la salle, les gens hochent la tête, oui, votons. Trente-trois étudiants disent que M. Fernandez devrait suivre les cours, tant pis pour les Giants. M. Fernandez vote pour lui. Les Giants jusqu'au bout.

Bien qu'il y ait un match des Giants à la télé ce soir-là il a la courtoisie d'assister au cours jusqu'à la fin. Il me serre la main et m'assure que c'est sans rancune, que je suis vraiment un chouette type, mais qu'on a tous nos défauts.

Freddie Bell était un jeune Noir élégant. Il travaillait au rayon homme du grand magasin Abraham and Strauss. Il m'a aidé à choisir une veste, ce qui a donné une tournure différente à notre relation. Certes, je suis un de vos étudiants mais je vous ai aidé à dénicher cette veste. Il aimait écrire dans un style fleuri, en utilisant des mots compliqués et rares trouvés dans différents dictionnaires et quand j'ai écrit sur sa copie, « Simplifiez, simplifiez (Thoreau) », il a voulu savoir qui était ce Thoreau et comment quelqu'un pouvait avoir envie d'écrire comme un bébé ?

Parce que, Freddie, il se peut que votre lecteur apprécie la clarté. La clarté, Freddie, la clarté.

Il n'était pas d'accord. Au lycée, son professeur d'anglais lui avait dit que la langue anglaise était un outil merveilleux. Pourquoi ne pas tirer profit de cet extraordinaire instrument ? S'affranchir de toutes les barrières, pour ainsi dire.

Parce que, Freddie, ce que vous faites est faux, affecté et artificiel.

Ce n'était pas la chose à dire, surtout devant trente de ses camarades qui observaient et écoutaient. Son visage s'est figé et j'ai compris que c'était fichu. J'avais gagné une présence hostile dans ce cours pour le restant du trimestre, une perspective déconcertante pour moi, qui devais encore faire mes preuves dans ce monde d'étudiants adultes.

Il s'est vengé par le langage. Son écriture est devenue encore plus alambiquée et torturée. Ses notes sont passées de A à B –. Il a fini par me demander des explication sur ma notation, expliquant qu'il avait montré ses devoirs à son ancien professeur d'anglais et que l'ancien professeur d'anglais n'arrivait tout bonnement pas à comprendre comment Freddie pouvait avoir moins que des A +. Regardez-moi cette langue. Regardez-moi ce vocabulaire. Regardez-moi cette polysémie. Regardez-moi la structure des phrases : variée, sophistiquée, complexe.

Nous étions face à face dans le couloir. Il n'en

démordait pas. Il a dit qu'il s'efforçait de rechercher des mots nouveaux pour ne pas me lasser avec les mêmes termes. Son ancien professeur d'anglais pensait qu'il n'y avait rien de pire que de lire des kilomètres de textes sans jamais tomber sur une pensée originale ou du vocabulaire nouveau. L'ancien professeur d'anglais avait dit que M. McCourt devait mesurer les efforts de Freddie et lui reconnaître du mérite. Freddie aurait dû être récompensé ne serait-ce que parce qu'il s'était aventuré dans de nouveaux territoires, avait repoussé les limites. En plus, a ajouté Freddie, je travaille la nuit pour gagner ma vie et financer mes études. Vous savez ce que c'est, monsieur McCourt.

Je ne vois pas le rapport avec votre façon d'écrire.

En plus, c'est pas facile, dans cette société, quand on est noir.

Oh, bon sang, Freddie. C'est jamais facile, dans cette société, pour qui que ce soit. Très bien. Vous voulez un A ? Je vous le donne. Je ne veux pas être accusé de sectarisme.

Non. Je n'en veux pas si c'est juste parce que je vous emmerde ou parce que je suis noir. Je veux un A que je mérite.

J'ai fait demi-tour pour m'en aller. Il m'a appelé, Hé, monsieur McCourt, merci. J'aime bien votre cours. Il est bizarre, ce cours, mais je me disais même que je pourrais peut-être devenir prof, comme vous.

J'anime un cours pour lequel il faut rendre un travail de recherche. L'étudiant doit montrer sa capacité à trouver un sujet, se lancer dans une recherche élémentaire, écrire des notes sur des fiches bristol pour que le professeur puisse retrouver la source des informations, fournir des notes de bas de page savantes et une bibliographie des sources primaires et secondaires.

J'emmène mes étudiants à la bibliothèque pour que la documentaliste, une femme aimable et enthousiaste, puisse leur montrer comment trouver des informations, comment se servir des outils élémentaires de recherche. Ils l'écoutent en échangeant des coups d'œil, chuchotent en espagnol et en français, mais quand elle demande s'ils ont des questions leur regard est vide, et ils la mettent mal à l'aise, elle qui voudrait tellement les aider.

J'essaye d'expliquer la notion de recherche.

D'abord, vous choisissez un sujet.

C'est quoi ?

Réfléchissez à quelque chose qui vous intéresse, peut-être un problème qui vous tracasse, vous personnellement, ou les gens en général. Vous pouvez écrire sur le capitalisme, la religion, l'avortement, les enfants, la politique, l'éducation. Certains d'entre vous viennent de Cuba ou d'Haïti. Deux sujets fertiles. Vous pouvez écrire sur le vaudou ou la Baie des Cochons. Vous pouvez aborder certains aspects de votre pays, les droits de l'homme, par exemple, faire quelques recherches, chercher une thèse et une antithèse, y réfléchir, et en tirer une conclusion.

Excusez-moi, monsieur, qu'est-ce que c'est, la thèse et l'antithèse ?

La thèse ça veut dire pour, l'antithèse, contre.

Oh.

« Oh » signifie qu'ils n'ont pas la moindre idée de ce dont je parle. Je dois faire machine arrière, aborder les choses sous un autre angle. Je leur demande quelle est leur position sur la peine capitale. Leurs regards m'indiquent qu'ils ne connaissent pas leur position parce qu'ils ne savent pas de quoi je parle.

La peine capitale, c'est lorsqu'on exécute quelqu'un ; il peut être pendu, électrocuté, gazé, fusillé ou garrotté.

C'est quoi, ça ?

Une façon d'étrangler qui se pratique surtout en Espagne.

Ils me demandent d'écrire le mot au tableau. Ils le griffonnent dans leur cahier et je note que si jamais un de mes cours s'enlise à l'avenir j'aborderai immédiatement les différentes méthodes d'exécution.

Vivian, qui vient d'Haïti, lève la main. C'est pas bien, les exécutions, par contre je pense que ça va, dans le cas de l'autre truc, avec les bébés, oh ouais, l'avortement. On devrait les fusiller.

D'accord, Vivian. Pourquoi n'écrivez-vous pas cela dans votre travail de recherche ?

Moi ? Écrire ce que je dis ? Qui ça intéresse, ce que je dis ? Je ne suis rien, monsieur. Rien.

Leurs visages sont inexpressifs. Ils ne comprennent pas. Comment le pourraient-ils ? Ils n'ont jamais entendu ce son de cloche. Personne ne leur a jamais dit qu'ils avaient le droit d'avoir d'une opinion.

Ils n'ont pas peur de prendre la parole en classe, mais coucher des mots sur le papier est une étape beaucoup plus périlleuse à franchir, surtout quand ce n'est pas l'anglais ta langue maternelle, mais l'espagnol ou le français. En plus, ils n'ont pas que ça à faire. Ils ont des gosses à élever et des boulots et il faut qu'ils envoient de l'argent à leur famille en

Haïti ou à Cuba. C'est pas difficile pour les profs de donner du travail mais, mec, il y a d'autres choses dans la vie et Dieu a fait des journées qui ne durent que vingt-quatre heures.

Il reste dix minutes avant la fin du cours et je dis aux étudiants qu'ils peuvent aller explorer la bibliothèque à leur guise. Personne ne bronche. Ils ne chuchotent même plus. Ils restent plantés là, dans leur manteau d'hiver. Ils se cramponnent à leurs sacs et attendent la seconde précise où l'heure se terminera.

Dans le couloir, je parle à mon ami, le vieux professeur Herbert Miller, de mes problèmes avec cette classe. Il dit, ils travaillent jour et nuit. Ils vont en cours. Ils écoutent. Ils font de leur mieux. Les gens du service des inscriptions les laissent venir, puis attendent que le prof fasse des miracles ou qu'il les vire sans ménagement. Je refuse d'être le bras armé de l'administration. De la recherche ? Comment ces gens pourraient-ils faire des travaux de recherche alors qu'ils ont déjà un mal de chien à lire le journal ?

Mes étudiants seraient d'accord avec Miller. Ils hocheraient la tête et diraient, Ouais, ouais. Ils pensent qu'ils ne valent rien.

C'est une chose que j'aurais dû savoir dès le début : les gens qui suivaient ce cours, des adultes entre dix-huit et soixante-deux ans, croyaient que leur opinion ne comptait pas. La moindre de leurs idées était le produit du gavage médiatique à l'œuvre dans notre société. Personne ne leur avait jamais dit qu'ils avaient le droit de penser par eux-mêmes.

Je leur ai dit, Vous avez le droit de penser par vous-mêmes.

Silence dans la salle. J'ai dit, Vous n'êtes pas obligés de gober tout ce que je vous raconte. Ni ce que quiconque vous raconte. Vous pouvez poser des questions. Si je n'ai pas la réponse, vous pouvez aller faire des recherches en bibliothèque ou en débattre ici.

Ils se sont lancé des coups d'œil. Ouais. Y raconte de drôles de trucs, ce type. Qu'on n'est pas obligés de le croire. Eh, on est venus ici pour étudier l'anglais et pour avoir la moyenne. Faut qu'on décroche not' diplôme.

Je voulais être le Grand Prof Émancipateur, je voulais qu'ils relèvent la tête après des années de dur labeur dans des bureaux ou à l'usine, les aider à briser leurs chaînes, les mener au sommet de la montagne, leur faire respirer l'air de la liberté. Quand leur esprit serait débarrassé des lieux communs, ils me considéreraient comme leur sauveur.

La vie était assez dure pour les gens qui suivaient ce cours sans qu'en plus un prof d'anglais les embête avec ses questions et son prêchi-prêcha pour les inciter à réfléchir.

Mince, nous on veut juste en finir avec l'école.

Les travaux de recherche se sont révélés une merveille de plagiat, des articles sur Papa Doc Duvalier ou Fidel Castro directement pompés dans des encyclopédies. Vivian en a tartiné dix-sept pages en anglais et français d'Haïti sur Toussaint Louverture et je lui ai mis B + pour avoir fait l'effort de recopier et de dactylographier. J'ai tenté de me racheter par une annotation sur la page de titre stipulant que Toussaint pensait par lui-même et en avait souffert et que j'espérais que Vivian suivrait son exemple, sauf pour ce qui était de la souffrance.

Quand j'ai rendu les travaux, je me suis efforcé de leur dire des choses positives, d'encourager les auteurs à fouiller un peu plus leur sujet.

Je ne parlais qu'à moi-même. C'était le dernier cours de l'année et ils regardaient leur montre, sans me prêter attention. Je suis allé prendre le métro, abattu et furieux contre moi-même de ne pas avoir réussi à tisser un quelconque lien avec eux. Quatre femmes qui avaient assisté à mes cours attendaient sur le quai. Elles m'ont souri et m'ont demandé si j'habitais Manhattan.

Non. Je suis à deux arrêts de métro, à Brooklyn.

Je ne savais pas quoi leur dire d'autre. Pas de bavardage. Pas de badinage de la part du professeur.

Vivian a dit, Merci pour la note, monsieur McCourt. C'est la meilleure que j'aie jamais eue en anglais et, vous savez, vous êtes plutôt bon comme prof.

Les autres ont hoché la tête et souri, et je savais qu'elles voulaient juste être aimables. Quand la rame est arrivée elles ont dit, À bientôt, et elles se sont dépêchées de remonter le quai.

Ma carrière dans le supérieur s'est achevée au bout d'un an. Le directeur du département a dit que malgré l'âpre compétition pour mon poste et les candidatures de collègues docteurs, il pourrait contourner le règlement, mais que si je voulais rester je devrais prouver que j'essayais d'obtenir un doctorat. Je lui ai répondu que je n'essayais pas d'obtenir quoi que ce soit.

Je regrette, a dit le directeur.

Oh, c'est pas grave, ai-je répondu, et j'ai cherché un nouveau poste de prof de lycée.

Alberta a dit que je n'allais nulle part dans la vie et je l'ai félicitée pour sa clairvoyance. Elle a ajouté, Arrête tes sarcasmes. Ça fait six ans qu'on est mariés et tout ce que tu sais faire, c'est te balader d'un lycée à l'autre. Si tu ne te fixes pas quelque part sans tarder, à quarante ans tu vas te demander ce que tu as fait de ta vie. Elle a mentionné des gens dans notre entourage, heureux en mariage, productifs, installés, épanouis, avec des enfants, dans une relation adulte, des gens qui étaient tournés vers l'avenir, passaient d'agréables vacances, s'inscrivaient dans des clubs, apprenaient le golf, vieillissaient ensemble, rendaient visite à leur famille, rêvaient de petits-enfants, donnaient de l'argent à leur paroisse, songeaient à la retraite.

J'étais d'accord avec elle mais je refusais de le reconnaître. Je lui ai fait tout un laïus sur la vie et l'Amérique. Je lui ai dit que l'existence était une aventure, et que je m'étais peut-être trompé de siècle. J'aurais dû vivre à l'époque des chariots de Connestoga, lorsque le commandant de la caravane, dans les westerns – John Wayne, Randolph Scott, Joel McCrea –, faisait siffler son fouet et hurlait, Allez ! et que l'orchestre du studio se lançait dans une envolée ; cinquante violons s'enflammant pour des plaines patriotiques, de la vraie musique pour convoi de pionniers ; les violons et les banjos épousant le gémissement de l'harmonica ; les conducteurs de chariot faisant, Hue ! hue ! hue ! les hommes, à pied, guidant chevaux et bœufs, leurs épouses au-dessus, cramponnées aux rênes, certaines manifestement enceintes et dont tu sais, parce que tu connais la chanson, qu'elles accoucheront au beau milieu d'une attaque menée par de terribles Apaches, des Sioux ou des Cheyennes. Ils disposeront les chariots en cercle et repousseront les braves qui poussent des cris de guerre et terrorisent les gentilles mères blanches en plein accouchement mais quand même, ces Indiens sont magnifiques avec leurs plumes, sur leurs chevaux, et tu sais que les Indiens seront obligés de battre en retraite car chaque homme blanc, chaque femme, chaque enfant, et même les parturientes, maintiendront un feu nourri à coup de fusils ou de revolvers, brandiront des rouleaux à pâtisserie et des poêles à frire, vaincront les sales Peaux-Rouges afin que le convoi reprenne sa route, afin que les Blancs conquièrent le continent sauvage, afin que l'expansion de l'Amérique ne soit pas arrêtée par les sauterelles, la sécheresse, les Rocheuses, ou les Apaches hurleurs.

J'ai dit que c'était un épisode de l'histoire américaine que j'adorais. Elle a rétorqué, Les chariots de Connestoga, mon cul, trouve plutôt un boulot, et j'ai répondu du tac au tac par un vers de Dylan Thomas, « Le travail c'est la mort sans la dignité ». Elle a rétorqué, Tu peux garder ta dignité, mais tu vas me perdre. Il y avait donc peu d'espoir que notre mariage tienne le coup.

Le proviseur du lycée des industries de la mode ne m'appréciait guère mais il y avait pénurie d'enseignants, personne ne voulait être prof dans les lycées techniques, or je me suis présenté, disponible et auréolé de mon expérience à McKee. Assis à son bureau, il a boudé ma main tendue, et m'a dit qu'il dirigeait un lycée dynamique, roulant des épaules à la manière d'un boxeur pour illustrer son énergie débordante et sa détermination sans faille. Il a annoncé que les gamins de ce lycée n'étaient pas des forts en thème mais de braves mômes qui apprenaient des métiers utiles comme le modelage ou la découpe, la fabrication de chaussures, la garniture d'ameublement et, nom d'un chien, il n'y avait rien de mal à ça, hein ? Ils deviendraient des membres éminents de la société et je ne devais jamais commettre l'erreur de prendre de haut les gamins d'un lycée technique.

Je lui ai dit que j'avais passé huit ans dans un lycée technique sans jamais songer à prendre de haut qui que ce soit.

Ah, oui ? Quel lycée ?

McKee, à Staten Island.

Il a reniflé. Eh bien, il n'a pas très bonne réputation, n'est-ce pas ?

J'avais besoin de ce travail et je ne voulais pas l'insulter. Je lui ai dit que tout ce que je savais de l'enseignement, je l'avais appris à McKee. Il a répondu, On verra. J'avais envie de lui dire de se le foutre au cul, son poste, mais ça aurait sonné le glas de ma carrière d'enseignant.

Il était certain que mon avenir n'était pas dans cette école. Je me demandais si j'avais le moindre avenir dans le système scolaire. Il a dit que quatre enseignants suivaient une formation pour devenir proviseurs ou proviseurs adjoints et qu'il ne faudrait pas que je m'étonne de les retrouver un jour occupant des fonctions élevées dans les lycées de la ville.

Ici, on se bouge le cul, il a dit. On se démène et on progresse. Et quels sont vos projets pour le long terme ?

Je ne sais pas. Il me semble que je suis simplement venu ici pour enseigner, j'ai répondu.

Il a secoué la tête, il n'arrivait pas à comprendre

mon manque d'ambition. Je n'étais pas assez dynamique. Grâce à lui, ces quatre profs en formation se démenaient et progressaient et s'en allaient. C'est ce qu'il a dit. Pourquoi auraient-ils passé leur vie dans une salle de classe avec des mômes alors qu'ils pouvaient voyager dans les allées du pouvoir ?

J'ai eu un regain de courage et je lui ai demandé, si tout le monde se démenait et progressait et s'en allait qui se chargerait de faire cours aux enfants ?

Il m'a ignoré, a laissé un petit sourire se dessiner sur sa bouche sans lèvres.

J'ai tenu un trimestre, de septembre à janvier, avant qu'il ne m'oblige à partir. Peut-être était-ce dû aux lacets ou à la revue roulée, à moins que ce ne soit dû à mon manque de dynamisme et d'ambition. Pourtant, lors d'une réunion il a fait mon éloge à propos d'une leçon sur les éléments de la phrase, au cours de laquelle je m'étais servi d'un stylo à bille comme support visuel.

Voici le tube en plastique qui contient l'encre. Si on enlevait ce tube du stylo, que se passerait-il ?

Mes élèves me regardent comme s'ils n'en revenaient pas, de m'entendre poser une question aussi crétine. Ben, tu peux plus écrire.

Très bien. Maintenant, qu'est-ce que je tiens dans la main ?

Encore ce regard résigné. C'est un ressort, p'tain.

Et que se passe-t-il si on enlève le ressort ?

Si tu essaies de faire sortir la pointe, ça ne marchera pas parce qu'il n'y a plus de ressort pour appuyer sur le petit bout qui permet d'écrire et alors tu te retrouves dans le pétrin parce que tu ne peux plus faire tes devoirs et le prof il va penser que t'es dingue si tu te pointes en lui racontant des histoires de ressort ou de tube qui manque.

Maintenant, regardez ce que j'écris au tableau. « Le ressort fait marcher le stylo. » Quel est le sujet de cette phrase ? En d'autres termes, de quoi parlons-nous dans cette phrase ?

Du stylo.

Non, non, non. Il y a un mot qui fait l'action ici. Cela s'appelle un verbe. Quel est-il ?

Oh, ouais. Le ressort.

Non, non, non. Le ressort, c'est une chose.

Ouais, ouais. Le ressort, c'est une chose. Eh, vieux. C'est de la poésie.

Donc, qu'est-ce qu'il fait, le ressort ?

Il fait marcher le stylo.

Bien. Le ressort accomplit l'action. On parle du ressort, n'est-ce pas ?

Ils ont un air dubitatif.

Supposons que l'on dise, Le stylo fait marcher le ressort. Est-ce que ce serait juste ?

Non. Le ressort fait marcher le stylo. Tout le monde le sait.

Alors, quel est le mot qui fait l'action ?

Fait.

Bien. Et quel mot utilise le mot qui fait l'action ?

Ressort.

Donc vous voyez qu'un stylo à bille fonctionne comme une phrase. Il faut quelque chose pour la faire marcher. Elle a besoin d'une action, d'un verbe. Vous comprenez ?

Ils ont dit que oui. Le proviseur, qui prenait des notes au fond de la classe, avait l'air perplexe. Lors de notre entretien de post-évaluation il a dit qu'il comprenait le parallèle que je faisais entre la structure d'un stylo et la structure d'une phrase. Il n'était pas persuadé que j'aie réussi à faire passer ça aux gamins mais, en tout cas, la méthode était novatrice et ingénieuse. Il était sûr, ah, ah, que si certains de ses professeurs d'anglais confirmés s'y attelaient, ils la perfectionneraient, mais l'idée était assez chouette.

Un matin, j'ai tiré sur un de mes lacets, il s'est cassé et je me suis exclamé, Merde !

Alberta a grommelé dans l'oreiller, qu'est-ce qui se passe ?

J'ai cassé mon lacet.

Tu casses toujours tes lacets.

Non, je ne casse pas toujours mes lacets. Je n'en ai pas cassé depuis des années.

Si tu ne tirais pas toujours dessus ils se casseraient pas.

Mais bon sang de quoi parles-tu ? Il a deux ans ce lacet, il a été dehors par tous les temps, pourquoi ne devrait-il pas se casser ? Je tire dessus tout comme toi tu t'escrimes sur les tiroirs de la commode quand ils sont coincés.

Non, je ne m'escrime pas sur les tiroirs de la commode.

Bien sûr que si. Tu entres dans une de tes colères d'Amerloque puritaine comme si les tiroirs t'en voulaient à mort.

Moi, au moins, je ne les casse pas.

Non, tu t'excites juste tellement dessus qu'ils se coincent complètement et que tu te ruines pour payer un menuisier qui les répare.

Si nous n'avions pas des meubles aussi minables je n'aurais pas besoin de me battre avec les tiroirs.

Mon Dieu, j'aurais dû écouter mes amis qui me conseillaient de ne pas épouser un Irlandais.

Il m'était impossible de gagner, dans une dispute domestique. Elle changeait toujours de sujet, dans le cas présent, les lacets et les tiroirs de la commode. Il fallait toujours qu'elle ramène cette histoire d'Irlande sur le tapis, l'argument massue, celui que l'on utilise pour condamner l'accusé à la pendaison.

Je me suis rendu à l'école dans un état de rage, pas du tout d'humeur à enseigner ni à faire des cajoleries, Ah, allez, Stan, assieds-toi, Joanna, range-moi ce maquillage, s'il te plaît. Vous m'écoutez ? Ouvrez votre exemplaire de la revue *L'Anglais pratique*, allez à la page neuf, le test de vocabulaire, remplissez les cases blanches et ensuite on regardera vos réponses.

Ils ont fait, Ouais, ouais, ouais. Faut faire plaisir au prof. Ils ont tourné les pages de la revue comme si elles pesaient une tonne. Ils prenaient leur temps. Atteindre la page neuf n'était pas une mince affaire et avant d'y arriver il fallait qu'ils parlent avec leurs copains devant, derrière, à côté. Ils parlaient peut-être de ce qu'ils avaient vu à la télé la veille au soir, Mon Dieu, qu'est-ce que ça fichait la trouille, et tu savais que Miriam, ouais, celle qu'est en cours de dessin avec nous, elle est enceinte, tu le savais ? Nan, j'savais pas. Waouh ! Qui c'est qu'est l'père ? T'y croiras pas. Jure que tu diras rien. C'est le nouveau prof de sciences sociales. Non ? J'croyais qu'il était pédé. Nan, y fait semblant.

Voulez-vous ouvrir vos revues à la page neuf ?

Le cours a commencé depuis quinze minutes et ils sont toujours en train de tourner les premières pages.

Hector, ouvre la revue à la page neuf.

Il avait des cheveux bruns, raides et un visage mince et extrêmement pâle. Il a regardé droit devant lui comme s'il ne m'avait pas entendu.

Hector. Ouvre la revue.

Il a secoué la tête.

J'ai marché dans sa direction en tenant un exemplaire roulé de *L'Anglais pratique*. Hector, la revue. Ouvre-la.

Il a de nouveau secoué la tête. Je l'ai frappé au visage avec la revue. Le coup a laissé une marque rouge sur sa joue blanche. Il a bondi. Allez vous faire foutre ! il a fait, avec des sanglots dans la voix. Il s'est dirigé vers la porte et j'ai crié, Assieds-toi ! Hector, mais il avait déjà filé. J'ai eu envie de lui courir après et de lui dire que j'étais désolé, mais je l'ai laissé partir. Quand il se serait un peu calmé et que j'aurais recouvré mes esprits, je parviendrais peut-être à lui adresser à nouveau la parole.

J'ai jeté la revue sur mon bureau et j'ai passé le reste de l'heure à regarder droit devant moi, comme Hector. Les élèves n'ont même pas fait semblant d'aller à la page neuf. Ils me regardaient ou se regardaient entre eux ou regardaient par la fenêtre et ne disaient rien.

Aurais-je dû leur en parler, leur dire combien je regrettais ? Non, non. Les profs ne montent pas sur l'estrade pour avouer leurs erreurs. Les profs n'admettent pas leur ignorance. On a attendu la sonnerie et quand ils sont sortis, Sofia, la fille qui était assise à côté d'Hector, a dit, Z'auriez pas dû faire ça. Z'êtes un chouette type mais vous z'auriez pas dû, Hector lui aussi il est chouette. Hector. Il a plein de problèmes et maintenant ça va être pire, à cause de vous.

Les élèves allaient désormais me mépriser, surtout les Cubains, la bande d'Hector. Ils étaient treize Cubains, la nationalité d'origine la plus représentée dans la classe. Ils se considéraient comme supérieurs aux autres groupes d'Hispaniques et tous les vendredis ils portaient des chemises blanches, des cravates bleues et des pantalons noirs pour ne surtout pas être confondus avec un autre groupe, notamment les Portoricains.

Nous étions à la mi-septembre, et si je ne trouvais pas un moyen de regagner la confiance des Cubains, ils allaient m'empoisonner l'existence jusqu'à la fin du trimestre, en janvier.

Pendant le déjeuner, un conseiller d'orientation a posé son plateau sur ma table. Bonjour, que s'est-il passé avec Hector ?

Je lui ai raconté.

Il a hoché la tête. C'est dommage. Je voulais qu'il soit dans votre classe à cause de vos origines respectives.

Quelles origines ? Il est cubain, je suis irlandais.

Il n'est qu'à moitié cubain. Sa mère s'appelle Considine, mais il en a honte.

Alors pourquoi l'avez-vous mis dans ma classe ?

Je sais que ça a l'air d'un cliché, mais sa mère était une pute de luxe à La Havane. Il se posait des questions sur les Irlandais et je pensais que chez vous, il était possible qu'il vous les pose. En plus, il a des problèmes d'identité sexuelle.

Il a l'air d'être un garçon, selon moi.

Ouais, mais... vous savez. Il y a cette histoire d'homosexualité. Maintenant, il croit que vous détestez les homosexuels et il dit, Très bien, il va se mettre à détester les Irlandais et tous ses amis cubains vont détester les Irlandais. Non, ce n'est pas ça. Il n'a pas d'amis cubains. Ils le traitent de *maricon*[1] et gardent leurs distances. Sa famille a honte de lui.

Oh, merde. Il m'a provoqué. Il refusait d'ouvrir sa revue. Je ne veux pas être embringué dans une guerre des sexes ni dans une guerre ethnique.

Melvin m'a proposé une réunion avec lui et Hector dans son bureau.

Hector, M. McCourt veut trouver un arrangement avec toi.

Je me fous de ce que veut M. McCourt. Pas question de me retrouver en classe avec des Irlandais. Ils boivent. Ils frappent les gens sans raison.

Hector, tu n'as pas ouvert ta revue quand je te l'ai demandé.

Il me regarde fixement de ses yeux noirs et froids. Et alors, on n'ouvre pas une revue et le prof vous frappe au visage ? Eh bien, vous z'êtes pas un prof. Ma mère était prof.

Ta mère était... J'ai failli le dire, mais il était déjà parti, c'était la deuxième fois qu'il me plantait comme ça. Melvin a secoué la tête et a haussé les épaules et j'ai compris que mes jours au lycée des industries de la mode étaient comptés. Melvin a dit qu'Hector pouvait porter plainte pour coups et blessures et s'il le faisait je serais dans de beaux draps. Il a essayé d'être drôle. Si vous voulez distribuer des paires de baffes aux mômes il vaut mieux trouver un poste dans une école catholique. Les curés et les frères, et même les nonnes, frappent encore les mômes. Vous seriez peut-être plus heureux chez eux.

Bien entendu, le proviseur a eu vent de mon

1. Tapette.

problème avec Hector. Il n'a rien dit avant la fin du trimestre, puis il a déposé une lettre dans ma boîte m'informant que je n'avais pas de poste pour le trimestre suivant. Il m'a souhaité une bonne continuation et affirmé se féliciter d'avoir rendu une évaluation favorable à mon égard. Quand je l'ai croisé dans le couloir il a dit que pour l'évaluation favorable il avait un peu déformé la réalité, ah, ah. Cela dit, si je continuais ainsi je serais peut-être un bon prof car, lors de ses observations, il avait remarqué que je découvrais de temps à autre une mine d'or pédagogique. Il a souri et avait manifestement l'air content de sa petite phrase. Il a ajouté quelque chose à propos du cours où j'avais illustré les éléments d'une phrase en démontant un stylo à bille. Ouais, j'avais découvert une mine d'or pédagogique.

10

ALBERTA M'A DIT QU'ILS CHERCHAIENT UN PROF dans son lycée, Seward-Park, dans le Lower East Side. Le bâtiment principal étant complet, j'ai été affecté dans une annexe, une école primaire abandonnée près de l'East River. Mes adolescents se plaignaient du manque de confort et de l'humiliation qu'ils ressentaient en glissant leurs corps en pleine croissance dans ce mobilier pour bébé.

C'était une école multiculturelle : juifs, Chinois, Portoricains, Grecs, Dominicains, Russes, Italiens, et je n'avais pas reçu de formation pour enseigner l'anglais aux non-anglophones.

Les gamins ne cherchent qu'une chose, être cool. Qu'importe ce que peuvent en dire les parents, ou les adultes en général. Les gamins veulent traîner dehors et parler le langage de la rue. Ils veulent savoir jurer avec éloquence. Si tu sais insulter et jurer, c'est qu't'es un mec, mec.

Et si t'es en train de traîner et qu'une poulette blanche trop sexy se ramène sur le trottoir t'auras beau avoir l'air super-cool, mec, si t'as pas les mots ou si t'as une espèce d'accent étranger à couper au couteau, elle va pas te jeter un regard et tu vas te retrouver chez toi, mec, à te tripoter, dégoûté parce que l'anglais est une langue de merde qui veut rien dire et que tu ne la parleras jamais. T'es en Amérique et faut que tu t'y fasses, mec.

Alors, m'sieur le prof, oublie ta littérature anglaise de snob et reviens aux choses sérieuses. Revenons au b.a.-ba. Prononce les mots et fais-le lentement, lentement.

La sonnerie retentit et j'entends la tour de Babel.

Excusez-moi.

Ils font comme si je n'existais pas ou alors, ils ne comprennent pas ma modeste requête.

On recommence. Excusez-moi.

Un grand Dominicain roux croise mon regard. M'sieur, tu veux que je dois aider ?

Il grimpe sur son bureau et tout le monde applaudit parce qu'il est absolument interdit par l'administration de grimper sur les bureaux et voici Oscar Poil-de-Carotte qui défie l'administration sous les yeux du prof.

Ouais, dit Oscar. *Mira*.

Il y a concert de *mira, mira, mira, mira, mira,* jusqu'à ce qu'Oscar lève sa main et crie, Heps. Vos gueules. Écoutez l'prof.

Merci, Oscar, mais tu veux bien redescendre ?

Une main. Alors, m'sieur. T't'appelles comment ?

J'écris au tableau, « M. McCourt », et le prononce.

Hé, m'sieur, toi juif ?

Non.

Tous les profs de l'école juifs. Pourquoi toi pas juif ?

Je ne sais pas.

Ils ont l'air étonnés, stupéfaits même, et ça

envahit la salle. Comme pour dire, T'entends ça, Miguel ? Le prof là, y sait pas.

C'est un moment délicat : le prof avoue son ignorance et la classe est murée dans un silence choqué. Tu tombes le masque, m'sieur le prof, et quel soulagement. Plus de M. Je-sais-tout.

Quelques années plus tôt, j'aurais pu être l'un d'eux, figurer parmi les masses pelotonnées. Je me sens à l'aise, vu mon passé d'immigrant. Je connais l'anglais, mais je ne me sens pas si étranger que ça à leur désarroi. Au plus bas de la hiérarchie sociale. Je pourrais faire tomber le masque de prof, avancer dans la classe, m'asseoir parmi eux et leur poser des questions sur leurs familles, comment c'était dans leur pays natal, leur parler de moi, de mon parcours chaotique, de la manière dont je me suis caché pendant des années derrière un masque, dont je me cache encore, en fait, et j'aimerais fermer cette porte pour laisser le monde dehors jusqu'à ce qu'ils parlent suffisamment bien anglais pour se sentir assez cool en disant à la poulette blanche et sexy qu'ils seraient pas contre l'idée de faire un peu de sport en chambre.

Ça ne serait pas joli ?

Je regarde cet assemblage de mômes venus de tous les continents, visages de toutes les couleurs et de toutes les formes, l'abondance de Dieu, ce jardin : les Asiatiques aux cheveux plus noirs et plus brillants que tout ce qu'on peut voir en Europe ; les superbes yeux marron des garçons et des filles hispaniques ; la timidité de certains, l'exubérance d'autres, les garçons poseurs, les filles réservées.

Nancy Chu demande si elle peut venir me voir après mon dernier cours. Elle reste assise à son bureau et attend que la salle se vide. Elle me rappelle qu'elle fait aussi partie de mon autre classe de seconde.

Je suis ici de Chine depuis trois ans.

Ton anglais est parfait, Nancy.

Merci. Je l'ai appris grâce à Fred Astaire.

Fred Astaire ?

Je connais les chansons de tous ses films. Mon préféré c'est *Top Hat*. Je chante ses chansons tout le temps. Mes parents pensent que je suis folle. Mes amis aussi. Ils ne connaissent que le rock et on ne peut pas apprendre l'anglais en écoutant du rock. J'ai tout le temps des problèmes avec mes parents à cause de Fred Astaire.

Eh bien, ce n'est pas très courant, Nancy.

En plus, je vous observe quand vous faites cours.

Oh.

Et je me demande pourquoi vous êtes aussi tendu. Vous connaissez l'anglais, vous devriez être cool. Les gamins disent que s'ils connaissaient l'anglais, ils seraient tellement cool. Parfois vous êtes détendu et ça plaît aux élèves. Ça leur plaît quand vous racontez des histoires et que vous chantez. Quand je suis tendue je chante « Dancing In the Dark ». Vous devriez l'apprendre, monsieur McCourt, et la chanter à la classe. Vous n'avez pas une si mauvaise voix.

Nancy, je suis ici pour enseigner l'anglais. Je ne fais pas du music-hall.

Pouvez-vous me dire comment ne pas être tendu quand on est prof d'anglais ?

Mais que vont dire tes parents ?

Ils pensent déjà que je suis folle et ils disent qu'ils

regrettent de m'avoir fait quitter la Chine, où Fred Astaire n'existe pas. Ils disent que je ne suis même plus chinoise. Ils disent à quoi bon avoir fait tout ce chemin depuis la Chine pour devenir prof et écouter Fred Astaire. Tu aurais pu être prof là-bas. Tu es ici pour gagner de l'argent, me disent mes parents. Monsieur McCourt, est-ce que vous me direz comment on peut devenir prof d'anglais ?

D'accord, Nancy.

Merci, monsieur McCourt. Ça vous embête si je vous pose des questions en cours ?

Pendant le cours elle dit, Vous aviez la chance de connaître l'anglais quand vous êtes venu en Amérique. Vous vous sentiez comment quand vous êtes arrivé en Amérique ?

Perturbé. Vous savez ce que ça veut dire, « perturbé » ?

Le mot fait le tour de la salle. Ils se l'expliquent entre eux dans leurs langues respectives et hochent la tête, ouais, ouais. Ils sont surpris que ce type là-bas, le prof, ait été à un moment perturbé et qu'il connaisse l'anglais et tout. Donc, on a quelque chose en commun : la perturbation.

Je leur raconte que quand je suis arrivé à New York j'avais des problèmes avec la langue et le nom des choses. Il fallait que j'apprenne le nom des aliments : choucroute, *cole slaw*, hot-dog, *bagel mit a schmeer*[1].

Puis je leur ai parlé de ma toute première expérience d'enseignant, qui n'avait rien à voir avec l'école. Bien avant de devenir prof j'avais travaillé dans un hôtel. Gros George, un cuistot portoricain, m'avait dit que cinq aides de cuisine essayaient

1. Yiddish. Littéralement : « un bagel avec plein de machins ».

d'apprendre l'anglais, et paieraient cinquante cents par personne si je leur apprenais des mots, une fois par semaine, pendant l'heure du déjeuner. Deux dollars cinquante de l'heure. À la fin du mois je me serais fait douze dollars et cinquante cents, plus d'argent que je n'en avais jamais gagné en une fois de toute ma vie. Ils voulaient connaître le nom des ustensiles de cuisine parce que si tu ne connais pas le nom des ustensiles en anglais comment veux-tu réussir dans la vie ? Ils brandiraient des objets dont je leur donnerais le nom avant de l'écrire sur des feuilles de papier. Ils ont ri et ont secoué la tête quand j'ai été incapable de nommer cet objet plat muni d'un manche, une spatule, la première que je voyais de ma vie. Gros George a ri, avec son énorme bedaine qui tremblotait, et a dit aux aides de cuisine que c'était une espatoula.

Ils ont voulu savoir comment il était possible que je parle anglais alors que je venais d'un pays étranger qui n'était pas l'Angleterre et j'ai dû leur expliquer que l'Irlande avait été envahie, que les Anglais nous avaient tyrannisés et martyrisés pour nous forcer à parler leur langue. Quand je parlais de l'Irlande, ils ne comprenaient pas certains mots et je me demandais s'il fallait que je me fasse payer plus pour les leur expliquer ou si je devais seulement me faire payer pour les mots ayant trait à la cuisine. Non, j'étais incapable de les faire payer lorsque je voyais l'air triste qu'ils avaient quand je parlais de l'Irlande et ils ont dit, *Sì, sì, sì,* m'ont tapé sur l'épaule et m'ont proposé de croquer dans leurs sandwichs. Ils comprenaient, car ils avaient été envahis, eux aussi, d'abord par les Espagnols, puis par les Américains, envahis tant de fois qu'ils ne savaient plus qui ils étaient, s'ils étaient noirs ou blancs ou indiens ou les trois à la fois, ce qui est difficile à expliquer à tes gamins parce qu'ils ne veulent être qu'une seule chose, une chose, et non trois, et c'est pour ça qu'ils étaient là à passer la serpillière et à laver des récipients et des casseroles dans cette cuisine graisseuse. Gros George a dit, L'est pas graisseuse c'te cuisine alors fermez vot' gueule. Ils ont répondu, Va te faire foutre, et tout le monde a éclaté de rire, même Gros George, parce que parler comme ça au Portoricain le plus costaud de New York, c'était une idée de dingue. Lui-même a rigolé et il a donné à chacun d'énormes parts des restes d'un gâteau servi lors d'un banquet donné à l'étage pour les *Daughters of the British Empire*[1].

Après quatre cours et dix dollars, j'avais donné les noms de tous les objets de la cuisine jusqu'à ce qu'Eduardo, qui avait l'intention de gravir les échelons, commence à poser des questions sur la nourriture et la cuisine en général. Et pour « mijoter », disait-il. Et pour « faire sauter » ? Ouais, et pour « faire mariner ». Je n'avais jamais entendu de tels mots et j'ai regardé Gros George pour voir s'il pouvait m'aider mais il a dit qu'il ne dirait rien à personne tant que ça serait moi qui ramasserais un gros paquet de pognon parce que j'étais un gros malin de spécialiste des mots. Il savait que je nageais complètement avec ce vocabulaire, surtout quand ils me demandaient la différence entre les pâtes et le risotto. J'ai proposé d'aller en bibliothèque faire des recherches, mais ils ont dit qu'ils préféraient le faire eux-mêmes plutôt que d'avoir à

1. Association caritative ouverte aux femmes ayant un lien par naissance ou par alliance avec la Grande-Bretagne ou le Commonwealth.

me payer. J'aurais pu leur répondre vous ne pourrez pas faire de recherches en bibliothèque si vous ne savez même pas lire l'anglais mais ça ne m'a pas traversé l'esprit. J'avais peur de perdre mes nouveaux revenus, deux dollars et cinquante cents par semaine. Ils ne m'en voulaient pas de m'être planté pour la spatule, ils m'ont quand même donné l'argent, mais ils n'allaient pas se saigner aux quatre veines pour un type venu d'un pays étranger qui ne connaissait pas la différence entre les pâtes et le risotto. Ils ont dit qu'ils étaient désolés, ils laissaient tomber, sauf trois d'entre eux qui ont voulu continuer, dans l'espoir que je les aiderais avec des mots comme « mijoter » et « faire sauter ». J'ai essayé de me trouver des excuses, arguant que c'étaient des mots français et qu'il ne fallait assurément pas qu'ils s'attendent à ce que je connaisse une autre langue que l'anglais. L'un des trois m'a donné une tape sur l'épaule en espérant à haute voix que je ne leur ferais pas faux bond car ils voulaient réussir dans le milieu de la cuisine. Leurs femmes et enfants et petites amies voulaient qu'ils percent et rapportent plus d'argent à la maison, je devais donc me rendre compte à quel point ils étaient tributaires de moi et de ma connaissance des mots.

Gros George parlait comme un dur pour dissimuler sa sensibilité. Quand les cinq Portoricains n'étaient pas en cuisine, il m'apprenait des noms de légumes et de fruits dont je n'avais jamais entendu parler : artichaut, asperge, mandarine, kaki, rutabaga. Il aboyait en les nommant et je me sentais mal, mais, je le savais, il voulait que je les connaisse. C'est ce que je ressentais vis-à-vis des Portoricains. Je voulais qu'ils connaissent les mots, et j'oubliais presque de me faire payer quand ils arrivaient à réciter ce que je leur avais appris. Je me disais avec une sorte de sentiment de supériorité que ça devait être ce qu'éprouvaient aussi les enseignants.

Puis les deux lâcheurs m'ont attiré des ennuis dans les vestiaires où on se changeait et où on se lavait. Ils connaissaient le mot « vestiaire » mais maintenant ils voulaient connaître cette chose sur laquelle on s'asseyait – le banc – et quelle était cette chose, dans les vestiaires, où on mettait ses objets – le casier ? C'était malin, cette façon de me soutirer gratuitement des mots. Ils désignaient la ficelle d'une chaussure et je leur disais que c'était un lacet et ils souriaient en disant, *Gracias, gracias*. Ils obtenaient des renseignements à l'œil et je m'en fichais jusqu'à ce que l'un des trois Portoricains qui payaient me dise, Pourquoi qu'tu dis tous ces mots gratuits quand on te paye, hein ? Pourquoi ?

Je leur ai dit que les mots du vestiaire n'avaient rien à voir avec la cuisine et le fait de réussir dans la vie mais ils ont répondu qu'ils n'en avaient rien à foutre. Ils me payaient et ne voyaient pas pourquoi les lâcheurs apprendraient gratuitement des mots. Ç'a été les dernières paroles en anglais qu'ils ont prononcées dans le vestiaire ce jour-là. Les trois se sont mis à gueuler après les deux autres en espagnol et les deux ont gueulé sur les trois et les portes des casiers se sont mises à claquer et cinq majeurs se sont dressés dans les airs jusqu'à ce que Gros George déboule en beuglant et leur hurle dessus en espagnol – ils se sont arrêtés. J'étais désolé pour cet esclandre dans le vestiaire et je voulais me rabibocher avec les trois payeurs. J'ai essayé de glisser quelques mots gratuits tels que tapis, ampoule, pelle à poussière, balai, mais ils ont dit qu'ils n'en avaient plus rien à battre, que je pouvais prendre ma pelle à poussière et me la foutre dans le cul et d'où est-ce que j'avais dit que je venais, déjà ?

D'Irlande.

Ouais, *sì*. Eh bien, moi, je rentre à Porto Rico. J'aime plus l'anglais. Trop dur. Ça me fait mal au gosier.

Gros George a dit, Hé ! l'Irlandais. C'est pas ta faute. T'es un sacré bon prof. Venez tous dans la cuisine prendre une part de tarte aux pêches, les gars.

On n'a jamais pu manger la tarte parce que Gros George a fait une crise cardiaque et s'est écroulé contre un brûleur allumé de la cuisinière et ils ont dit que ça sentait la chair grillée.

Le rêve de Nancy, c'était d'emmener sa mère voir un film de Fred Astaire parce qu'elle ne sort jamais et que c'est une femme très intelligente. Sa mère récite de la poésie chinoise, surtout Li Po. Vous avez déjà entendu parler de Li Po, monsieur McCourt ?

Non.

Elle raconte aux élèves que sa mère aime Li Po parce qu'il est mort de la plus belle des manières. Lors d'une nuit de pleine lune, il a bu du saké et a pris son bateau pour faire un tour sur le lac et il a été tellement ému par la beauté de la lune qui se reflétait sur l'eau qu'il s'est penché par-dessus bord pour l'embrasser avant de tomber dans le lac et de se noyer.

La mère de Nancy avait les joues mouillées de larmes lorsqu'elle racontait cette histoire et c'était son rêve, si jamais la situation s'améliorait en Chine, d'y retourner et de faire un tour de bateau sur ce lac. Nancy elle-même avait les larmes aux yeux en racontant ce que disait sa mère, si elle devenait très vieille ou avait une maladie grave, elle se pencherait par-dessus bord pour embrasser la lune comme son Li Po bien-aimé.

Quand la sonnerie a retenti ils n'ont pas bondi de leur chaise. Ils ne se sont pas précipités en se bousculant. Ils ont ramassé leurs affaires et sont sortis calmement les uns après les autres et je suis certain qu'ils avaient des images de lune et de lac en tête.

En 1968, au lycée de Seward Park, j'ai relevé le défi le plus difficile de toute ma carrière. J'avais comme d'habitude cinq classes : trois en anglais pour non-anglophones et deux classes d'anglais de troisième. L'une de ces troisièmes était composée de vingt-neuf filles, toutes noires, qui venaient du même collège des quartiers nord et de deux garçons portoricains, qui restaient sur leur quant-à-soi, assis dans un coin, sans jamais dire un mot. S'ils ouvraient la bouche, les filles se tournaient vers eux, On t'a sonné ? Ce groupe-là rassemblait tous les ingrédients d'un cocktail explosif : guerre des sexes, conflit générationnel, conflit culturel, conflit racial.

Les filles faisaient comme si je n'existais pas, je n'étais qu'un Blanc planté devant elles qui s'escrimait à capter leur attention. Elles avaient des choses à régler. Il s'était toujours passé un truc la veille au soir. Les garçons. Les garçons. Les garçons. Serena disait qu'elle ne sortait pas avec des garçons. Elle sortait avec des hommes. Elle avait des cheveux roux, une peau couleur caramel. Elle était tellement mince qu'elle nageait dans des vêtements pourtant étroits. Elle avait quinze ans et régnait sur la classe, c'était elle qui arbitrait les disputes, c'était elle qui prenait les décisions. Un jour, elle a dit à ses camarades, Je veux pas être la chef. Vous voulez être de mon côté ? D'accord. Vous pouvez.

Certaines filles lui ont disputé son statut, ont essayé de croiser le fer avec elle. Hé ! Serena, pourquoi tu sors avec des vieux ? Ils peuvent faire que dalle.

Bien sûr que si, ils peuvent me glisser cinq dollars dans la main à chaque fois.

Elles se sont plaintes auprès de moi, On fait rien dans ce cours. Les autres ils font des trucs.

J'ai apporté un magnétophone. Ça leur plaira sûrement de s'écouter parler. Serena s'empare du micro.

Ma sœur s'est fait arrêter hier soir. Ma sœur, c'est quelqu'un de bien. Elle n'avait fait qu'emprunter deux côtes de porc dans un magasin. Les Blancs en prennent tout le temps, des côtes de porc, et tout et tout mais y se font pas arrêter. J'ai vu des Blanches sortir du magasin avec des steaks sous leur robe. Ma sœur va rester en prison jusqu'à ce qu'elle soit jugée.

Elle s'est interrompue, m'a regardé pour la première fois et m'a rendu le micro. Je sais pas pourquoi que je vous dis ça. Vous êtes qu'un prof. Vous êtes qu'un Blanc. Elle a fait demi-tour et est retournée à sa place. Elle s'est rassise d'un air guindé, les mains plaquées sur son bureau. Elle m'avait remis à ma place et les élèves le savaient.

Pour la première fois depuis le début du cours le silence régnait dans la salle. Les élèves attendaient que je poursuive, mais j'étais paralysé, debout, le micro à la main, et la cassette qui continuait de tourner sans rien enregistrer.

Quelqu'un d'autre ? ai-je demandé.

Elles me regardaient fixement. Était-ce du mépris ?

Une main s'est levée. Maria, la bonne élève bien habillée qui tenait son cahier proprement, avait une question.

M'sieur, comment ça se fait que les autres classes elles font des sorties et que nous on en fait pas ? On fait que rester bêtement ici à parler à un magnétophone. Comment ça se fait ?

Ouais, ouais, ont dit ses camarades. Comment ça se fait ?

Les autres classes elles vont au cinéma. Pourquoi on peut pas aller au cinéma ?

Elles me regardaient, me parlaient, reconnaissaient mon existence, m'incluaient dans leur univers. Si quelqu'un était entré dans la salle à cet instant, il se serait dit, Oh, voilà un prof qui mène un cours interactif. Regardez ces jeunes filles brillantes, et ces deux garçons, les yeux rivés sur leur professeur. De quoi vous donner foi dans le système éducatif public.

Alors, j'ai dit, avec l'impression d'être le chef, quel film vous voulez voir ?

Cold Turkey[1], a répondu Maria. Mon frère l'a vu à Broadway, près de Times Square.

Nan, a dit Serena. Ça parle que de drogue. C'est un film sur les gens qui sont en manque. Qui veulent pas aller à l'hôpital ni chez le docteur.

Maria a dit que son frère n'avait pas parlé de drogue. Serena a levé les yeux au ciel. Ton frère est

1. Film de Norman Lear (1971), dont le titre signifie « En manque », relatant les aventures de toute une ville qui s'abstient de fumer pendant trente jours.

un petit saint, comme toi. Ton frère, y connaît que dalle.

Le lendemain, elles ont apporté des mots de leurs parents leur donnant la permission d'aller au cinéma. Une dizaine de mots étaient des faux, écrits dans le style flamboyant que les parents sont censés utiliser lorsqu'ils s'adressent aux enseignants.

Comme les Portoricains n'avaient pas apporté de mots, les filles ont protesté. Comment ça se fait qu'y vont pas au cinéma ? On a des mots et tout et on est obligées d'aller au cinéma et eux y sont pas forcés. Comment ça se fait ?

Pour calmer les filles, j'ai dit aux garçons qu'ils allaient devoir écrire un petit compte-rendu de leur journée. Les filles ont dit, Ouais, ouais, et les garçons ont pris un air contrit.

Sur le chemin du métro, qui longeait six pâtés de maisons, ce défilé de vingt-neuf filles noires accompagnées d'un prof blanc a suscité des réactions. Des commerçants m'ont crié de dire à ces sales gamines de ne pas mettre leurs sales pattes sur les articles. Vous n'êtes pas capable de les tenir, vos saletés de négresses ?

Elles se précipitaient dans les magasins pour acheter des sucreries, des hot-dogs et des bouteilles d'un soda de couleur rose. Elles ont expliqué que le soda rose, c'était le top et pourquoi ne pouvaient-elles pas en avoir à la cantine au lieu de tous ces jus qui avaient un goût de détergent ou de lait.

Elles se sont précipitées dans les escaliers, dans le métro. Pas besoin de ticket. Ont sauté le tourniquet, se sont engouffrées entre les portes. L'homme derrière le guichet a crié, Hé, hé, les tickets. Merde, faut payer vos tickets. Je me suis tenu à l'écart, je ne voulais pas que le guichetier sache que j'étais avec cette meute enragée.

Elles couraient en tous sens sur le quai du métro. Où c'est qu'il est le métro ? Y a pas de métro.

Elles faisaient semblant de se pousser sur les rails. M'sieur, m'sieur, elle a essayé de me tuer, m'sieur. Vous avez vu ?

Les gens qui attendaient le métro me lançaient des regards furibonds. Un homme a dit, Pourquoi vous les renvoyez pas d'où elles viennent, dans les quartiers nord ? Elles savent pas se comporter comme des êtres humains.

J'aurais voulu être un prof consciencieux, courageux, lui tenir tête, défendre mes petites hooligans noires, sauf Maria, l'exception, la faussaire. Mais la bravoure n'était pas mon fort, et qu'aurais-je pu répondre de toute façon ? Essayez donc, monsieur l'honnête citoyen. Essayez d'emmener vingt-neuf petites Noires dans le métro, tout émoustillées d'avoir quinze ans et de passer une journée en dehors de l'école, remontées à bloc grâce au sucre contenu dans les biscuits, les bonbons et le soda rose. Essayez d'aller leur faire cours tous les jours pendant qu'elles vous regardent comme si vous étiez un bonhomme de neige tout blanc sur le point de fondre.

Je n'ai rien dit et j'ai prié pour entendre le grondement de la ligne F.

Une fois dans la rame, elles couinaient et se bousculaient et se battaient pour avoir des places assises. Les passagers nous regardaient d'un sale œil. Pourquoi ces petites négresses sont pas à l'école ? Pas étonnant qu'elles sachent rien.

À la station de la 4e Rue Ouest, une bonne femme blanche et obèse s'est glissée avec difficulté dans le wagon et s'est adossée à la porte. Les filles l'ont dévisagée en gloussant. Elle leur a rendu leur regard. Vous regardez quoi, espèces de p'tites garces ?

Serena ramenait toujours sa fraise, cherchait les embrouilles. Elle a dit, C'est la première fois qu'on voit une baleine dans le métro.

Ses vingt-huit camarades ont éclaté de rire, ont feint de tomber par terre, ont hurlé de rire de plus belle. Serena gardait les yeux rivés sur la grosse, sans sourire. La dame a dit, Viens par ici, petite, que je te montre ce que ça peut faire, une baleine.

C'était moi le prof. Il fallait que je m'impose, mais comment ? J'ai alors eu un drôle de sentiment. J'ai regardé les autres passagers, qui affichaient tous une moue désapprobatrice, et j'ai eu envie de m'interposer, de défendre mes vingt-neuf gamines.

J'ai tourné le dos à la grosse dame pour empêcher Serena de s'approcher d'elle.

Ses camarades scandaient, Allez, Serena, Allez.

Le train a pénétré dans la station 14e Rue et la grosse dame est sortie à reculons. T'as du bol que je doive y aller, petite, sinon je t'aurais bouffée pour mon goûter.

Serena a raillé, C'est sûr, Gros Tas, qu't'as vraiment besoin d'un goûter.

Elle a fait un pas comme si elle s'apprêtait à poursuivre la femme mais je me suis placé devant la porte et je l'ai empêchée de sortir jusqu'à ce qu'on atteigne la station 42e Rue. Le regard qu'elle m'a lancé m'a procuré un sentiment de satisfaction et de perplexité. Si j'arrivais à la rallier à ma cause, je me mettrais tous les élèves dans la poche. Elles diraient, M'sieur McCourt, c'est le prof qu'a empêché Serena de se battre avec une Blanche dans le métro. Il est de notre côté. Il est cool.

Dès qu'elles ont vu les boutiques pornos et les sex-shops le long de la 42e Rue, elles sont devenues intenables. Elles sifflaient, et gloussaient, imitaient les positions des silhouettes à demi nues dans les vitrines.

M'sieur McCourt, m'sieur McCourt, on peut entrer ?

Non, non. Vous voyez pas les panneaux ? Il faut avoir vingt et un ans. Allons-y.

Un policier s'est planté devant moi.

Oui. Je suis leur professeur.

Alors, que font ces gamines sur la 42e Rue au beau milieu de la journée ?

J'ai rougi, gêné. On va au cinéma.

Eh ben, c'est du joli, ça : au cinéma. Et c'est pour ça qu'on paye des impôts. Très bien, monsieur le professeur, faites circuler vos gamines.

OK, les filles, ai-je ordonné. Allons-y. Direction Times Square.

Maria marchait à mes côtés. Elle a dit, Vous savez, on est jamais allées à Times Square avant.

J'ai eu envie de la serrer dans mes bras tant j'étais heureux qu'elle m'adresse la parole mais tout ce que j'ai réussi à faire c'est déclarer, Tu devrais venir de nuit pour voir quand tout est illuminé.

Une fois au cinéma, elles se sont ruées à la caisse en se bousculant. Cinq d'entre elles restaient près de moi, me jetant des regards en biais. Qu'est-ce qui se passe ? Vous ne prenez pas de billets ?

Elles traînaient des pieds et regardaient ailleurs et elles m'ont dit qu'elles n'avaient pas d'argent. J'ai eu envie de m'exclamer, Qu'êtes-vous venues foutre ici, alors ? mais je ne voulais pas compromettre nos relations naissantes. Demain, elles me laisseraient peut-être leur faire cours...

J'ai acheté les billets, les ai distribués, ai espéré un regard ou un merci. Rien. Elles ont pris leurs billets, ont foncé dans le hall, au stand des confiseries, avec l'argent qu'elles m'avaient dit ne pas avoir, ont crapahuté dans les escaliers avec du pop-corn, des bonbons, des bouteilles de coca.

Je les ai suivies vers le balcon, où elles se sont bousculées et battues pour trouver des places, dérangeant les autres spectateurs. Un ouvreur est venu se plaindre auprès de moi, C'est intolérable ! et j'ai dit aux filles, Asseyez-vous s'il vous plaît et taisez-vous.

Elles m'ont snobé. C'était une bande soudée de vingt-neuf petites Noires lâchées dans la nature, tapageuses, rebelles, qui se jetaient du pop-corn, criaient vers la cabine de projection, Hé ! quand c'est qu'on voit le film ? C'est pour aujourd'hui ou pour demain ?

Le projectionniste a répondu, Si elles ne se taisent pas je vais devoir appeler le directeur.

J'ai répliqué, Oui. Je tiens à être là quand le directeur se pointera. Histoire de voir comment il s'en sort.

Mais la lumière a baissé, le film a commencé et mes vingt-neuf filles ont fait silence. Le premier plan montrait une petite ville américaine parfaite, de belles avenues bordées d'arbres, des enfants blancs et blonds fonçant sur des petits vélos, sur un fond de musique enjouée pour nous persuader que tout allait bien dans ce paradis américain, et au premier rang, une de mes vingt-neuf filles a poussé un cri d'agonie, Eh, m'sieur McCourt, comment ça se fait que vous nous emmenez voir un sale film de blanc-bec ?

Elles ont ronchonné tout le long du film.

L'ouvreur a braqué sa lampe de poche sur elles et les a menacées d'appeler la direction.

Je les ai suppliées. Les filles. Je vous en prie taisez-vous. Le directeur va arriver.

Elles en ont fait une chanson :

Le directeur va arriver
Le directeur va arriver
Hé ho le dirlo
Le directeur va arriver.

Elles ont dit que le directeur, elles lui pissaient à la raie, ce qui a mis l'ouvreur en rogne. Il a dit, Très bien. Ça suffit. Suf-fit, suffit. Vous savez pas vous tenir, alors vous êtes virées, vi-rées.

Oh, waouh. Comment il sait bien articuler, et tout. D'accord. On se tait.

À la fin du film, lorsque les lumières se sont rallumées, personne n'a bougé.

Bien, ai-je fait. Allons-y. C'est terminé.

On le sait que c'est terminé. On n'est pas aveugles.

Il faut qu'on rentre maintenant.

Elles ont dit qu'elles restaient. Elles voulaient revoir ce sale film de blanc-bec.

Je leur ai dit que je m'en allais.

D'accord, allez-vous-en.

Elles se sont retournées pour attendre la deuxième projection de *Cold Turkey*, ce sale film de blanc-bec ennuyeux.

La semaine suivante les vingt-neuf filles ont dit, C'est tout ce qu'on va faire ? Plus de sorties ? On va rester ici tous les jours à causer de verbes et à écrire les trucs que vous mettez au tableau ? C'est tout ?

Un mot dans ma boîte aux lettres annonçait une sortie destinée aux élèves à l'occasion d'une représentation d'*Hamlet* par des étudiants, à Long Island. J'ai jeté l'annonce dans la corbeille à papier. Vingt-neuf filles qui ne savaient pas se tenir pendant deux projections de *Cold Turkey* ne pourraient pas apprécier *Hamlet*.

Le lendemain, encore des questions.

Comment ça se fait que toutes les autres classes elles vont faire une grande sortie pour voir une pièce de théâtre ?

Eh bien, c'est une pièce de Shakespeare.

Ouais ? Et alors ?

Comment pouvais-je leur dire la vérité, que j'attendais tellement peu d'elles que je les pensais incapables de comprendre un mot de Shakespeare ? J'ai expliqué que c'était une pièce difficile à comprendre et qu'à mon avis ça ne leur plairait pas.

Ah, ouais ? Et elle parle de quoi, cette pièce ?

Le titre, c'est *Hamlet*. C'est l'histoire d'un prince qui rentre chez lui et qui est bouleversé de découvrir que son père est mort et que sa mère s'est déjà remariée avec le frère de son père.

Je sais ce qui s'est passé, a dit Serena.

Elles crient de concert, Qu'est-ce qui s'est passé, qu'est-ce qui s'est passé ?

Le frère qui s'est marié avec la mère a essayé de tuer le prince, c'est ça ?

Oui, mais plus tard.

Serena m'a lancé un regard qui signifiait qu'elle prenait sur elle. Évidemment que ça arrive plus tard.

Ça arrive toujours plus tard. Si tout arrive au début y a plus rien qui peut arriver après.

Donna a dit, Mais de quoi tu causes ?

C'est pas tes oignons. Je parle du prince au prof.

Une dispute s'annonçait. Il fallait que j'intervienne. J'ai dit, Hamlet était furieux que sa mère ait épousé son oncle.

Elles ont fait, Waouh.

Hamlet croyait que son oncle avait tué son père.

J'l'ai pas déjà dit ? a fait Serena. À quoi ça sert que j'dis quèque chose si vous le dites, aussi ? Et ça explique pas comment ça s'fait qu'on va pas voir cette pièce ? La vérité, c'est que les élèves blancs vont voir la pièce parce que le prince, c'est un Blanc.

D'accord. Je vais voir si on peut y aller avec les autres.

Elles attendaient pour monter dans le bus et disaient aux passants et aux automobilistes qu'elles allaient à Long Island voir une pièce de théâtre sur une bonne femme qui se marie avec le frère de son mari qu'est mort. Les élèves portoricains ont demandé s'ils pouvaient s'asseoir près de moi. Ils ne voulaient pas rester près de ces filles complètement dingues qu'arrêtaient pas de parler de sexe et tout.

À peine le bus s'était-il engagé dans la rue que les filles ouvraient leurs sacs et partageaient leurs casse-croûtes. Elles chuchotaient pour savoir laquelle remporterait la mise si elle touchait le chauffeur avec une boulette de pain. Elles mettraient toutes dix cents au pot et la gagnante récolterait deux dollars et quatre-vingts cents. Mais le chauffeur a jeté un coup d'œil dans le rétroviseur et il leur a dit, Essayez un peu, pour voir. Allez-y, essayez un peu, et je vais virer vos petits culs tout noirs de ce bus. Les filles ont répondu, Ah, ouais, sur un ton effronté. C'est tout ce qu'elles pouvaient dire : le chauffeur était noir et elles savaient qu'il ne laisserait rien passer.

Sur le campus, un homme muni d'un porte-voix a annoncé que les professeurs devaient garder leurs élèves groupés.

Le proviseur adjoint m'a dit qu'il comptait sur moi pour tenir ma classe. Cette classe a une sacrée réputation, a-t-il ajouté.

Je les ai accompagnées dans la salle de spectacles et je me suis posté dans l'allée centrale tandis qu'elles se bousculaient et se poussaient et se disputaient pour les places. Les Portoricains m'ont demandé s'ils pouvaient se mettre plus loin. Lorsque Serena les a traités de Chicanos et d'Espingouins, les filles ont été prises d'un fou rire qui n'a cessé que lorsque le fantôme du père d'Hamlet est apparu, terrorisant tout le monde. Le fantôme a surgi sur des échasses, drapé de noir, et les filles ont poussé de grands Oh ! et de grands Ah !

Quand la lumière des projecteurs a baissé, et que le fantôme a disparu dans les coulisses, Claudia, assise à côté de moi, a crié, Oh ! il est trop mignon. Où il va ? Est-ce qu'il va revenir, m'sieur ?

Oui, oui, ai-je dit, gêné par les *chut !* que faisaient les gens sérieux dans la salle.

Elle applaudissait chaque fois que le fantôme apparaissait, pleurnichait quand il disparaissait. Il a l'air trop cool. Je veux qu'il revienne, répétait-elle.

À la fin de la représentation, les acteurs sont venus saluer mais il n'y avait plus de fantôme, alors Claudia s'est levée et a crié en direction de la scène,

Où est le fantôme ? Je veux le fantôme. Où il est, ce fantôme ?

Les vingt-huit autres se sont levées, à leur tour, et ont appelé le fantôme jusqu'à ce qu'un acteur quitte la scène et que le fantôme réapparaisse aussitôt. Les vingt-neuf filles l'ont applaudi et l'ont acclamé et elles ont crié qu'elles voulaient sortir avec lui.

Le fantôme a enlevé son chapeau noir et sa grande cape pour montrer qu'il n'était qu'un simple étudiant et ne méritait pas un tel remue-ménage. Les filles en ont eu le souffle coupé et se sont plaintes, elles disaient que toute cette pièce n'était qu'une arnaque, surtout cette espèce de fantôme à la noix et elles ont juré qu'elles n'iraient plus jamais voir ce genre de pièces nulles, même si elles devaient rester en cours avec ce monsieur McCourt et ses histoires d'orthographe et tout ça, et même si toutes les autres classes du lycée y allaient.

Sur le chemin du retour, elles se sont endormies, toutes sauf Serena, qui s'est assise derrière le chauffeur. Quand elle lui a demandé s'il avait des enfants il a dit qu'il ne pouvait pas parler et conduire en même temps. C'était interdit par la loi mais, oui, il avait des enfants et il voulait qu'aucun d'entre eux ne devienne chauffeur de bus. Il travaillait pour les envoyer dans de bonnes écoles et s'ils ne faisaient pas ce qu'il leur disait de faire il leur flanquerait une bonne raclée. Il a dit que dans ce pays il fallait travailler plus dur encore quand tu étais noir mais qu'au final ça te rendait plus fort. Quand tu devais te bagarrer pour grimper tu développais tes muscles et ensuite plus personne pouvait t'arrêter.

Serena a dit qu'elle aimerait bien être coiffeuse

mais le chauffeur de bus a répliqué, Tu mérites mieux que ça. Tu veux passer ta vie à coiffer des vieilles bonnes femmes grincheuses ? Tu es maligne. Tu pourrais aller à la fac.

Ouais ? Vous pensez vraiment que je peux aller à la fac ?

Pourquoi pas ? T'as l'air assez intelligente et tu t'exprimes bien. Alors pourquoi pas ?

Personne ne m'a jamais dit ça.

Eh bien, moi, je te le dis, alors ne te dévalorise pas.

D'accord, a dit Serena.

D'accord, a dit le chauffeur. Il lui a souri dans le rétroviseur et j'imagine qu'elle lui a rendu son sourire. Je ne voyais pas son visage.

C'était un chauffeur de bus, un Noir, et la manière dont elle s'était confiée à lui m'avait fait réfléchir à tout ce gâchis d'êtres humains dans le monde.

Le lendemain, Claudia voulait savoir, Comment ça se fait que tout l'monde y s'en prend à la fille ?

Ophélie ?

Ouais. Tout l'monde y s'en prend à cette pauv' fille alors qu'elle est même pas noire. Comment ça se fait ? Le type qu'arrête pas de parler a une épée pour se battre comme ça personne le fait tomber à l'eau.

Hamlet ?

Ouais, et vous savez quoi ?

Quoi ?

Il était tellement vache avec sa mère alors que c'est un prince et tout. Pourquoi elle lui a pas tout simplement filé une baffe ? Pourquoi ?

Serena, la plus brillante, lève la main comme une gamine ordinaire dans une classe ordinaire.

J'observe la main. Je suis sûr qu'elle va demander la permission d'aller aux toilettes. Elle dit, La mère d'Hamlet est reine. Les reines se comportent pas comme les autres gens, à balancer des gifles à tort et à travers. Quand t'es reine, faut que tu sois digne.

Elle me regarde comme elle sait le faire, droit dans les yeux, et c'est presque un défi, ses beaux et grands yeux qui ne cillent pas, son sourire discret. Cette jeune fille noire et mince de quinze ans connaît son pouvoir. Je me sens rougir et c'est reparti pour une crise de fou rire.

Le lundi suivant, Serena ne se présente pas en cours. Les filles disent qu'elle ne reviendra pas vu que sa mère a été arrêtée, C'est à cause de la drogue et tout, et maintenant il faut que Serena aille vivre chez sa grand-mère en Géorgie où, disent-elles, les Noirs sont traités comme des nègres. Elles disent que Serena ne restera pas là-bas. Elle va s'attirer des ennuis en un rien de temps à force de répondre aux Blancs. Et c'est pour ça qu'elle a mal parlé, m'sieur McCourt.

Une fois Serena partie, la classe a changé, un corps sans tête. Maria a levé la main et m'a demandé pourquoi je parlais bizarrement. Est-ce que j'étais marié ? Est-ce que j'avais des enfants ? Qu'est-ce que je préférais, *Hamlet* ou *Cold Turkey* ? Pourquoi est-ce que j'étais devenu prof ?

Elles construisaient un pont sur lequel on allait enfin pouvoir se rencontrer. J'ai répondu à leurs questions sans me soucier le moins du monde de leur donner trop d'informations. À combien de curés m'étais-je confessé quand j'avais l'âge de ces filles ? Elles m'écoutaient, et c'était tout ce qui comptait.

Un mois après le départ de Serena, il y a encore eu deux bons moments. Claudia a levé la main et dit, m'sieur McCourt, z'êtes trop gentil. Les autres ont acquiescé, ouais ouais et les Portoricains ont souri, au fond de la classe.

Puis Maria a levé la main. Monsieur McCourt, j'ai reçu une lettre de Serena. Elle disait que c'était la première lettre qu'elle écrivait de sa vie et qu'elle avait pas voulu mais sa grand-mère l'avait forcée. Serena avait jamais rencontré sa grand-mère avant mais elle l'aime parce qu'elle ne sait ni lire ni écrire et Serena lui lit la Bible tous les soirs. Elle disait, Ça va vous tuer, m'sieur, elle disait qu'elle allait finir le lycée et aller à la fac et enseigner aux petits. Pas aux grands comme nous parce que c'est trop dur mais aux petits qui répondent pas et elle a dit qu'elle est désolée pour les trucs qu'elle a faits en cours et de vous le dire. Un jour, elle vous écrira une lettre.

J'avais des feux d'artifice dans la tête. C'était cent fois mieux que le nouvel an ou la fête nationale.

11

AU BOUT DE DIX ANS DE CARRIÈRE DANS L'ENSEIGNEMENT, à l'âge de trente-huit ans, si je devais me juger je dirais, Tu t'es efforcé de faire de ton mieux. Il y a les profs qui font cours et se fichent comme d'un pet de lapin de ce que leurs élèves pensent d'eux. C'est le contenu qui prime. De tels profs en imposent. Leur personnalité écrase les élèves, assistée par la grande menace : le stylo rouge qui écrit sur le bulletin le F tant redouté. Le message qu'ils envoient à leurs élèves est, Je suis votre professeur, pas votre psy, ni votre confident, ni vos parents. Je délivre un savoir : c'est à prendre ou à laisser.

Je me dis souvent que je devrais être un prof sévère, discipliné, organisé et rigoureux, le John Wayne de la pédagogie, dans la tradition du maître d'école irlandais, maniant la trique, la lanière, la canne. Les profs sévères restent au niveau pendant quarante minutes. Digérez-moi ce cours, les mômes, et soyez prêts à le régurgiter le jour de l'examen.

Parfois je plaisante, Reste assis sur ta chaise, morveux, et tiens-toi tranquille, ou je te fracasse le crâne, et ils rient parce qu'ils savent à quoi s'en tenir. Il est impayable, hein ? Quand je joue au prof sévère, ils m'écoutent poliment le temps que ça passe. Ils savent à quoi s'en tenir.

Je ne considère pas une classe comme une entité assise et attentive. Les visages affichent divers degrés d'intérêt ou d'indifférence. C'est l'indifférence qui m'aiguillonne. Pourquoi ce petit con parle à sa copine alors qu'il pourrait m'écouter ? Excuse-moi, James, on est en cours ici.

Oh, ouais, ouais.

Il y a des instants, des regards. Ils sont peut-être trop timides pour te dire que ton cours était bon mais tu sais à présent à leur façon de sortir de la salle et à leur manière de te regarder si ta leçon est réussie ou s'il vaut mieux l'oublier. Les regards d'approbation te réchauffent le cœur lorsque tu prends le métro pour rentrer chez toi.

Peu importait ce qui se passait dans ta classe, les autorités qui contrôlaient les lycées de New York avaient établi des règles :

Les enfants ne doivent pas parler trop fort. Ils n'ont pas le droit d'errer dans les salles ou les couloirs. Il est impossible d'étudier dans une ambiance bruyante.

La salle de classe ne doit pas être une cour de récréation. Il ne faut pas jeter d'objets. Si les élèves veulent poser une question ou répondre à une question, ils doivent lever la main. Il ne faut pas les autoriser à crier. Les cris peuvent mener au chahut, lequel est susceptible de faire mauvaise impression sur les membres du rectorat de Brooklyn ou sur les éducateurs venus de l'extérieur.

On ne doit autoriser les élèves à aller aux toilettes qu'avec parcimonie. Tout le monde connaît les divers stratagèmes attenants à la demande d'autorisation d'aller aux toilettes. Un garçon qui a l'autorisation de se rendre aux toilettes du deuxième étage est susceptible d'être surpris en train de regarder par la fenêtre d'une salle de cours derrière laquelle est assise une fille dont il est récemment tombé amoureux et qui lui répond par des œillades passionnées. De tels agissements sont inacceptables. Certains garçons et filles profitent de la permission d'aller aux toilettes pour se retrouver à la cave ou dans la cage d'escalier et, sur le point d'accomplir des polissonneries, se font attraper par des conseillers d'éducation vigilants qui les dénoncent et appellent leurs parents. D'autres l'utilisent pour aller fumer en cachette. La permission d'aller aux toilettes est destinée aux toilettes, et ne doit avoir aucun autre but. Les élèves ayant reçu ce droit ne doivent pas s'absenter plus de cinq minutes. Sinon, le professeur doit informer le bureau du proviseur, qui dépêchera un surveillant pour inspecter les toilettes, entre autres, afin de s'assurer qu'aucun acte inconvenant ne s'y produit.

Les proviseurs veulent l'ordre, la routine, la discipline. Ils arpentent les couloirs. Ils regardent par les portes vitrées des classes. Ils veulent voir garçons et filles la tête penchée sur leur livre, garçons et filles en train d'écrire, garçons et filles la main levée, excités, impatients de répondre à la question du professeur.

Les bons professeurs ne plaisantent pas avec l'organisation. Ils maintiennent la discipline, ce qui est primordial dans un lycée technique et professionnel de New York où des gangs sont parfois source de problèmes. Il faut les garder à l'œil. Ils pourraient faire main basse sur tout un lycée, et alors, adieu l'enseignement.

Les professeurs apprennent, eux aussi. Après des années passées dans une salle de classe, après avoir affronté des milliers d'adolescents, ils développent un sixième sens et passent au crible tous ceux qui pénètrent dans leur salle. Ils repèrent les regards torves. Ils hument l'air d'une nouvelle classe et savent s'il s'agit d'un groupe d'emmerdeurs ou d'élèves avec lesquels on peut travailler. Ils remarquent les gamins silencieux qu'il faut faire parler et les grandes gueules qu'il faut faire taire. Ils savent, à la manière dont un garçon est assis, s'il va être coopératif ou carrément emmerdant. C'est bon signe qu'un élève soit assis bien droit, les mains posées l'une sur l'autre sur son bureau devant lui, qu'il regarde le professeur et sourie. C'est mauvais signe qu'il soit avachi, allonge ses jambes dans l'allée centrale, regarde par la fenêtre, au plafond, au-dessus de la tête du professeur. Gare aux ennuis !

Chaque classe possède son casse-pieds venu au monde pour te tester. Généralement, il s'assied au dernier rang, afin de pouvoir balancer sa chaise contre le mur. Tu as déjà informé tes élèves des dangers qu'il y a à se balancer sur sa chaise : La chaise pourrait glisser, les enfants, et vous pourriez vous faire mal. Ensuite, le professeur devrait écrire un rapport au cas où les parents se plaindraient ou menaceraient d'intenter une action en justice.

Andrew sait bien qu'il t'agace à gigoter sur sa chaise, ou qu'au moins il se fait remarquer. Ainsi il peut jouer à ce petit jeu qui attire les regards des filles. Tu diras, Eh, Andrew.

Il prendra son temps. C'est une épreuve de force, mec, et les filles observent.

Qué' ?

Voici un son d'adolescent qu'on ne trouve pas dans le dictionnaire. Qué' ? Les parents l'entendent à longueur de journée. Ça veut dire, Quesse tu veux ? Pourquoi que tu m'emmerdes ?

Ta chaise, Andrew. Voudrais-tu cesser de te balancer, s'il te plaît ?

C'est bon, je suis assis, j'embête personne.

Une chaise, Andrew, a quatre pieds. À force de te balancer sur deux, tu pourrais avoir un accident.

Silence dans la classe. Épreuve de force. Cette fois, tu sais que tu es en terrain assez sûr. Tu sens que le groupe n'aime pas Andrew et il sait qu'il ne gagnera pas sa sympathie. C'est un gamin pâle, mince, un solitaire. Cela dit, les élèves t'ont à l'œil. Ils ne l'aiment peut-être pas mais si tu le persécutes ils vont se retourner contre toi. Quand c'est un garçon contre un prof ils choisissent le garçon. Et tout ça parce qu'il se balance sur sa chaise.

Tu aurais pu laisser couler, personne n'aurait remarqué. Alors, m'sieur le prof, c'est quoi, le problème ? Facile. Depuis le premier jour, Andrew ne t'a jamais caché son antipathie et tu n'aimes pas susciter l'antipathie, surtout pas celle d'un petit merdeux lui-même antipathique aux yeux de ses camarades. Andrew sait que tu préfères les filles. Évidemment que je préfère les filles, qu'on me donne cinq classes composées en majorité de filles et je suis au paradis. Diversité. Couleurs. Jeux. Drames.

Andrew attend. La classe attend. La chaise se balance insolemment. Oh ! la tentation d'attraper un pied et de tirer. Sa tête glisserait le long du mur et tout le monde éclaterait de rire.

Je me détourne d'Andrew. Je ne sais pourquoi je

me détourne et me dirige vers l'entrée de la classe et je ne sais certainement pas ce que je vais dire ou faire une fois que j'aurai atteint mon bureau. Je ne veux pas leur donner à penser que j'ai battu en retraite, je sais qu'il faut faire quelque chose. Andrew a la tête appuyée contre le mur et il me lance un petit sourire méprisant.

Je n'aime pas les cheveux roux et ébouriffés d'Andrew, ses traits fins. Je n'aime pas l'arrogance que lui donne sa délicatesse. Parfois, quand je me suis échauffé sur un sujet quelconque et que la classe est de mon côté et que je bois du petit-lait, content de moi, je croise son regard fixe et froid et je me demande s'il faut que j'essaye de le mettre dans ma poche ou de lui régler son compte une bonne fois pour toutes.

Une voix dans ma tête me dit, Fais-en quelque chose. Transforme ça en leçon sur le sens de l'observation. Fais comme si tu avais tout prévu. Et je dis donc à mes élèves, Alors, qu'est-ce qui se passe, ici ? Ils ont un regard surpris. Ils sont perplexes.

Tu dis, Imaginez que vous êtes journaliste de presse écrite. Vous venez d'entrer dans cette salle quelques minutes auparavant. Qu'est-ce que vous avez vu ? Et entendu ? Que se passe-t-il ?

Michael prend la parole : Rien de spécial. C'est juste Andrew qui fait le con, comme d'habitude.

Andrew perd son petit sourire goguenard et comprend qu'il est en mauvaise posture. Je n'aurai pas besoin d'en rajouter. Il me suffit de poser des questions tendancieuses et de laisser les autres élèves l'enfoncer. J'ai effacé pour toujours ce sourire de son visage, à cette petite merde, et il ne se balancera plus.

J'endosse mon rôle de professeur raisonnable et

objectif. Un commentaire comme celui-ci, Michael, n'apporte pas beaucoup d'informations au lecteur.

Ouais, mais qui a besoin de ce genre d'informations ? Est-ce qu'un type du *Daily News* va se pointer ici pour écrire un grand article sur Andrew et la chaise et le prof qu'en a ras le bol ?

Sa petite copine lève la main.

Oui, Diane ?

Elle parle à ses camarades. M'sieur McCourt nous d'mande...

Nous demande, je rectifie.

Elle s'interrompt. Elle prend son temps. Elle dit, Vous voyez, m'sieur McCourt, c'est tout ce qui cloche sur cette planète. Les gens essayent d'aider d'autres gens et puis après les autres gens y essayent de corriger tout ce qu'ils disent. C'est pas bien. Je veux dire, c'est normal de demander à Andrew de pas se balancer sur sa chaise parce qu'il pourrait se fendre son crâne d'imbécile, mais c'est pas une raison pour corriger la manière que les gens parlent. Si vous faites comme ça on va plus jamais ouvrir la bouche en classe. Alors vous savez ce que je vais faire ? Je vais dire à Andrew de pas se balancer sur sa chaise et de pas faire le con.

Elle a seize ans, elle est grande, maîtresse d'elle-même, et ses cheveux blonds tombent sur son dos avec une élégance qui me rappelle les actrices scandinaves. Ma tension monte un peu alors qu'elle avance vers le fond de la classe et se plante devant Andrew.

Alors écoute, Andrew. Tu comprends ce qui se passe ici. Y a beaucoup d'élèves dans cette classe, plus d'une trentaine, et m'sieur McCourt est là-bas et toi tu te balances sur ta chaise et il te dit d'arrêter et toi tu continues avec ton petit sourire, Andrew, et va savoir ce qui te passe par la tête. Tu fais perdre du temps à tout le monde, c'est quoi ton problème ? Le prof est payé pour nous faire cours et pas pour te dire de pas te balancer sur ta chaise comme si t'étais un gamin de CP, pas vrai ? C'est pas vrai, Andrew ?

Il continue de se balancer mais il me regarde comme pour dire, Qu'est-ce qui se passe ici ? Qu'est-ce que je dois faire ?

Il balance sa chaise en avant jusqu'à ce qu'elle touche le sol. Il se lève et regarde Diane. Tu vois ? Tu ne m'oublieras jamais, Diane. Tu oublieras tout le monde ici, tu oublieras le prof, m'sieur Machin-chose, mais moi, je me balance sur ma chaise et le prof s'énerve, et tout le monde ici se souviendra de moi, pour toujours. Pas vrai, m'sieur McCourt ?

Je vais tomber le masque du prof raisonnable et dire ce qui me trotte dans la tête, Écoute, espèce de petit merdeux, cesse de te balancer sur ta chaise ou bien c'est moi qui vais te balancer par la fenêtre pour que tu serves de repas aux pigeons.

Tu ne peux pas lui parler en ces termes. Ce serait répété à l'administration. Tu connais ton rôle : si ces petits cons t'emmerdent de temps en temps, souffre, mec, souffre. Personne ne t'oblige à continuer d'exercer cette misérable profession sous-payée et rien ne t'empêche de prendre la porte pour rejoindre le monde chatoyant des hommes de pouvoir, des belles femmes, des soirées chic, des draps de satin.

Ouais, prof, et qu'est-ce que tu ferais dans ce merveilleux monde des hommes de pouvoir, etc. ? Retourne au boulot. Parle à tes élèves. Exprime-toi sur cette histoire de chaise et d'élève qui se balance. Car ce n'est pas fini. Ils attendent.

Écoutez. Vous m'écoutez ?

Ils sourient. Et c'est reparti avec cette rengaine, Écoutez, vous m'écoutez ? Ils s'interpellent dans les rangées, et répètent. Écoutez. Vous m'écoutez ? Ça signifie qu'ils t'aiment bien.

Je dis, Vous avez vu ce qui s'est passé ici. Vous avez vu Andrew se balancer sur sa chaise et vous avez vu ce qui s'est produit quand je lui ai demandé d'arrêter. Donc, vous avez assez de matière pour un article, n'est-ce pas ? Nous avons assisté à un conflit. Andrew contre le professeur. Andrew contre la classe. Andrew contre lui-même. Eh oui, effectivement. Andrew contre lui-même. Vous avez bien enregistré, n'est-ce pas ? À moins que vous ne vous soyez juste dit, Pourquoi le prof fait tout ce foin à propos d'Andrew et de sa chaise ? Ou bien, pourquoi Andrew est-il un tel emmerdeur ? Si vous rendiez compte de cela, il faudrait étudier cet aspect des choses : le mobile d'Andrew. Lui seul sait pourquoi il se balançait sur sa chaise, je vous encourage donc à émettre des hypothèses. On pourrait trouver une trentaine d'hypothèses différentes dans toute la classe.

Le lendemain Andrew a traînassé après le cours. M'sieur McCourt, vous êtes allé à l'université de New York, pas vrai ?

En effet.

Eh bien, ma mère disait qu'elle vous connaissait.

Vraiment ? Je suis content de savoir que quelqu'un se souvient de moi.

Je veux dire qu'elle vous connaissait en dehors des cours.

À nouveau, Vraiment ?

Elle est morte l'année dernière. Elle avait un cancer. Elle s'appelait June.

Oh, mon Dieu. Long à la comprenette, ce n'est même pas l'expression qui convient. Long à la détente. Pourquoi n'avais-je pas deviné ? Pourquoi ne l'ai-je pas vu dans les yeux d'Andrew ?

Elle disait qu'elle voulait vous appeler mais elle a traversé une mauvaise période à cause du divorce et puis elle a eu un cancer et quand je lui ai dit que j'étais dans votre classe elle m'a fait jurer de ne jamais vous parler d'elle. Elle disait que vous ne voudriez plus jamais lui parler, de toute façon.

Mais je voulais lui parler. J'ai toujours eu envie de lui parler. Avec qui s'est-elle mariée ? Qui est ton père ?

Je ne sais pas qui est mon père. Elle s'est mariée avec Gus Peterson. Faut que j'y aille, je dois vider mon casier. Mon père déménage à Chicago et j'y vais avec lui et ma belle-mère. C'est rigolo d'avoir un beau-père et une belle-mère et que ça se passe bien, non ?

On s'est serré la main et je l'ai regardé s'éloigner dans le couloir. Avant qu'il atteigne les casiers il s'est retourné et m'a fait un signe de la main et l'espace d'un instant je me suis demandé si j'avais raison de laisser le passé s'en aller aussi facilement.

La prudence scolaire la plus élémentaire dit, À moins que tu sois absolument sûr de ton coup, ne menace jamais une classe ou un individu. Et ne sois pas idiot au point de menacer Benny « Boum Boum » Brandt, dont tout le monde au lycée sait qu'il est ceinture noire de karaté.

Après quatre jours d'absence, il entre d'un pas

nonchalant dans la salle de classe au beau milieu d'un cours sur les mots d'origine étrangère passés dans l'anglais : amen, pasta, chef, sushi, limousine ; et les mots qui provoquent des petits rires : lingerie, bidet, brassière.

Je pourrais ignorer Boum Boum, poursuivre le cours, et le laisser s'asseoir à sa place. Mais je sais que les autres élèves regardent la scène et se demandent, Comment ça se fait qu'on doive rapporter des mots d'excuse quand on est absent mais que Boum Boum puisse se pointer comme ça et s'asseoir ? Ils ont raison et je suis d'accord, et je dois montrer ma fermeté.

Pardon, j'essayais d'être sarcastique.

Il s'arrête au seuil de la classe.

Je joue avec un morceau de craie pour montrer à quel point je suis détendu. Je me tâte pour savoir si je dis, Où est-ce que tu vas ? ou Où est-ce que tu vas comme ça ? La première phrase pourrait passer pour une simple question avec un zeste d'autorité professorale. Le « comme ça » de la seconde phrase induit une menace et pourrait amener des problèmes. Dans les deux cas, c'est le ton de la voix qui importe. Je descends d'un ton.

Excuse-moi. Est-ce que tu as un mot ? Tu as besoin d'une autorisation de l'administration après une absence.

C'est comme ça que parle un prof. Il représente l'autorité : le bureau au fond du couloir qui délivre des autorisations pour tout et n'importe quoi ; le proviseur ; le recteur ; le maire ; le Président ; Dieu. Ce n'est pas le rôle que je veux jouer. Je suis ici pour enseigner l'anglais, non pour vérifier des autorisations.

Brandt dit, Qui est-ce qui va m'empêcher

d'entrer ? Il a l'air presque amical, sincèrement curieux, mais tous les élèves de la classe en ont le souffle coupé.

Oh, merde, souffle Ralphie Boyce.

Les professeurs de lycée sont fortement encouragés par les autorités à dissuader les élèves de jurer dans une salle de classe. Un tel langage indique un manque de respect et pourrait causer des troubles à l'ordre public. J'ai envie de réprimander Ralphie mais ne peux le faire car à moi aussi les mots qui me viennent à l'esprit sont Oh, merde.

Brandt tourne le dos à la porte, qu'il a refermée derrière lui, patient.

Et quelle est cette vague sympathie que j'éprouve soudain pour ce futur plombier mal dégrossi de Delancey Street, à Manhattan ? Est-ce cette manière qu'il a d'attendre, son air presque docile ? Il semble tellement raisonnable et pensif. Alors, pourquoi ne cesserais-je pas mon numéro de prof sévère pour lui dire, Oh, très bien. Assieds-toi, Brandt. Laissons tomber cette histoire de mot, mais essaie de t'en souvenir la prochaine fois. Pourtant, je suis déjà allé trop loin pour faire marche arrière. Ses camarades de classe ont été témoins de la scène et je dois faire quelque chose.

Je lance la craie en l'air et la rattrape. Brandt regarde. Je m'approche de lui. Je n'ai pas envie de mourir aujourd'hui, mais les élèves attendent, et il est temps de répondre à sa question, Qui est-ce qui va m'empêcher d'entrer ?

Je lance la craie, peut-être pour la dernière fois de ma vie, et lui dis, Moi.

Il hoche la tête comme pour dire, Logique. C'est toi, le prof, mec.

Ma sympathie pour lui est revenue et j'ai une très

forte envie de lui taper sur l'épaule, de lui dire, Oublions ça, va juste t'asseoir, Brandt.

Je lance de nouveau la craie et la rate. Elle est par terre. Il est impératif de récupérer cette craie. Je me penche pour la ramasser et voilà que j'avise, véritable invitation, le pied de Brandt, offert. Je l'attrape et je tire. Brandt tombe à la renverse, se cogne la tête contre la poignée de porte en laiton, glisse sur le sol, reste immobile comme s'il attendait le prochain geste. De nouveau les élèves ont le souffle coupé, Waouh.

Il se frotte l'arrière du crâne. Se prépare-t-il à m'assener un coup avec le poing, le tranchant de la main, le pied ?

Merde, m'sieur McCourt, je ne savais pas que vous faisiez du karaté.

On dirait que je suis le vainqueur, et c'est à moi que revient le geste suivant. Très bien, Benny, tu peux t'asseoir ?

Peux-tu.

Quoi ?

Tous les profs disent, Peux-tu t'asseoir ? Boum Boum qui corrige ma grammaire... Suis-je dans un asile de fous ?

Très bien. Peux-tu t'asseoir ?

Alors, vous voulez pas de mot ni rien ?

Non. Ça ira.

Alors, on s'est disputés pour rien ?

En allant s'asseoir Boum Boum a écrasé la craie et m'a regardé. Était-ce délibéré ? Fallait-il que je ne laisse pas passer ? Non. Une voix dans ma tête me dit, Continue le cours. Arrête de te comporter comme un ado. Ce gamin pourrait te filer la pâtée. M'sieur le prof, retournez à votre cours sur les mots d'origine étrangère passés en anglais.

Brandt fait comme si rien n'était jamais arrivé entre nous et je suis submergé par un tel sentiment de honte que je suis tenté de m'excuser auprès de tous les élèves et auprès de lui en particulier. Je m'en veux d'avoir fait une chose aussi minable. Maintenant, ils admirent ce qu'ils croient être mes manières de karatéka. J'ouvre la bouche et je jacasse.

Imaginez ce que serait la langue anglaise si on en retirait les mots d'origine française. Vous ne pourriez plus demander à votre « chauffeur » de venir vous chercher en « limousine ». Vous seriez obligés de dire « sous-vêtements » plutôt que « lingerie ». Vous ne pouriez plus aller au « restaurant ». Plus de « cuisine », plus de « gourmets », de « sauces », de « menus », de « chefs », de « parfum ». Il vous faudrait trouver un nouveau mot pour « soutien-gorge ».

Chuchotements, chuchotements. Gloussements, gloussements. Ooh, m'sieur McCourt, ce que vous venez de dire.

Voilà comment il fallait procéder pour leur changer les idées. J'ai l'impression d'avoir gagné sur tous les fronts jusqu'à ce que je jette un coup d'œil à Brandt. Ses yeux semblent dire, Très bien, m'sieur McCourt. J'imagine que vous aviez besoin de faire bonne figure, alors, ça me va.

Il était suffisamment doué pour réussir l'examen d'anglais de fin d'année. Il aurait pu faire un devoir passable, et avoir la moyenne à sa dissertation d'anglais, mais il a préféré échouer. Il n'a pas tenu compte de la liste des sujets proposés, a intitulé son devoir, « Gazouillis », et a écrit, trois cent cinquante fois, « Gazouillis, gazouillis, gazouillis, gazouillis, gazouillis, gazouillis... »

J'ai croisé Boum Boum sur Delancey Street après

la remise des diplômes et lui ai demandé ce que c'était, cette histoire de gazouillis.

Chais pas. Des fois j'sais pas ce qui me prend, je me fous de tout. J'étais dans cette salle de classe et tout semblait tellement absurde, le surveillant il nous disait de pas regarder la copie du voisin, et sur le rebord de la fenêtre y avait un oiseau qui gazouillait et je me suis dit, Et puis merde, qu'est-ce ça peut foutre, alors j'ai écrit ce qu'il disait. Quand j'avais quatorze ans mon père m'a fait prendre des cours d'arts martiaux. Le Japonais s'est contenté de me faire mariner sur un banc dehors pendant une heure et quand j'ai dit, Hep, m'sieur, et ce cours ? il m'a dit de rentrer chez moi. Chez moi ! Quand même, il était payé pour l'heure de cours. Il a dit, Rentre chez toi. J'ai dit, Est-ce que je dois revenir la semaine prochaine ? et il a rien répondu. Je suis revenu la semaine suivante et il a dit, Qu'est-ce que tu veux ? J'ai réexpliqué que je voulais apprendre les arts martiaux. Il m'a dit d'aller nettoyer les toilettes. Je me demandais quel rapport avec les arts martiaux mais il n'a rien dit. J'ai nettoyé les toilettes. Il m'a dit de m'asseoir sur le banc, d'enlever mes chaussures et mes chaussettes et de regarder mes pieds. De ne pas quitter mes pieds des yeux. Vous avez déjà regardé vos pieds ? J'en ai un qu'est plus grand que l'autre. Il est ressorti et il a dit, Remets tes chaussures, sans chaussettes, et rentre chez toi. Ça devenait plus facile de faire ce qu'il me disait. Ça me faisait plus chier. Des fois, je m'asseyais sur le banc, je ne faisais rien puis je rentrais chez moi et je le payais. Je l'ai dit à mon père mais il a juste tiré la tronche. Il a fallu six semaines avant que le Japonais me fasse entrer dans la salle pour mon premier cours. Il m'a demandé de rester debout, le visage plaqué contre le mur, tandis que, pendant une quinzaine de minutes, il se jetait sur moi en brandissant une espèce d'épée et en me hurlant dessus. À la fin de la séance, il a dit que j'étais accepté dans son cours à condition que je nettoie les toilettes avant de rentrer chez moi, au cas où je ne me prendrais pas pour de la merde. Alors j'ai compris de quoi il s'agissait le jour où vous m'avez fait tomber. Je savais que vous deviez vous sortir de ce merdier et ça ne m'a pas posé de problème parce que je suis au-dessus de ça et que vous êtes pas mal comme prof et que je me fous de ce que les autres gamins y pensent. Mais si vous vous comportez comme un sale con de prof prétentieux vous feriez mieux de rentrer chez vous pour nettoyer vos toilettes.

Voici quelle est la situation de l'école publique en Amérique : Plus tu t'éloignes des salles de classe et plus tes avantages professionnels et financiers sont importants. Obtiens l'habilitation, enseigne deux ou trois ans. Prends des cours dans le domaine de l'administration, de la direction, de l'orientation, et avec tes nouveaux diplômes tu pourras avoir un bureau avec la clim, des toilettes particulières, de longs déjeuners, des secrétaires. Tu n'auras pas à batailler avec plein de petits emmerdeurs. Planque-toi dans ton bureau, comme ça tu n'auras plus jamais à les revoir, ces petits salopiauds.

À l'âge de trente-huit ans, je n'avais pas assez d'ambition pour gravir les échelons du système scolaire, et je me laissais flotter dans le rêve américain, en proie à la crise de la quarantaine, un prof d'anglais de lycée raté, bridé par ses supérieurs, les proviseurs et leurs adjoints – du moins je le croyais.

J'étais dans les affres de l'angoisse existentielle et ne savais pas ce dont je souffrais. Alberta a dit, Et si tu faisais une thèse pour monter en grade ?

J'ai répondu, Je vais le faire.

L'université de New York a dit qu'ils étaient d'accord pour que je fasse un doctorat, mais ma femme a dit, Pourquoi n'irais-tu pas à Londres ou à Dublin ?

Tu essaies de te débarrasser de moi ?

Elle a souri.

Quand j'avais seize ans, je suis allé passer une journée à Dublin avec un ami et je me suis adossé à un mur de pierres grises pour regarder un défilé. Le mur était celui de Trinity College et je ne savais pas qu'il était considéré comme un territoire étranger, anglais et protestant. Plus bas dans la rue, une grille en fer et un gigantesque portail empêchaient les gens comme moi d'entrer. Devant se trouvaient les statues d'Edmund Burke et d'Oliver Goldsmith. Oh ! me suis-je exclamé, le voilà, juste là, l'homme qui a écrit, « *The Deserted Village*[1] », que j'avais dû apprendre par cœur à l'école.

Mon ami de Limerick, qui connaissait mieux la vie que moi, a dit, Mets-t'en plein les mirettes avec Oliver et tout le tintouin parce que les gens de ton espèce ne passeront jamais cette porte. L'archevêque a dit que tous les catholiques qui vont à Trinity sont automatiquement excommuniés.

1. Poème non traduit en français qui pourrait s'intituler « Le village abandonné ».

Par la suite, chaque fois que je me rendais à Dublin j'étais irrésistiblement attiré par Trinity. Je restais devant le portail, admirant l'élégance avec laquelle les étudiants rejetaient en arrière l'écharpe qui flottait autour de leurs épaules. J'admirais les accents qui sonnaient anglais. Je regardais avec convoitise les belles protestantes qui ne me lançaient jamais un regard. Elles se marieraient avec des gens de leur rang, de leur milieu, tous des protestants avec des chevaux, et si jamais un pauvre hère comme moi en épousait une, il se ferait bouter hors de l'Église catholique, sans aucun espoir de rédemption.

Les touristes américains arborant des vêtements aux couleurs vives entraient et sortaient nonchalamment ; j'aurais moi aussi aimé avoir le courage d'entrer dans le collège mais l'homme au portail aurait pu me demander ce que je faisais là et je n'aurais pas su quoi répondre.

Six ans plus tard, je suis revenu en Irlande dans mon uniforme de l'armée américaine qui, m'étais-je dit, inspirerait le respect. Ce qui a été le cas, jusqu'à ce que j'ouvre la bouche. J'ai essayé de prendre un accent américain adapté à ma tenue. Ça n'a pas marché. D'abord, les serveuses se précipitaient pour me trouver une table, mais dès que je parlais elles s'écriaient, Ben ça alors, merde, t'es pas amerloque du tout, mais pas du tout. T'es juste un Irlandais comme tous les autres. Tu viens d'où ? J'ai essayé de me faire passer pour un GI d'Alabama, mais une femme au Bewley's Café de Grafton Street a dit, Si tu viens d'Alabama, je suis la reine de Roumanie. J'ai bégayé et reconnu que je venais de Limerick et elle a renoncé à ses prétentions au trône de Roumanie. Elle a dit qu'au Bewley's, c'était contraire au règlement de bavarder avec les clients, mais que j'avais pas l'air du genre à cracher sur un verre. Je me suis vanté d'avoir bu de la bière et du schnaps aux quatre coins de la Bavière et elle a répondu que dans ce cas je pourrais certainement lui payer un sherry au McDaid's Bar, un peu plus loin dans la rue.

Je ne la trouvais pas séduisante, mais j'étais très flatté qu'une serveuse du Bewley's ait envie de prendre un verre avec moi.

Je suis allé l'attendre au McDaid's Bar. Les consommateurs me dévisageaient en se donnant des coups de coude à cause de mon uniforme américain et je me sentais mal à l'aise. Le barman m'a dévisagé, lui aussi, et quand je lui ai demandé une pinte, il a dit, C'est un général qui nous fait l'honneur d'être ici, ou quoi ?

Je n'ai pas saisi l'ironie et quand j'ai répondu, Non, je suis caporal, une vague de rire a soulevé le bar et j'ai eu l'impression d'être le plus grand con de la planète.

J'étais perturbé. J'étais né en Amérique. J'avais grandi en Irlande. J'étais retourné en Amérique. Je portais l'uniforme américain. Je me sentais irlandais. Ils auraient dû savoir que j'étais irlandais. Ils n'auraient pas dû se moquer de moi.

Lorsque la serveuse du Bewley's est arrivée, m'a rejoint contre le mur, et a demandé un sherry, les regards se sont faits plus insistants et les coups de coude plus nombreux. Le barman a cligné de l'œil et a dit quelque chose à propos d'une « nouvelle victime ». Il est allé derrière le comptoir et a demandé si je voulais une autre pinte. Évidemment que je voulais une autre pinte. Être ainsi le centre de l'attention me chauffait le visage et je savais sans avoir à regarder dans le grand miroir que mes yeux étaient rouges comme une voiture de pompiers.

La serveuse a dit que si le barman m'apportait une autre pinte autant qu'il en profite pour lui apporter un autre sherry, après la journée harassante qu'elle avait eue au Bewley's. Elle m'a dit qu'elle s'appelait Mary. Elle a dit que si j'avais envie de la regarder de haut sous prétexte qu'elle n'était que serveuse, je pouvais m'arrêter tout de suite. Après tout, qu'étais-je sinon un péquenaud sorti de sa cambrousse et fagoté dans un uniforme américain, qui se donnait des grands airs. Le sherry semblait la rendre loquace et plus elle parlait, plus on entendait ricaner sur les chaises, le long du mur. Selon elle, son travail au Bewley's c'était provisoire. Elle attendait que les notaires règlent le testament de sa grand-mère, et ensuite elle avait décidé qu'elle ouvrirait une petite boutique sur Grafton Street, où elle vendrait des vêtements raffinés à des gens de meilleure condition.

Je n'y connaissais rien en matière de vêtements de luxe, mais je me demandais ce qu'elle allait fiche dans une boutique de ce genre. Elle était grosse, avec des yeux enfouis dans les replis de son visage, et un triple menton qui pendouillait et tremblotait. Son corps était tout boudiné. Je n'avais pas envie d'être avec elle et je ne savais que faire. Je remarquais que les gens se moquaient de nous et j'ai bafouillé, au comble du désespoir, que je devais y aller.

Quoi ? a-t-elle demandé.

Il faut… il faut que j'aille voir Trinity College. De l'intérieur. Faut que j'y entre.

Ma troisième pinte de stout commençait à me monter à la tête.

C'est bourré de protestants, elle a dit.

Je m'en fous. Faut que j'y entre.

Vous avez entendu ça ? a-t-elle crié à la cantonade. Il veut entrer dans Trinity.

Ouh, bon Dieu ! s'est écrié un homme, et un autre, Par la Sainte Vierge !

D'accord, général, a dit le barman. Vas-y. Va à Trinity et jette un œil, mais faudra que t'ailles à confesse samedi.

T'as entendu ça ? a dit Mary. À confesse samedi, mais t'inquiète pas, chéri. Moi je te confesserai quand tu voudras. Allez, écluse ta pinte qu'on aille à Trinity.

Mon Dieu. Elle veut venir avec moi. Mary la dodue toute gélatineuse veut descendre Grafton Street avec moi dans mon uniforme américain. Les gens vont dire, Regarde-moi c't'Amerloque. Il pouvait pas trouver mieux que de lever un gros tas de saindoux comme çui-là alors qu'on trouve les plus jolies filles de la terre à Dublin ?

Je lui ai dit qu'elle n'avait pas à s'embêter pour moi, mais elle a insisté et le barman a dit que j'aurais d'autres raisons d'aller à confesse samedi parce que, visiblement, popaul n'était pas très regardant.

Pourquoi n'ai-je pas fait preuve d'indépendance ? Étais-je sur le point de franchir le portail de Trinity pour la première fois de ma vie avec cette grosse masse jacassante agrippée à mon bras ?

Je l'étais, et je l'ai fait.

Tandis qu'on descendait Grafton Street, elle apostrophait tous ceux qui nous regardaient, Qu'est-ce t'as ? T'as jamais vu d'Ricain, ou quoi ? jusqu'à ce qu'une femme en châle réplique, On en a déjà vu, mais jamais des qu'étaient tombés si bas qu'y devaient se promener avec quelqu'un de ton espèce. Mary a crié que si elle n'avait pas eu des choses plus importantes à faire elle lui aurait arraché les yeux, à l'autre enchâlée.

J'étais angoissé à l'idée de franchir le portail de Trinity. L'homme en uniforme me demanderait sûrement ce que je fabriquais ici, mais il n'a pas fait attention à nous, même quand Mary a déclaré, Bonsoir, mon chou.

J'y étais, finalement, sur les pavés ronds, sous le portail, n'osant faire un pas de plus. Oliver Goldsmith avait foulé ce sol. Jonathan Swift avait foulé ce sol. Tous les riches protestants à travers les siècles avaient foulé ce sol. J'y étais, sous la porte, et ça me suffisait.

Mary m'a tiré le bras. Y commence à faire sombre. Tu vas passer la nuit ici ? Viens, je meurs d'envie de boire un sherry. Puis on ira dans ma petite chambre et va savoir ce qui va se passer, va savoir. Elle a gloussé et m'a plaqué contre son énorme corps mou et tremblotant et j'avais envie de hurler dans tout Dublin, Non, non, elle n'est pas avec moi.

On a remonté Nassau Street, où elle s'est arrêtée pour admirer des bijoux dans la boutique Yates, au coin de la rue. Magnifique, a-t-elle déclaré. Magnifique. Oh, un jour j'aurai une de ces bagues au doigt.

Elle m'a lâché le bras pour désigner une bague dans la vitrine et j'ai pris mes jambes à mon cou. J'ai remonté Nassau Street à toutes jambes, l'entendant à peine crier que j'étais un sale connard de Ricain de Limerick.

Le lendemain je suis repassé au Bewley's pour lui dire combien j'étais désolé de m'être comporté ainsi. Elle a dit, Ah, c'est pas grave. On sait jamais ce qu'on risque de faire après quelques sherrys ou quelques pintes. Elle a dit qu'elle finissait à 18 heures et que si je voulais on pouvait aller manger un *fish and chips* et prendre un thé plus tard, chez elle. Après le thé elle m'a dit qu'il était sûrement trop tard pour que je regagne mon hôtel sur Grafton Street et que ça ne l'ennuyait pas le moins du monde si je restais et prenais le bus avec elle le lendemain matin. Elle est allée aux toilettes sur le palier et je me suis déshabillé, ne gardant que mes sous-vêtements. Elle est revenue dans une chemise de nuit grise et bouffante. Elle s'est jetée à genoux près du lit, a fait le signe de croix, et a demandé à Dieu de la protéger du mal. Elle a dit à Dieu qu'elle savait qu'elle se soumettait à la tentation mais pour sûr c'était pas un ange non plus, le garçon dans le lit.

Elle a roulé dans le lit et m'a écrabouillé contre le mur et quand j'ai tenté de relever sa chemise de nuit elle m'a donné une tape sur la main. Elle a dit qu'elle ne voulait pas être responsable de la perdition de mon âme mais que, si je faisais acte de contrition avant de m'endormir, elle aurait l'esprit plus en paix. Tandis que je disais ma prière elle s'est tortillée pour s'extirper de sa chemise de nuit et m'a attiré contre son corps. Elle a murmuré que je finirais ma prière plus tard et j'ai dit que je la ferais, que je n'y manquerais pas, m'enfonçant dans son immense corps adipeux avant d'achever mon acte de contrition.

J'avais alors vingt-deux ans et voilà qu'à trente-huit ans, je faisais une demande à Trinity College.

Oui, ils étudieraient mon dossier si j'acceptais de passer un examen en anglais qui permettrait d'évaluer ma culture générale et mes chances de réussite. Je l'ai eu, et me suis stupéfié moi-même, ainsi que mon entourage, en obtenant la note de quatre-vingt-dix-neuf sur cent en anglais. Cela voulait dire que je figurais parmi les gens les plus intelligents du pays, si bien que, me sentant pousser des ailes, je suis allé au restaurant Gage and Tollener's, à Brooklyn, où j'ai mangé de la perche de mer avec des pommes de terre au four et bu tellement de vin que je ne me rappelle pas être rentré chez moi. Alberta s'est montrée indulgente envers moi, ne m'a pas réprimandé au petit matin parce que, après tout, j'allais partir étudier à Dublin dans une université prestigieuse, et qu'elle ne me verrait pas beaucoup pendant deux ans, le temps imparti par Trinity pour écrire et soutenir une thèse.

Pour l'épreuve de mathématiques de ce même examen, j'ai obtenu, je crois, la note la plus basse de toute la planète.

Alberta m'a réservé une couchette sur le *Queen Elizabeth*, l'avant-dernier bateau transatlantique. On a fait la fête à bord, c'était ce qui se faisait. On a bu du champagne et lorsque le moment est venu pour les visiteurs de descendre à terre je l'ai embrassée et elle m'a rendu mon baiser. Je lui ai dit qu'elle me manquerait et elle a dit que je lui manquerais, mais je ne suis pas sûr que l'un et l'autre nous ayons dit la vérité. J'étais pompette à cause du champagne et quand le bateau s'est éloigné du quai j'ai fait signe sans savoir à qui je faisais signe. C'était tout moi, me suis-je dit. Faire signe sans savoir à qui je faisais signe. C'était le genre de réflexion profonde qui demanderait à être poussée plus avant, mais qui m'a donné mal à la tête et je suis passé à autre chose.

Le navire s'est engagé dans l'Hudson et dirigé vers le Narrows. J'ai tenu à aller sur le pont pour faire signe à Ellis Island. Tout le monde faisait signe à la statue de la Liberté, mais j'ai fait signe tout spécialement à Ellis Island, lieu d'espoir et de douleur.

Je me suis imaginé, petit gars de presque quatre ans, à peu près trente-quatre ans auparavant, qui agitait la main, agitait la main, en partance pour l'Irlande, et j'étais de nouveau là, à agiter la main, et qu'étais-je en train de faire, où allais-je et à quoi cela rimait-il ?

Quand on est seul et qu'on a le pas mal assuré à cause du champagne on se promène sur le bateau, pour l'explorer. Je suis sur le *Queen Elizabeth* en route pour Dublin, vers Trinity College, excusez du peu. Avais-tu pensé, avec tous ces allers-retours, tous ces au revoirs, que tu rejoindrais l'ennemi ? Trinity College, l'université protestante, toujours loyale envers telle ou telle majesté, et qu'est-ce que Trinity a fait pour la cause de la liberté ? Mais en dedans, dans ta petite âme souffreteuse, tu les as toujours trouvés supérieurs, n'est-ce pas, ces protestants avec leurs chevaux et leur accent affecté, le nez en l'air.

Oliver St. John Gogarty était un homme de Trinity et même si j'avais écrit sur lui, et lu jusqu'à la moindre de ses lignes, songeant qu'un peu de son talent et de son style déteindrait peut-être sur moi, cela n'avait servi à rien. Un jour, j'avais montré mon mémoire à Stanley Garber, un prof de McKee, et je lui avais fait part de mes espoirs. Il avait secoué la tête et déclaré, Écoutez, McCourt, oubliez Gogarty. Au fond, vous vous voyez toujours comme ce petit pisseux des bas-fonds de Limerick. Trouvez d'abord qui vous êtes, bordel. Portez votre croix et faites votre propre chemin. Ne vivez pas par procuration, mon vieux.

Comment pouvez-vous tenir de tels propos, Stanley ? Cette histoire de croix. Vous êtes juif.

C'est vrai. Regardez-nous. On a essayé de s'adapter aux goys. On a essayé de s'intégrer, mais ils n'ont pas voulu. Alors, qu'est-ce qui se passe ? Des frictions, vieux, et les frictions produisent des gens comme Marx et Freud et Einstein et Stanley Garber. Remerciez Dieu de ne pas être intégré, McCourt, et lâchez Gogarty. Vous n'êtes pas Gogarty. C'est à vous de jouer. Vous comprenez ? Si vous tombiez dans les vapes et mouriez à cet instant, les étoiles dans le ciel seraient toujours des étoiles dans le ciel et vous ne seriez qu'un petit accident. Trouvez votre voie sinon vous allez vous retrouver dans un petit pavillon de Staten Island à réciter des Je vous salue Marie avec une Maureen.

Je n'ai pas pu y réfléchir davantage : descendant le sublime escalier central du *Queen Elizabeth*, une femme que je connaissais est alors apparue. Elle m'a vu et elle a dit que nous devrions prendre un verre. Je me rappelais qu'elle était infirmière libérale et travaillait pour de riches new-yorkais et je me suis demandé ce qu'elle faisait par ailleurs. Elle a dit qu'elle était déçue parce que son amie avait changé ses projets de voyage et qu'elle se retrouvait, l'infirmière, dans une cabine de première classe avec deux lits et cinq jours de voyage solitaire en perspective. La boisson m'a délié la langue et je lui ai parlé de ma propre solitude et du fait que nous pourrions nous tenir compagnie pendant le voyage même si cela risquait d'être difficile étant donné qu'elle était en première classe et que moi j'étais relégué sous la ligne de flottaison.

Oh, ce serait chouette, a-t-elle dit, prenant soudain un fort accent. Elle était à moitié irlandaise.

Si je n'avais pas été pris de boisson j'aurais peut-être fait preuve de plus de retenue, mais j'ai succombé à la tentation et oublié ma couchette dans les entrailles du bateau.

Lors du troisième jour de traversée, je me suis éclipsé pour prendre le petit déjeuner dans la salle du restaurant, c'était ma première visite. Le serveur a dit, Oui, monsieur ? et je me suis senti idiot de lui avouer que je ne savais pas où m'asseoir.

Monsieur, vous n'êtes encore jamais venu ici ?

Non.

Comme il était serveur il n'a pas posé de question. Pas plus que le commandant de bord, qui a dit que l'on m'avait officiellement déclaré comme n'ayant pas embarqué. L'équipage avait supposé que j'étais descendu du bateau avec mes amis, pris d'une impulsion soudaine. Il attendait visiblement une explication, mais je ne pouvais absolument pas lui raconter mon escapade dans une cabine de première classe avec l'infirmière libérale. Il a dit que, Oui, il y a une place, et bon appétit.

Il y avait deux couchettes dans cette cabine sous la ligne de flottaison. Mon compagnon de cabine était à genoux, en pleine prière. Il a semblé stupéfait de me voir. C'était un méthodiste de l'Idaho, en route pour Heidelberg où il étudierait la théologie, je ne pouvais donc pas me vanter d'avoir passé les trois dernières nuits dans une cabine de première classe avec une infirmière libérale de New York. Je me suis excusé d'interrompre sa prière, mais il a dit que l'on ne risquait pas d'interrompre sa prière puisque toute sa vie était une prière. J'ai trouvé cette phrase magnifique, j'aurais aimé que ma vie soit une prière. Ses paroles m'ont donné des remords, j'ai eu l'impression de n'être qu'un bon à rien, un pécheur. Il s'appelait Ted, avait l'air propre sur lui et enjoué. Il avait de belles dents et des cheveux en brosse. Sa chemise blanche était impeccable, amidonnée, repassée. Il était à l'aise avec lui-même, en paix avec le monde. Dieu était dans son paradis, un paradis de méthodiste, et tout allait pour le mieux. J'étais intimidé. Si sa vie était une prière, la mienne était quoi ? Un vaste péché ? Si ce paquebot heurtait un iceberg, Ted irait sur le pont chanter « Plus près de toi, mon Dieu », et j'écumerais le navire, à la recherche d'un curé pour qu'il entende ma dernière confession.

Ted a demandé si j'étais croyant, si j'allais à l'église. Il a dit qu'il serait heureux que je le rejoigne une heure plus tard pour l'office méthodiste, mais j'ai bredouillé, Je ne vais que rarement à la messe. Il a dit qu'il comprenait. Comment était-ce possible ? Qu'est-ce qu'un méthodiste connaissait des souffrances d'un catholique, surtout d'un catholique irlandais ? (Je n'ai pas dit ça, évidemment. Je ne voulais pas le vexer. Il était tellement sincère.) Il m'a demandé si j'aimerais prier avec lui et j'ai à nouveau bredouillé que je ne connaissais pas de prières protestantes et que, de plus, il fallait que je prenne une douche et que je me change. Il m'a jeté ce que les écrivains appellent un regard pénétrant et j'ai eu l'impression qu'il savait tout. Il n'avait que vingt-quatre ans mais, déjà, il avait la foi, la vision, son chemin tout tracé. Il devait avoir entendu parler du péché mais manifestement, il en était préservé, propre à tous points de vue.

J'ai dit à Ted qu'après ma douche j'irais à la chapelle catholique et que j'assisterais à la messe. Il a dit, Vous n'avez pas besoin d'aller à la messe. Ni besoin d'un curé. Il vous suffit d'avoir la foi, une bible, deux genoux et un peu de place pour prier.

Ça m'a mis de mauvais poil. Pourquoi les gens ne peuvent-ils pas laisser les autres tranquilles ? Pourquoi les gens ressentent-ils le besoin de convertir les personnes comme moi ?

Non, je n'avais pas envie de me mettre à genoux et de prier avec le méthodiste. Et encore pire, je n'avais pas envie d'aller à la messe ni de me confesser, ni de quoi que ce soit à part aller là-haut, me balader sur le pont, m'asseoir sur une chaise et regarder l'horizon monter et descendre.

Oh, la barbe ! me suis-je écrié, et j'ai pris une douche, en songeant à l'horizon. Je pensais que l'horizon valait mieux que les gens. L'horizon n'emmerdait pas un autre horizon. Quand je suis sorti, Ted était parti, ses affaires soigneusement disposées sur sa couchette.

Sur le pont, l'infirmière libérale est apparue, marchant majestueusement au bras d'un petit homme grassouillet, aux cheveux grisonnants, vêtu d'un blazer croisé bleu marine et d'un gros foulard rose qui bouffait sous sa pomme d'Adam. Elle a fait comme si elle ne m'avait pas vu mais je l'ai dévisagée avec tant d'insistance qu'elle a été obligée de m'adresser un petit signe. Elle est passée devant moi et je me suis demandé si elle tortillait du cul exprès pour me tourmenter.

Tortille donc. Je m'en fous.

Mais je ne m'en foutais pas. Je me sentais anéanti, rejeté. Après avoir passé trois jours avec moi, comment l'infirmière pouvait-elle partir avec un vieillard d'au moins soixante ans ? Que faisait-elle du temps que nous avions passé assis sur son lit, à boire des bouteilles de vin blanc ? Que faisait-elle de la fois où je lui avais frotté le dos dans la baignoire ? Qu'allais-je faire de ma peau pendant les deux jours qui restaient avant que le navire n'accoste en Irlande ? J'allais devoir rester sur la couchette supérieure avec le méthodiste qui priait et soupirait en dessous. L'infirmière s'en fichait. Elle a délibérément croisé ma route sur des ponts différents pour me rendre malheureux, et lorsque je pensais à elle et au vieillard ça me dégoûtait d'imaginer ce corps antique et fané contre le sien.

Les deux jours suivants, la haute mer resta plongée dans les ténèbres tandis que je m'agrippais au bastingage en songeant à me jeter dans l'Atlantique, tout au fond, parmi les navires qui avaient coulé pendant la guerre, cuirassés, sous-marins, destroyers, cargos, et je me suis même demandé s'il était déjà arrivé qu'un porte-avion coule. Ça m'a fait oublier mes malheurs pendant un moment, de me poser des questions sur les porte-avions et les corps qui flottaient là-dessous et cognaient contre les cloisons, mais mes malheurs ont refait surface. Quand tu n'as rien d'autre à faire que te balader sur un paquebot en attendant de tomber sur une infirmière avec laquelle tu as passé trois jours et qui se trouve en compagnie d'un vieux vêtu d'un blazer croisé, tu en viens à avoir une piètre, voire lamentable, opinion de toi-même. Me jeter à la mer lui donnerait peut-être matière à réflexion, mais ça ne me servirait pas à grand-chose parce que je n'en saurais jamais rien.

Je me tenais à la rambarde, le navire glissant sur les flots, pensant à ma vie et me traitant de poltron.

(L'un de mes mots favoris à l'époque et il était approprié.) Poltron. Tout ce que j'avais fait depuis le jour où j'avais débarqué à New York et jusqu'à ce voyage sur le *Queen Elizabeth*, ç'avait été de papillonner : émigrer, avoir des boulots sans avenir, picoler en Allemagne et à New York, courir après les filles, roupiller pendant quatre ans à l'université de New York, passer d'un poste d'enseignant à un autre, me marier et regretter de ne plus être célibataire, boire encore un verre, me retrouver coincé dans l'enseignement, prendre un navire pour l'Irlande avec l'espoir que la vie ne serait pas trop garce.

J'aurais aimé pouvoir faire partie d'une de ces bandes de voyageurs joyeux, sur terre comme sur mer, qui jouent au ping-pong et au palet et puis sortent boire un verre et Dieu sait quoi d'autre, mais je n'avais pas ce don. Je m'entraînais et répétais dans ma tête. Oh, salut, ferais-je. Comment ça va ? et ils répondraient, Bien, et à propos, voudriez-vous vous joindre à nous pour boire un verre ? et je dirais, Pourquoi pas ? avec insouciance. (Également un de mes mots favoris à l'époque parce que c'était ce à quoi j'aspirais, et que j'en appréciais les sonorités.) Si je buvais quelques verres, l'insouciance viendrait peut-être. Avec mes charmantes manières d'Irlandais je serais au centre de la fête, mais je refusais de quitter mon bastingage et la consolation d'en finir avec la vie.

Trente-huit ans, ça me taraudait. Un prof vieillissant qui gagne Dublin en bateau, toujours étudiant. Un homme peut-il vivre ainsi ?

Je me suis forcé à m'asseoir sur une chaise longue pour avoir une réunion de crise avec moi-même au milieu de l'Atlantique, j'ai fermé les yeux pour oublier l'océan et la vision de l'infirmière. Je n'ai pas pu refouler le *clic-clac* de ses talons hauts ni les éclats de rire américains de M. Foulard-Fané.

Si j'avais eu une once d'intelligence, au-delà de l'instinct de survie, j'aurais essayé de me lancer dans un atroce réexamen de ma vie. Mais je n'étais pas doué pour l'introspection. Après toutes ces années passées à me confesser à Limerick, je pouvais examiner ma conscience comme personne. Mais là, c'était autre chose. Notre mère l'Église n'était cette fois-ci d'aucun secours. Sur ce pont, dans cette chaise longue, je pouvais à peine m'aventurer au-delà du catéchisme. Je commençais à comprendre que je n'avais rien compris, et fouiller en moi-même, raviver mes malheurs me donnait mal à la tête. Un type de trente-huit ans en plein bourbier et ne sachant que faire pour y remédier. C'est dire à quel point j'étais ignorant. Maintenant, je sais qu'on nous encourage à tout mettre sur le dos des autres : les parents, l'enfance malheureuse, l'Église, les Anglais.

Les gens à New York, surtout Alberta, me disaient, Tu as besoin d'aide. Je savais qu'ils pensaient, Tu es manifestement perturbé. Tu devrais voir un psy.

Elle a insisté. Elle a dit que j'étais impossible à vivre et m'a pris un rendez-vous avec un psychanalyste sur la 96e Rue Est, la rue des psys. Le type s'appelait Henry, et je l'ai pris à contre-poil en commençant par lui dire qu'il ressemblait à Jeeves. Il a dit, Qui est Jeeves ? et il n'a pas eu l'air content quand je lui ai parlé du personnage de P.G. Wodehouse. Il a levé les sourcils d'une manière toute jeevesienne et je me suis trouvé bête. De plus, je ne savais pas de quoi il était question, ce que je faisais dans ce bureau. Je savais par mes cours de psychologie à l'université de New York que l'esprit était composé de plusieurs parties, le conscient, l'inconscient, le subconscient, l'ego, le ça, la libido et peut-être d'autres petits recoins dans lesquels se dissimulaient les démons. C'était toute l'étendue de mes connaissances, si l'on peut parler de « connaissances ». Puis je me suis demandé pourquoi je dépensais de l'argent que je n'avais pas pour m'asseoir en face de cet homme qui gribouillait sur un cahier collé sous son nez, s'arrêtant de temps à autre pour me dévisager comme si j'étais un cas d'école.

Il parlait rarement et j'avais l'impression que je devais combler les silences, sinon nous serions restés là à nous regarder en chiens de faïence. Il n'a même pas dit, Et qu'éprouvez-vous vis-à-vis de ça ? comme dans les films. Quand il refermait son cahier, je savais que la séance était terminée, et qu'il était temps de le régler. Au début il m'a dit qu'il ne me ferait pas payer plein tarif. Je bénéficiais de la ristourne accordée aux profs fauchés. J'avais envie de lui dire que je n'étais pas un nécessiteux mais je disais rarement le fond de ma pensée, de toute façon.

Sa routine me mettait mal à l'aise. Il entrait dans la salle d'attente et restait planté là. C'était le signal pour que je me lève et pénètre dans la salle de consultation. Il n'a jamais fait mine de me serrer la main, n'a jamais bavardé une seconde. Était-ce à moi de dire bonjour ou de tendre la main, et comment il le prendrait si je le faisais ? Dirait-il que c'était une expression de mon énorme sentiment d'infériorité ? Je ne voulais pas lui donner davantage de grain à moudre pour qu'il décrète que, comme certains de mes aïeuls, j'étais barjot. Je voulais l'impressionner par mon attitude détachée, ma logique et, si possible, mon esprit.

Pendant la première séance, il m'a observé alors que je me tâtais pour savoir comment me comporter. Est-ce que ce serait comme une confession ? Un examen de conscience ? Devais-je m'asseoir dans ce grand fauteuil haut perché ou devais-je m'allonger sur le divan comme on le voit faire dans les films ? Si je choisissais le fauteuil, il me faudrait le regarder pendant cinquante minutes mais si je m'étendais sur le divan je pourrais examiner le plafond et éviter son regard. Je me suis assis dans le fauteuil, lui, sur sa chaise, et je me suis senti soulagé de n'apercevoir aucun signe de désapprobation sur son visage.

Au bout de quelques séances, j'ai eu envie d'arrêter, de faire un saut dans un bar de la Troisième Avenue pour siroter une petite mousse dans la quiétude de l'après-midi. Je n'en avais pas le courage ou bien je n'étais pas encore assez en colère. Semaine après semaine, je bavassais sur ma chaise, parfois deux fois par semaine car, expliquait-il, j'avais besoin d'une attention plus soutenue. Je voulais lui demander pourquoi, mais je commençais à me dire que sa méthode consistait à me faire comprendre les choses par moi-même. Si c'est le cas, me suis-je demandé, Pourquoi est-ce que je le paie ? Pourquoi n'irais-je pas m'asseoir à Central Park pour admirer les arbres et les écureuils et laisser mes problèmes remonter à la surface ? Ou pourquoi n'irais-je pas dans un bar, boire quelques bières, regarder au fond de moi, examiner ma conscience ? J'économiserais des centaines de dollars. J'avais envie de me débarrasser du problème et de dire, Docteur, qu'est-ce qui cloche chez moi ?

Pourquoi suis-je ici ? J'aimerais obtenir un diagnostic, avec tout ce que je vous paie même si vous me faites la ristourne pour profs fauchés. Si vous mettez un nom sur mes maux, je pourrai peut-être me renseigner pour trouver un moyen de les guérir. Je ne peux pas continuer à venir ici toutes les semaines et à m'épancher sur ma vie sans savoir si j'en suis au début, au milieu ou à la fin.

Je n'ai jamais réussi à parler ainsi au bonhomme. Je n'ai pas été élevé comme ça. Ce ne serait pas poli et il pourrait en être offensé. Je voulais faire bonne impression, je ne voulais pas susciter sa pitié. Il verrait sûrement combien j'étais raisonnable et équilibré, malgré le mariage difficile dans lequel je me débattais, et mon absence de but dans la vie.

Il gribouillait dans son cahier et, bien qu'il n'ait jamais rien montré, je crois qu'il ne s'ennuyait pas avec moi. Je lui racontais ma vie en Irlande et au lycée. Je faisais de mon mieux pour être vif et amusant, pour le convaincre que tout allait bien. Je ne voulais surtout pas le contrarier. Mais si tout allait bien, qu'est-ce que je faisais ici, d'abord ? Je voulais qu'il réagisse, un petit sourire, un petit mot pour me signifier qu'il appréciait mes efforts. Rien. Il a gagné. Il a remporté la mise.

Puis il m'a estomaqué. Il a dit, Ah-ah, a posé son cahier sur ses genoux et m'a regardé droit dans les yeux. J'avais peur de parler. Qu'avais-je dit pour provoquer ce Ah-ah ?

Je crois que vous avez découvert une mine d'or, a-t-il dit.

Oh ! encore une mine d'or. Le proviseur du lycée des industries de la mode m'avait déjà complimenté parce que j'avais découvert une mine d'or lors de mon cours sur les éléments de la phrase.

Tout ce que j'avais dit avant le Ah-ah c'était que, en dehors de mes cours au lycée, les gens m'intimidaient. En groupe, je prenais à peine la parole, sauf si j'avais bu quelques verres, contrairement à ma femme ou à mon frère, qui pouvaient marcher d'un pas décidé vers quelqu'un et entamer une conversation enjouée. La voilà donc, la mine d'or.

Après le Ah-ah il a fait, Hum. Une thérapie de groupe vous ferait peut-être du bien. Ça pourrait constituer une avancée si vous entriez en interaction avec d'autres personnes. Nous faisons ce genre de thérapie avec un petit groupe, ici. Vous seriez le sixième.

Je ne voulais pas être le sixième. Je ne savais pas ce qu'« interaction » voulait dire. Quoi que ce soit, je ne voulais pas le faire. Comment pouvais-je lui dire ce que je ressentais, que tout n'était que perte de temps et d'argent ? Je devais rester poli coûte que coûte. Six semaines passées à bavasser dans ce fauteuil et je me sentais plus mal que jamais. Quand serais-je capable de marcher d'un pas décidé vers quelqu'un pour discuter avec lui aussi facilement qu'Alberta ou Malachy ?

Ma femme a trouvé que c'était une bonne idée même si ça coûtait plus cher. Elle a dit qu'une certaine sociabilité me faisait défaut, que j'étais un peu mal dégrossi, que cette thérapie de groupe pourrait représenter une avancée capitale.

Ce qui nous a conduits à une dispute qui a duré des heures. Pour qui se prenait-elle, à me dire que j'étais mal dégrossi, comme un sale Irlandais à peine descendu du bateau et débarquant les godasses pleines de gadoue ? J'ai répliqué que je n'avais pas l'intention de passer du temps avec des tarés new-yorkais pour les écouter se plaindre de leur vie et déballer leurs secrets intimes. C'était déjà assez affreux d'avoir passé ma jeunesse à murmurer à l'oreille des curés qui bâillaient et me faisaient promettre de ne plus pécher, de crainte que j'offense le pauvre Jésus qui souffrait là-haut sur sa croix par ma faute. Et voilà que le psy et elle voulaient que je recommence le grand déballage. Hors de question.

Elle a dit qu'elle en avait ras le bol d'entendre parler de ma petite enfance malheureuse de catholique. Je ne lui en voulais pas. J'en avais moi-même ras le bol, de cette enfance malheureuse qui m'avait poursuivi outre-Atlantique et continuait à me tourmenter pour que je l'étale au grand jour. Alberta a ajouté que si j'arrêtais ma thérapie j'allais me mettre dans un sacré pétrin.

Thérapie ? Qu'est-ce que tu racontes ?

C'est ce que tu fais, et si tu ne continues pas, ça sonnera le glas de ce mariage.

C'était tentant. Si je me retrouvais célibataire je serais libre de me promener dans Manhattan. J'aurais pu dire, D'accord, on se sépare, mais je n'ai rien dit. Même si j'avais été libre, quelle femme saine d'esprit aurait voulu de moi, pédagogue errant et mal dégrossi qui déballait sa vie à une espèce de Jeeves sur la 96e Rue Est ? J'ai pensé à un proverbe irlandais, « Mieux vaut connaître la dispute que la solitude », et j'en suis resté là.

On entendait des horreurs, dans ce groupe. Des histoires de coucheries avec des pères, des mères, des frères, des sœurs, des oncles de passage, la femme d'un rabbin, un setter irlandais, de relations sexuelles avec un bocal plein de foies de poulet, de relations sexuelles avec un homme venu réparer un frigo et qui était resté pendant des jours, ses vêtements éparpillés sur le sol de la cuisine. C'était le genre de choses qu'on ne révèle qu'à un curé, mais les gens de ce groupe n'avaient pas peur de livrer leurs secrets au monde. J'avais quelque connaissance des questions de sexualité. J'avais lu le *Kama-sutra*, *L'Amant de Lady Chatterley*, et *Les Cent Vingt Journées de Sodome* du marquis de Sade, mais ce n'étaient que des livres qui sortaient de l'imagination de leurs auteurs, m'étais-je dit. D.H. Lawrence et le Marquis lui-même auraient été horrifiés s'ils s'étaient retrouvés avec nous.

On s'asseyait en demi-cercle, Henry, en face de nous, gribouillait dans son cahier, hochant la tête de temps à autre. Un jour, le silence s'est fait après qu'un homme avait raconté qu'il allait à la messe et rapportait l'hostie chez lui pour se masturber dessus. Il a dit que c'était sa façon de rompre tout contact avec l'Église catholique romaine et qu'il trouvait ça tellement excitant qu'il s'adonnait fréquemment à sa petite manie, rien que pour s'amuser. Il savait qu'aucun curé sur terre ne lui donnerait l'absolution pour une telle abomination.

C'était ma quatrième séance avec ce groupe et je n'avais pas dit un mot. À cet instant, j'ai eu envie de me lever et de partir. Je n'étais plus très catholique, mais je n'aurais jamais eu l'idée d'utiliser une hostie pour me procurer du plaisir sexuel. Pourquoi cet homme ne s'était-il pas contenté de quitter l'église et de vivre sa vie ?

Henry savait que je n'en pensais pas moins. Il a cessé de griffonner pour me demander si j'avais quelque chose à dire à cet homme et j'ai eu le feu aux joues. J'ai secoué la tête. Une rouquine a protesté, Oh ! allez. C'est la quatrième fois que vous venez. Vous n'avez pas dit un mot. Pourquoi devrions-nous nous mettre à nu si c'est pour que vous sortiez d'ici tous les jours content de vous et mutique avant d'aller raconter nos secrets à vos amis, dans les bars ?

L'homme de l'histoire de la communion a dit, Ouais, je suis monté au créneau, là, mon pote, et vous aussi on aimerait vous entendre. Qu'est-ce que vous comptez faire ? Vous allez rester assis sur votre cul pendant qu'on fait tout le boulot ?

Henry a demandé à Irma, une jeune femme, à ma gauche, ce qu'elle pensait de moi, et j'ai été surpris quand elle m'a pétri l'épaule en disant qu'elle sentait de la puissance. Elle a dit qu'elle aimerait être l'une de mes étudiantes, que je devais être un bon professeur.

Vous avez entendu ça, Frank ? a dit Henry. De la puissance.

Je le savais, ils attendaient que je dise quelque chose. Je sentais qu'il me fallait participer. Une fois, en Allemagne, je suis allé avec une prostituée, ai-je dit.

Oh, eh bien, a fait la rouquine. Il faut au moins lui accorder ça, il aura essayé.

Tu parles, a lâché le communiant.

Parlez-nous-en, a dit Irma.

J'ai couché avec elle.

Et alors ? a dit la rouquine.

C'est tout. J'ai couché avec elle. Je lui ai donné quatre marks.

Henry m'a sauvé. C'est fini pour aujourd'hui. À la semaine prochaine.

Je n'y suis jamais retourné. Je croyais qu'il téléphonerait pour savoir pourquoi j'avais arrêté, mais Alberta m'a expliqué qu'ils n'étaient pas censés faire ça. Si tu avais pris ta décision, et que tu n'y retournais pas, ça voulait dire que tu allais plus mal que jamais. Elle a dit qu'un psy ne pouvait pas faire de miracles, et si je voulais mettre en danger ma santé mentale, Que ton sang retombe sur ta tête.

Hein ?

C'est ce que dit la Bible.

Je quitte le bureau du professeur Walton, directeur du département d'anglais à Trinity College. Il a dit, Oui, parfaitement, à ma demande d'inscription en doctorat et, Oui, parfaitement, pour le sujet de ma thèse, « Les relations littéraires irlando-américaines, 1889-1911 ». Pourquoi des dates aussi précises ? En 1889, William Butler Yeats a publié son premier recueil de poésie et en 1911, à Philadelphie, les comédiens de l'Abbey Theater ont été bombardés de divers objets après une représentation du *Baladin du monde occidental.* Le professeur Walton a dit, Intéressant. Mon directeur de thèse serait le professeur Brendan Kenneally, a-t-il ajouté, Un jeune poète épatant, professeur dans le Kerry. J'appartenais désormais à Trinity, j'étais devenu un homme de haut rang, logé entre des murs de marbre. J'ai essayé de sortir par le portail comme si j'en avais l'habitude. Je marchais très lentement pour que les touristes américains me remarquent. De retour à Minneapolis, ils diraient à leur famille qu'ils avaient aperçu un authentique et distingué membre de Trinity.

Quand tu es accepté en thèse à Trinity pourquoi ne pas aller fêter ça en remontant Grafton Street jusqu'au pub, chez McDaid's, où tu as été il n'y a pas si longtemps en compagnie de Mary, qui travaille au Bewley's. Un homme au comptoir a dit,

Vous devez venir des États-Unis ? Comment le savait-il ? C'est vos vêtements. On reconnaît toujours un Amerloque à ses fringues, a-t-il dit. Il m'était sympathique, je lui ai parlé de Trinity, de mon rêve devenu réalité. Il s'est fâché. Merde alors ! quelle époque de merde si z'en êtes réduit à venir à Dublin pour aller dans une université à la con. Y z'en ont pas à la pelle, en Amérique, ou alors c'est qui z'ont pas voulu de vous ou z'êtes protestant, ou quoi ?

Est-ce qu'il plaisantait ? Il allait falloir que je m'habitue aux manières des Dublinois.

J'ai alors pris conscience que je n'étais pas d'ici, j'étais un étranger, un Amerloque rentré au pays et, par-dessus le marché, un gars de Limerick. Je me voyais revenir en héros conquérant, Amerloque rentré au pays auréolé d'un diplôme universitaire, avec une licence et un master, après avoir survécu à presque dix années d'enseignement dans les lycées de New York. J'avais commis l'erreur de penser que je m'intégrerais dans l'univers chaleureux des pubs dublinois. Pour moi, j'évoluerais dans un cercle si brillant, si spirituel et littéraire que les érudits américains, qui rôdaient à la périphérie, se feraient l'écho de tous mes bons mots dans le milieu universitaire local et qu'on me proposerait d'assurer des cours magistraux sur la scène littéraire irlandaise devant d'irrésistibles étudiantes de Vassar ou Sarah-Lawrence.

Rien de cela ne s'est produit. S'il y avait un cercle littéraire, je n'en ai jamais fait partie. Je rôdais à la périphérie.

J'ai passé deux ans à Dublin. Mon premier appartement se trouvait sur Seaview Terrace, près d'Ailesbury Road, là où vivait Anthony Trollope à l'époque de sa traversée de l'Irlande à cheval en tant qu'inspecteur des postes, et où il écrivait trois mille mots tous les matins. Ma logeuse m'a dit que son fantôme rôdait encore et qu'elle était convaincue que le manuscrit d'un roman de premier ordre était caché dans les murs de sa vieille maison. Je savais que le fantôme de M. Trollope errait dans la demeure à la manière dont la graisse se figeait soudain autour de mes œufs aux plats et de mon bacon quand il faisait ses rondes de nuit. J'ai inspecté l'appartement pour retrouver le manuscrit jusqu'à ce que les voisins se plaignent de mes coups contre les murs à n'importe quelle heure du jour ou de la nuit. J'entamais chaque journée avec les meilleures intentions du monde. Le matin, je prenais un café au Bewley's puis travaillais à la National Library ou à la bibliothèque de Trinity College. À midi, j'éprouvais un petit creux et j'allais prendre un sandwich au pub le plus proche : le Neary's, le McDaid's, ou le Bailey. Un sandwich doit être accompagné d'une ou deux pintes et, comme dirait l'autre, Jamais deux sans trois. Une autre pinte me délierait peut-être la langue, m'aiderait à engager la conversation avec les autres consommateurs et je m'étais vite persuadé que je passais du bon temps. À la fermeture des pubs l'après-midi, pendant l'heure sainte[1], je reprenais un café au Bewley's. Je remettais sans cesse au lendemain. Les semaines passaient et mes recherches sur les relations irlando-américaines restaient au point mort. Je me disais que je n'étais qu'un ignorantin qui ne connaissait

1. En début d'après-midi, période durant laquelle les tenanciers des pubs étaient tenus par la loi de fermer leurs portes pour nettoyer leur établissement.

rien à la littérature américaine et n'avait qu'un aperçu sommaire de la littérature irlandaise. J'avais besoin de matière, donc de faire des recherches historiques pour les deux pays. Quand je lisais l'histoire de l'Irlande je remplissais des fiches sur lesquelles je notais toutes les références à l'Amérique. Quand je lisais l'histoire de l'Amérique je remplissais des fiches sur lesquelles je notais toutes les références à l'Irlande.

Faire des recherches ne suffisait pas. Je devais désormais lire les classiques et découvrir comment ils avaient influencé leurs homologues outre-Atlantique ou comment ceux-ci les avaient influencés. Bien sûr, Yeats avait des liens avec l'Amérique et avait subi des influences. Bien sûr, Edmund Dowden, de Trinity College, était l'un des premiers Européens à avoir défendu Walt Whitman, mais que pouvais-je bien en faire ? Que devais-je dire ? Et tout ce travail, est-ce que ça ne revenait pas à pisser dans un violon ?

J'avais fait d'autres découvertes et m'aventurais loin des sentiers du transcendantalisme américain et de la renaissance littéraire irlandaise. J'avais trouvé des récits de massacres, de bagarres, de luttes et de chants irlandais sur le canal Érié, sur les chemins de fer de l'Union Pacific et même pendant la guerre de Sécession. Dans des camps opposés, les Irlandais s'étaient souvent battus contre leurs propres frères ou cousins. On aurait dit que dès qu'il y avait une guerre les Irlandais se battaient dans les deux camps, même en Irlande. Quand j'étais écolier à Limerick, on nous rebattait les oreilles de la longue et triste histoire des souffrances de l'Irlande sous le joug des Saxons, sans jamais nous parler des Irlandais d'Amérique, de ce qu'ils avaient construit, de leurs combats et de leurs chants. Je découvrais à présent des écrits sur la musique irlandaise en Amérique, le pouvoir et le génie des Irlandais dans la politique américaine, les exploits du 69e régiment, les millions d'Irlandais qui avaient montré le chemin du Bureau ovale à John F. Kennedy. Je lisais des récits sur la manière dont les Yankees avaient pratiqué la discrimination envers les Irlandais dans toute la Nouvelle-Angleterre et la manière dont les Irlandais avaient lutté pour devenir maires, gouverneurs, chefs de parti.

Je stockais à part ces fiches sur l'histoire des Irlandais en Amérique ; elles ont bientôt été plus nombreuses que celles sur les relations littéraires. Ça suffisait à me tenir à l'écart des pubs à l'heure du déjeuner, à m'éloigner de ce travail sur les relations littéraires irlando-américaines.

Pouvais-je changer mon sujet de thèse ? Est-ce que Trinity me permettrait d'exposer certains aspects de la vie des Irlandais en Amérique, la politique, la musique, l'armée, le monde du spectacle ?

Le professeur Walton a répondu que ça ne serait pas possible au sein du département d'anglais. Je semblais m'égarer en histoire et pour cela, il me faudrait l'approbation du département d'histoire, et il doutait que je l'obtienne puisque je n'avais pas de formation en histoire. J'avais déjà passé un an à Trinity et n'en avais plus qu'un pour terminer ma thèse sur les relations littéraires irlando-américaines. Le professeur a déclaré qu'il fallait savoir tenir fermement la barre.

Comment pouvais-je avouer à ma femme à New York que j'avais gaspillé un an à explorer les fossés et les traverses de voies ferrées de l'histoire irlando-américaine alors que j'aurais dû approfondir ma connaissance de la littérature ?

J'ai persévéré à Dublin, faisant de piètres tentatives pour mettre ma thèse en forme. Si j'allais déjeuner dans un pub et m'éclaircissais les idées avec une pinte j'aurais sûrement une idée, un éclair d'inspiration. Sûrement. Mon argent allait sur le comptoir. La pinte revenait. Rien d'autre.

Je m'asseyais sur un banc du parc de Stephen's Green pour reluquer les employées de bureau de Dublin. Accepteraient-elles de s'enfuir avec moi à Coney Island, Far Rockaway, les Hamptons ?

J'observais les canards dans l'étang et les enviais, eux qui étaient sur terre pour faire coin-coin, barboter et ouvrir le bec pour manger leur pitance. Ils n'avaient pas à s'inquiéter à cause d'une thèse qui m'anéantissait. Comment et pourquoi m'étais-je fourré là-dedans ? Bon sang ! J'aurais pu être à New York, content de mon sort, à donner cinq cours par jour, rentrer chez moi, boire une bière, aller au cinéma, roucouler avec ma femme et hop ! au lit.

Oh, mais non. Ce petit snobinard de Frankie venu des bas-fonds de Limerick avait essayé de s'élever au-dessus de son rang, de monter en grade, de se mêler à la classe supérieure, l'élite de Trinity College.

Voilà ce que t'a rapporté, Frankie, ta misérable ambition. Pourquoi ne te précipites-tu pas en bas de la rue pour t'acheter une écharpe de Trinity ? Des fois que ça te remonte le moral, que ça t'aide à rédiger cette étude colossale et inédite sur les relations littéraires irlando-américaines, de 1889 à 1911.

Il y a une expression qui parle de « se reprendre ». J'ai essayé, mais qu'est-ce qu'il y avait à prendre ?

La deuxième année à Dublin s'est écoulée lentement. Je n'arrivais pas à trouver ma voie. Je n'avais ni la personnalité ni l'assurance nécessaires pour m'intégrer à un groupe, faire partie d'une bande, payer ma tournée et faire les commentaires spirituels qu'on attendrait dans un pub irlandais.

J'allais à la bibliothèque et complétais ma montagne de fiches. L'alcool m'embrouillait encore davantage les idées. Je faisais de longues balades en ville, remontant une rue avant d'en redescendre une autre. J'ai rencontré une femme, une protestante, et nous avons couché ensemble. Elle est tombée amoureuse de moi, et je me demandais bien pourquoi.

J'errais dans les rues de Dublin à la recherche d'une issue. J'avais dans l'idée que les étrangers et les voyageurs trouvaient toujours le moyen de connaître une ville, n'importe laquelle. À New York, le mien avait été l'école, les bars et les amis. Il n'y en avait pas pour moi à Dublin et j'ai dû reconnaître, finalement, ce qui m'affligeait : New York me manquait. J'ai d'abord combattu ce sentiment. Va-t'en. Laisse-moi tranquille. J'adore Dublin. Songe à son histoire. Chaque rue évoque le passé. Dublin me faisait rêver quand j'étais enfant, à Limerick. Oui, mais, oui, mais oui, comme dirait mon oncle Pa Keating, Tu vas avoir quarante ans, alors c'est pour aujourd'hui ou pour demain ?

Avant que je quitte Trinity, le professeur Walton a jeté un coup d'œil à mes fiches et s'est exclamé, Oh là là !

En janvier 1971, je suis rentré à New York, thésard loupé. Alberta était enceinte. Nous avions conçu l'enfant l'été précédent, pendant la quinzaine de jours que nous avions passés sur l'île de Nantucket. Je lui ai dit que je pourrais continuer mes recherches à la bibliothèque de la 42e Rue, à New York. Elle était impressionnée par mon sac rempli de fiches, mais voulait savoir en quoi celles-ci m'étaient utiles.

Tous les samedis, je me rendais à la salle de lecture sud de la bibliothèque de la 42e Rue. J'aurais dû aller à celle du nord, au département littérature, mais j'avais dégoté la *Vie des saints* dans la salle sud et le livre était bien trop captivant pour être ignoré. Puis je suis tombé par hasard sur le récit de la construction du chemin de fer transcontinental, la façon dont les Irlandais et les Chinois, venus de directions opposées, avaient rivalisé. Les Irlandais buvaient et s'usaient la santé pendant que les Chinois fumaient de l'opium et se reposaient ; les Irlandais se fichaient de ce qu'ils mangeaient alors que les Chinois se régalaient avec des aliments qu'ils connaissaient et appréciaient ; les Chinois ne chantaient jamais en travaillant alors que les Irlandais ne faisaient que ça – pour tout le bien que ça leur a fait, à ces pauvres tarés d'Irlandais.

Alberta s'est mise en congé maternité et j'ai repris son poste à Seward. Mais au bout d'un mois le proviseur du lycée de Seward Park est mort d'une crise cardiaque. J'ai ensuite rencontré le nouveau proviseur dans l'ascenseur : celui qui m'avait viré du lycée des industries de la mode. J'ai dit, Est-ce que vous me suivez ? et à sa façon de mettre la bouche en cul de poule j'ai compris, une fois encore, que mes jours étaient comptés.

Quelques semaines plus tard, j'ai œuvré à ma propre perte. En présence d'autres enseignants, le proviseur m'a demandé, Alors, monsieur McCourt, vous êtes déjà papa ?

Non, pas encore.

Alors, qu'est-ce que vous préférez, un garçon ou une fille ?

Oh, ça m'est parfaitement égal.

Eh bien, a-t-il dit, tant qu'il n'est pas asexué...

Eh bien, si c'est le cas, il deviendra proviseur.

La lettre m'informant que j'étais « remercié » n'a pas tardé à arriver, signée par le proviseur adjoint (par intérim) Mitchel B. Schulich.

J'échouais partout, je n'avais pas trouvé ma place dans ce monde. Je suis devenu remplaçant, errant d'établissement en établissement. Les lycées m'appelaient au jour le jour pour que je remplace les enseignants souffrants. Certains lycées avaient besoin de moi quand des profs s'absentaient pendant de longues périodes parce qu'ils siégeaient dans un jury. On m'attribuait des classes pour l'anglais ou dès qu'on avait besoin d'un prof : en biologie, en dessin, en physique, en histoire, en mathématiques. Les remplaçants comme moi dérivaient quelque part aux confins de la réalité. Tous les jours on me demandait, Et qui êtes-vous aujourd'hui ?

Mme Katz.

Oh.

Et c'est ce que tu étais : Mme Katz ou M. Gordon ou Mlle Newman. Tu n'étais jamais toi. Tu étais toujours Oh.

Avec les élèves, je n'avais pas la moindre autorité. Les proviseurs adjoints m'informaient de ce que je devais enseigner, mais les élèves n'étaient pas attentifs et je n'y pouvais rien. Ceux qui venaient en classe faisaient comme si je n'étais pas là et bavardaient, me demandaient l'autorisation d'aller aux toilettes, posaient la tête sur leur table et s'endormaient, lançaient des avions en papier, faisaient leurs devoirs dans d'autres matières.

J'ai appris à les décourager de venir en cours : si tu veux te retrouver avec une salle de classe vide, tout ce qu'il y a à faire c'est rester devant la porte de la salle avec un air mauvais. Les élèves se disent que tu es méchant et prennent leurs jambes à leur cou. Seuls les Chinois suivaient encore mon cours. Leurs parents avaient dû les avertir. Ils se mettaient dans le fond et travaillaient, résistant à mes insinuations subtiles les encourageant à se volatiliser, eux aussi. Les proviseurs et leurs adjoints avaient l'air mécontents quand ils m'apercevaient assis derrière mon bureau, en train de lire le journal ou un livre dans une salle de classe presque vide. Ils disaient que j'aurais dû être en train de faire cours. C'est pour ça qu'on m'avait embauché. J'aurais volontiers fait cours, disais-je, mais c'est un cours de physique et j'ai un diplôme d'anglais. Ils savaient que leur question était idiote, mais leur fonction les obligeait à me la poser, Où sont les enfants ? N'importe qui dans n'importe quel lycée connaissait la règle : Quand tu vois un remplaçant, prends tes jambes à ton cou, mec, prends tes jambes à ton cou.

TROISIÈME PARTIE

Résurrection en salle 205

12

UN AN APRÈS MON RETOUR DE DUBLIN, notre vieille amie Arlene Dahlberg m'a présenté à Roger Goodman, le directeur du département d'anglais du lycée Stuyvesant. Il m'a demandé si la perspective de remplacer M. Joe Curran, qui serait en convalescence pendant environ un mois, m'intéressait. Stuyvesant avait la réputation d'être le lycée le plus coté de la ville, le Harvard du secondaire, l'alma mater de plusieurs Prix Nobel, de James Cagney en personne, un établissement qui ouvrait aux garçons et filles qui y étaient admis les portes des meilleures universités du pays. Treize mille candidats venaient chaque année passer le concours d'admission à Stuyvesant et seuls les sept cents premiers étaient acceptés.

J'y enseignais désormais, alors que je n'aurais jamais pu faire partie des sept cents élus.

Quand Joe Curran est revenu, au bout de quelques mois, Roger Goodman m'a proposé un poste de titulaire. Il a précisé que les gamins m'appréciaient, que j'étais un prof énergique, engagé, que je serais un élément précieux pour le lycée. J'étais gêné par ses louanges mais j'ai dit oui et merci. Je me suis promis de n'y rester que deux ans. Tous les enseignants de la ville se disputaient pour travailler au lycée Stuyvesant, mais j'avais envie de m'aventurer dans le monde. Tu ressors d'une journée de travail la tête pleine du vacarme des adolescents, de leurs soucis, de leurs rêves. Ils te poursuivent pendant le dîner, au cinéma, dans la salle de bains, au lit.

Tu essaies de te les sortir de la tête. Allez-vous-en. Allez-vous-en. Je suis en train de lire un livre, le journal, les graffitis sur le mur. Allez-vous-en.

J'avais envie de faire quelque chose d'adulte et d'important, d'assister à des réunions, de dicter des lettres à ma secrétaire, de m'asseoir avec des gens chic autour de grandes tables en acajou dans des salles de conférences, de prendre l'avion pour me rendre à des colloques, de me relaxer dans des bars branchés, d'aller au lit avec des femmes superbes, de les séduire avant et après par quelques remarques spirituelles que je leur aurais chuchotées sur l'oreiller, de faire quotidiennement la navette avec le Connecticut.

Quand ma fille est née, en 1971, mes fantasmes se sont évanouis devant son adorable réalité et j'ai commencé à me sentir bien sur cette terre. Tous les matins, je donnais le biberon à Maggie, changeais ses couches, la baignais dans l'eau chaude et savonneuse de l'évier de notre cuisine, résistais à l'envie de lire le journal parce que cela prenait trop de temps, me mêlais aux heures de pointe à la foule du métro entre Brooklyn et Manhattan, remontais la 15e Rue pour me rendre à Stuyvesant, me frayais un chemin dans la cohue des élèves qui attendaient devant l'entrée, poussais la porte, disais bonjour au concierge, pointais, prenais une pile de copies dans ma boîte aux lettres, saluais les profs qui pointaient, ouvrais la porte de ma salle de classe déserte, la salle 205, ouvrais les fenêtres à l'aide d'une grande perche, m'asseyais et jetais un coup d'œil aux tables vides, me relaxais quelques minutes avant le premier cours, pensais à ma fille qui gazouillait le matin même dans l'évier de la cuisine, regardais la poussière danser dans un rayon de lumière qui traversait la salle, sortais le cahier des présences d'un tiroir et l'ouvrais sur le bureau, effaçais au tableau, datant de la veille, les traces de grammaire française des cours du soir pour adultes, ouvrais la porte de la classe, disais bonjour aux élèves qui se ruaient pour assister au premier cours de la journée.

Roger Goodman disait qu'il était important d'enseigner avec des schémas. Il en appréciait la structure et la beauté euclidienne. Je faisais, Oh ! parce que je n'y connaissais rien en matière de schémas. Il m'entretenait de ces questions pendant le déjeuner au bar-restaurant Gas House, au coin de la rue, près du lycée.

Roger était petit et chauve, et compensait cette calvitie par d'épais et broussailleux sourcils poivre et sel et une courte barbe, qui lui conféraient une pétillante malice.

Il déjeunait avec les enseignants. Ce qui était inhabituel pour un directeur de département ; ceux-ci en général me faisaient penser aux Cabot et aux Lodge [1].

---

1. Riches familles originaires de Boston. Leur nom symbolise l'*establishment* républicain de la côte Est.

À Boston, la ville des haricots et des morues
Les Cabot ne parlent qu'aux Lodge
Et les Lodge ne parlent qu'à Dieu[1].

Certains après-midi, Roger venait au Gas House boire un verre avec nous. Il n'avait pas de manières affectées, semblait toujours enjoué, toujours encourageant : c'était un supérieur avec lequel on se sentait à l'aise. Il ne se donnait pas de grands airs, n'avait pas de prétentions intellectuelles, et tournait en ridicule le charabia administratif. Je ne pense pas qu'il aurait pu parler sans glousser de « stratégie pédagogique ».

Il avait confiance en moi. Il semblait penser que j'aurais pu enseigner indistinctement aux quatre classes du lycée : troisième, seconde, première, terminale. Il m'a même demandé ce que j'aimerais enseigner et m'a conduit dans une salle où les livres étaient classés par années. C'était incroyable de les voir rangés sur des étagères atteignant les plafonds de six mètres de haut, empilés sur les chariots et ensuite transportés dans les salles de classe. Il y avait des anthologies de littérature anglaise, américaine et mondiale, des piles de *Lettre écarlate*, d'*Attrape-cœur*, d'*Oiseau bariolé*, de *Moby Dick*, d'*Arrowsmith*, d'*Intrus*, de *Lit de ténèbres*, d'*Introduction à la poésie* de X. F. Kennedy. Il y avait des dictionnaires, des recueils de poésie, des nouvelles, des pièces de théâtre, des manuels de journalisme et de grammaire.

Emporte tout ce dont tu as envie, a dit Roger, si tu désires autre chose, on peut le commander.

1. Chanson populaire sur Boston.

Prends ton temps. Réfléchis à tout ça ce soir. Allons déjeuner au Gas House.

Cours, livres, déjeuner. Pour Roger, c'était pareil. Il ne changeait pas de casquette. À la fin de la journée, quand les profs faisaient la queue devant la pointeuse et se dépêchaient de rentrer chez eux, il levait les sourcils et t'invitait au coin de la rue pour s'en jeter un, pour la route. Je devais reprendre des forces avant le long trajet jusqu'à mon appartement situé au fin fond de Brooklyn. Parfois, il me raccompagnait chez moi en voiture, les jours où il avait bu trois cocktails il conduisait lentement et avec application. Perché sur le coussin qui rehaussait son petit corps, il tenait le volant comme s'il manœuvrait une péniche. Le lendemain, il avouait qu'il ne se rappelait pas très bien le trajet en voiture.

Pour la première fois depuis le début de ma carrière, je me sentais libre dans une salle de classe. Je pouvais choisir le contenu de mon cours. Si des intrus collaient leur tête contre la porte vitrée, cela ne me dérangeait pas. Lorsque, à de rares occasions, Roger venait effectuer un contrôle, il écrivait des rapports enthousiastes et positifs. Il a brisé ma résistance envers tous ceux qui, dans le monde, occupaient peu ou prou un rang supérieur au mien. Je lui racontais ce que je faisais en cours et ne recevais que des encouragements. Parfois, il glissait un mot ou deux sur la nécessité d'utiliser des schémas pour enseigner la grammaire et je lui promettais que j'essaierais. Au bout d'un moment, c'était devenu une blague entre nous.

J'ai bien essayé, mais sans succès. Je traçais des lignes verticales, horizontales, diagonales, puis restais planté devant le tableau, complètement désemparé, jusqu'à ce qu'un élève chinois se porte volontaire pour prendre la relève et apprendre à l'enseignant ce que l'enseignant aurait dû savoir.

Mes élèves étaient patients, mais je savais par les regards qu'ils échangeaient, et la circulation des petits mots qui passaient des uns aux autres, que je me trouvais dans un désert grammatical. À Stuyvesant, il fallait qu'ils connaissent la grammaire pour leurs cours d'espagnol, de français, d'allemand, d'hébreu, d'italien, de latin.

Roger se montrait compréhensif. Il m'a dit, Peut-être que les schémas ne sont pas ton point fort. Certaines personnes n'y arrivaient pas. Arlene Dahlberg y arrivait. Joe Currain aussi, assurément. Après tout, il sortait de Boston Latin, une école de deux cent cinquante ans, plus vieille que Stuyvesant et, affirmait-il, plus prestigieuse. Pour lui, enseigner à Stuyvesant, c'était une régression. Il savait faire des schémas pour le latin ou le grec et sûrement pour le français et l'allemand. C'est le genre de formation qu'on reçoit, à Boston Latin. Jesse Lowenthal y arrivait, lui aussi, ce qui bien sûr, n'avait rien d'étonnant. C'était le prof le plus âgé du lycée, il portait un élégant costume trois pièces, sur le gilet duquel la chaîne de sa montre en or dessinait une courbe, il avait des lunettes à monture dorée, des manières vieux jeu, une grande érudition. Jesse ne voulait pas prendre sa retraite mais, le jour où il le ferait, il avait prévu de passer ses journées à étudier le grec avant de se laisser dériver vers l'autre monde, des vers d'Homère aux lèvres. Roger aimait à penser qu'il avait dans son établissement un solide noyau de profs qu'on pouvait visualiser d'un seul coup d'œil à l'aide d'un schéma.

Roger trouvait regrettable que Joe Curran lève un

peu trop le coude. Sinon, il aurait pu réciter à Jesse des tonnes d'Homère et, si le cœur lui en disait, du Virgile et du Horace, et surtout celui pour lequel le cœur de Joe penchait, sensible à sa fureur, Juvénal en personne.

À la cantine des profs, Joe m'a dit, Lis Juvénal et tu comprendras ce qui se passe dans ce misérable pays de merde.

Roger disait qu'il était triste pour Jesse. Le voilà au crépuscule de sa vie avec Dieu sait combien d'années d'enseignement dans sa besace. Il n'a plus l'énergie de faire cinq cours par jour. Il a demandé qu'on allège sa charge de travail pour qu'il passe à quatre cours mais non, oh non, le proviseur a dit non, le rectorat a dit non, toute la chaîne administrative a dit non, et Jesse a dit au revoir. Bonjour Homère. Bonjour Ithaque. Bonjour Troie. Il est comme ça, Jesse. Nous allons perdre un professeur formidable et, oh là là, si tu voyais les schémas qu'il fait. Ce qu'il arrivait à faire avec une phrase et un bout de craie, c'était époustouflant. Magnifique.

Si tu demandais aux garçons et aux filles du lycée Stuyvesant d'écrire un texte de trois cent cinquante mots sur n'importe quel sujet ils risquaient de t'en rendre cinq cents. Ils avaient des mots à revendre.

Si tu demandais aux élèves de tes cinq classes d'écrire trois cent cinquante mots chacun tu obtenais 175 multiplié par 350 et tu te retrouvais avec quarante-trois mille sept cent cinquante mots qu'il fallait lire, corriger, évaluer et noter les soirs et les week-ends. Cela dans le cas où tu étais assez malin pour ne leur donner qu'un devoir par semaine. Il fallait corriger les fautes d'orthographe, de grammaire, les faiblesses de construction, les transitions, le manque de rigueur de manière générale. Il fallait faire des suggestions sur le contenu et écrire un commentaire général expliquant la note. Tu leur rappelais qu'il n'y avait pas de bonus pour les copies ornées de ketchup, de mayonnaise, de café, de coca, de larmes, de graisse, de pellicules. Tu leur conseillais fortement de rédiger leurs devoirs sur un bureau ou une table et pas dans le bus, le métro, les escaliers ou dans le brouhaha du Joe's Original Pizza du coin de la rue.

En passant à peine cinq minutes sur chaque copie, sur un seul tas de copies, tu travaillais quatorze heures et trente-cinq minutes. Ce qui équivalait à plus de deux jours de cours, et ton week-end était fichu.

Tu hésitais à demander des fiches de lecture. Elles sont plus longues et sujettes au plagiat.

Chaque jour je rapportais des livres et des copies dans un sac en similicuir marron. J'avais l'intention de m'installer dans un fauteuil confortable et de lire les copies, mais après une journée de cinq cours et cent soixante-quinze adolescents, je n'étais pas enclin à prolonger la journée avec leur travail. Ça pouvait attendre, bon sang ! Je méritais bien un verre de vin ou une tasse de thé. J'attaquerais les copies plus tard. Oui, une bonne tasse de thé et un coup d'œil sur le journal ou bien une promenade dans le quartier ou quelques minutes avec ma petite fille qui me racontait ses histoires d'école et ce qu'elle avait fait avec son amie Claire. En outre, je me devais de feuilleter le journal afin de suivre l'actualité. Un professeur d'anglais doit savoir ce qui se passe dans le monde. Tu ne sais jamais quand un de tes élèves risque de mettre sur le tapis un sujet de politique étrangère ou une nouvelle pièce du Off Broadway. Tu ne voudrais pas te retrouver sur ton estrade, devant la salle, la bouche ouverte et ne sachant que dire.

C'est ça, la vie d'un professeur d'anglais de lycée.

Le gros cartable était posé par terre, dans un coin, près de la cuisine, jamais loin de mes yeux ou de mon esprit, tel un animal, un chien attendant qu'on s'intéresse à lui. Ses yeux me suivaient. Or je ne voulais pas le cacher dans le placard de peur d'oublier complètement mes copies.

À quoi bon essayer de les lire avant le repas. J'attendrais plus tard, filerais un coup de main pour la vaisselle, mettrais ma fille au lit, retournerais travailler. Prends ton cartable, mec. Assieds-toi sur le canapé où tu peux étaler les feuilles, mets un peu de musique sur le tourne-disque ou allume la radio. Rien qui puisse te déconcentrer. Un petit réconfort acoustique. Une mélodie sur laquelle noter les copies. Installe-toi donc sur le divan.

Pose ta tête sur le coussin une minute avant de t'attaquer à la première copie, posée sur tes genoux, « Mon beau-père ce minable ». Encore de l'angoisse d'ado. Ferme les yeux un moment. Ah... laisse-toi aller, prof, laisse-toi aller... Tu flottes. Un léger ronflement te réveille. Des copies par terre. Remets-toi au travail. Feuillette les copies. Bien écrit. Concis. Organisé. Amer. Oh ! les choses que cette fille écrit sur son beau-père, qu'il est un peu trop familier avec elle, qu'il l'invite au cinéma et au restaurant quand sa mère fait des heures supplémentaires. Et cette façon qu'il a de la regarder. La mère dit, Oh, c'est bien, mais il y a quelque chose dans ses yeux, et puis elle se tait. L'auteur se demande ce qu'elle devrait faire. Est-ce qu'elle me pose la question à moi, le prof ? Je devrais faire quelque chose ? Lui répondre, l'aider à résoudre son dilemme ? S'il s'agit toutefois bien d'un dilemme. Fourrer mon nez dans des affaires de famille, là où il n'a rien à faire ? Elle pourrait avoir tout inventé. Et si je dis quelque chose qui reviendra aux oreilles du beau-père ou de la mère ? Je pourrais lire et noter cette copie selon des critères objectifs, féliciter l'auteur pour la clarté de son propos et sa façon de développer le sujet. C'est mon rôle, non ? Je ne suis pas censé me mêler de chaque petite dispute familiale, surtout au lycée Stuyvesant, où ils aiment « laisser les choses s'exprimer ». Les profs me disent que la moitié des gosses suivent une psychothérapie et que l'autre moitié devraient en faire autant. Je ne suis pas assistante sociale, ni psy. Est-ce un appel au secours ou encore un de ces fantasmes d'adolescente ? Non, non, y a trop de problèmes avec ces classes. Les gosses des autres lycées n'étaient pas comme ça. Avec eux, le cours ne tournait pas à la thérapie de groupe. À Stuyvesant, c'est différent. Je pourrais passer cette copie au conseiller d'éducation. Tiens, Sam, occupe-toi de ça. Si je ne le faisais pas, et qu'il apparaisse plus tard que le beau-père avait violé la fille et que tout le monde sache que je n'étais pas intervenu, toutes les instances hiérarchiques du système éducatif me convoqueraient dans leur bureau : proviseur adjoint, proviseur, recteur. Ils demanderaient des explications. Comment avez-vous pu, vous, un professeur expérimenté, laisser faire ça ? Peut-être même mon nom surgirait-il en page trois des tabloïds.

Note quelques remarques au stylo rouge. Mets-lui

19,5. Le style est excellent, mais il y a des fautes d'orthographe. Félicite-la pour son style honnête et mûr, et dis-lui, Janice, vous êtes une élève très prometteuse et il me tarde de vous lire à nouveau au cours des semaines à venir.

Je veux leur ôter certaines idées de la tête, notamment sur la vie privée des enseignants. Je leur dis, Choisissez un de vos professeurs. Ne dites son nom à personne. Ne l'écrivez pas. À présent, émettez des hypothèses. Que fait le professeur – homme ou femme – chaque jour, ses cours terminés ? Où va-t-il ?

Vous savez. Après les cours, le prof rentre directement chez lui. Transporte un cartable bourré de copies qu'il faut lire et corriger. Bois peut-être une tasse de thé avec son conjoint. Oh, non. Un prof ne boirait jamais un verre de vin. Ça ne fait pas partie des habitudes des profs. Ils ne sortent pas. Éventuellement un film le week-end. Ils dînent. Ils mettent leurs gosses au lit. Ils regardent les informations avant de s'atteler à une soirée consacrée à la correction des copies. À 23 heures, une autre tasse de thé ou un verre de lait chaud pour les aider à dormir. Ils passent un pyjama, embrassent leur conjoint et sombrent.

Les pyjamas des profs sont obligatoirement en coton. De quoi aurait l'air un prof avec un pyjama en soie ? Et, non, ils ne dorment jamais nus. Si tu évoques la nudité, les élèves prennent un air choqué. Mec, t'arrives à imaginer certains profs de ce lycée à poil ? Cela déclenche immanquablement un éclat de rire général et je me demande s'ils sont en train de m'imaginer tout nu.

À quoi pensent les profs avant de s'endormir ?

Juste avant, tous ces profs, bien au chaud dans

leur pyjama en coton, ne pensent qu'aux cours qu'ils vont faire le lendemain. Les profs sont gentils, propres, professionnels, consciencieux, et ils ne font jamais la bête à deux dos. En dessous de la ceinture, le prof est mort.

En 1974, au bout de trois ans au lycée Stuyvesant, on me demande de diriger l'atelier d'écriture. Roger Goodman dit, C'est dans tes cordes.

Je ne connais rien à l'écriture et encore moins à la manière de l'enseigner. Roger m'explique que je ne dois pas m'inquiéter. Dans ce pays, des centaines d'enseignants et de professeurs d'université animent des ateliers d'écriture et, pour la plupart, ils n'ont jamais publié une ligne.

Et regarde-toi, par exemple, dit Bill Ince, le successeur de Roger. Tu as déjà été publié à droite à gauche. Je lui réponds que quelques textes dans le *Village Voice, Newsday* et dans une défunte revue de Dublin m'apportent difficilement les qualifications requises pour enseigner l'écriture. Il sera bientôt de notoriété publique que je suis une buse en la matière. Mais je me souviens de ce que disait ma mère : Dieu seul nous sauvera, mais parfois il faut savoir saisir sa chance.

Je n'arrive jamais à dire que j'enseigne l'écriture ou la poésie ou la littérature, puisque je suis toujours en train d'apprendre. Alors, je dis que je dirige une classe, ou que je donne un cours.

Je continue de faire mes habituels cinq cours par jour, trois cours d'anglais « normaux », deux ateliers d'écriture. Je suis le prof principal d'une classe de trente-sept élèves, avec tout le travail administratif qui s'y rattache. Chaque semestre, on me confie une nouvelle tâche : faire des rondes dans les couloirs et les escaliers ; vérifier qu'il n'y ait pas de fumeurs planqués dans les toilettes des garçons ; remplacer les professeurs absents ; prévenir un éventuel trafic de drogue ; décourager les amusements en tout genre ; surveiller la cantine des élèves ; surveiller l'entrée de l'établissement afin de s'assurer que tous ceux qui entrent ou sortent ont une autorisation en bonne et due forme. Quand trois mille élèves brillants sont regroupés sous le même toit, on n'est jamais trop prudent. Ils manigancent toujours quelque chose. Ils sont là pour ça.

Ils ont gémi quand je leur ai annoncé que nous allions étudier *Paris et Londres en 1793*. Pourquoi ne pouvaient-ils pas étudier *Le Seigneur des Anneaux*, *Dune*, ou de la science-fiction en général ? Pourquoi ?

Assez. Je me suis lancé dans une diatribe sur la Révolution française, le désespoir d'un peuple écrasé par la tyrannie et la pauvreté. Je compatissais avec les Français opprimés et me gargarisais de ma vertueuse indignation. Aux barricades, *mes enfants*[1].

Ils m'ont regardé, l'air de penser, Et c'est reparti. Encore un prof qui fait une fixette.

Non que ça vous intéresse, ai-je raillé. Aujourd'hui encore, des milliards de gens ne s'arrachent pas tous les matins à leurs agréables draps immaculés pour aller se soulager dans d'agréables toilettes immaculées. Il y a des milliards de gens qui ne connaissent pas le chauffage et l'eau courante, le parfum, le savon, le shampoing, l'après-shampoing, de grandes et somptueuses serviettes aussi épaisses que votre crâne.

---

1. En français dans le texte.

Leurs visages disaient, Oh, laisse pisser le mérinos. Tu perds à tous les coups avec un prof comme ça. Il n'y a rien à faire. Si tu réponds, il va sortir son vieux stylo rouge et écrire la petite annotation qui fera baisser ta note. Et alors ton père va te dire, Qu'est-ce que c'est que ça ? et tu vas devoir expliquer que ton prof fait une fixette sur les pauvres ou je ne sais quoi. Ton père ne va pas te croire et tu vas te retrouver privé de sorties pour un million d'années. Alors, la meilleure chose à faire c'est de la fermer. Que ce soit avec les parents ou les profs tu ne peux rien dire de mal si tu la fermes. Contente-toi de l'écouter.

Aujourd'hui vous allez rentrer dans vos appartements et vos maisons douillettes, vous foncerez sur le frigo, ouvrirez la porte, regarderez ce qu'il y a dedans, ne trouverez rien qui vous fasse envie, demanderez à votre mère si vous pouvez commander une pizza bien que le dîner soit prévu dans une heure. Elle dira, D'accord, chéri, parce que vous avez la vie dure, à devoir aller à l'école tous les jours et supporter des profs qui veulent vous faire lire du Dickens alors pourquoi n'auriez-vous pas droit à une petite récompense.

Même pendant ma diatribe je savais qu'il ne voyaient en moi qu'un gros faux jeton lourdingue et emmerdeur de plus. Est-ce qu'ils savaient que ça me plaisait ? Le prof est un démagogue. Ce n'était pas leur faute si c'étaient des bourgeois et des privilégiés et n'étais-je d'ailleurs pas en train de perpétuer cette bonne vieille rancune traditionnelle propre aux Irlandais ? Alors, bas les pattes, Mac.

Au premier rang, sous mon nez, Sylvia lève la main. Elle est noire, menue et élégante.

M'sieur McCourt.

Oui.
M'sieur McCourt.
Quoi ?
Vous déraillez, m'sieur McCourt. Calmez-vous. Détendez-vous. Où est passé votre bon vieux sourire d'Irlandais ?
J'étais sur le point d'aboyer que la souffrance des Français miséreux à l'origine de la Révolution n'était pas censée provoquer le sourire, mais les élèves ont couvert ma voix de leurs rires et des applaudissements destinés à Sylvia.
Ouais, Sylvia. Vas-y, ma grande.
Elle m'a souri. Oh, ces immenses yeux marron. Je me suis senti tout faible et complètement idiot. Je me suis laissé tomber sur ma chaise et les ai écoutés plaisanter jusqu'à la fin de l'heure sur les différentes manières qu'ils auraient de s'amender. Ils se montreraient dignes de Charles Dickens. Ils commenceraient par renoncer à la pizza de l'aprèm. Ils enverraient l'argent ainsi économisé aux descendants des pauvres français révolutionnaires. Ou ils le donneraient aux sans-abri de la Première Avenue, surtout au clochard qui se sentait insulté quand on lui donnait moins de cinq dollars.
Le cours terminé, Ben Chan a traîné dans la salle. M'sieur McCourt, je peux vous parler ?
Il comprenait ce que j'avais dit sur la pauvreté. Les mômes de cette classe ne comprenaient rien. Mais ce n'était pas leur faute et il ne fallait pas que je m'énerve. Il avait douze ans quand il était arrivé dans ce pays, quatre ans auparavant. Il ne parlait pas anglais mais il avait travaillé dur et il avait suffisamment progressé en anglais et en mathématiques pour réussir l'examen d'entrée du lycée Stuyvesant. Il était heureux d'être ici et sa famille était fière de

lui. Ceux qui étaient restés en Chine aussi étaient fiers de lui. Il avait rivalisé avec quatorze mille mômes pour être admis dans cette école. Son père travaillait six jours par semaine, douze heures par jour, dans un restaurant de Chinatown. Sa mère se faisait exploiter dans un atelier du centre-ville. Tous les soirs, elle faisait la cuisine pour la famille au complet, les cinq enfants, son mari, elle-même. Puis elle les aidait à préparer leurs habits pour le lendemain. Chaque mois, elle faisait essayer les vêtements des plus âgés aux plus jeunes pour voir s'ils leur allaient. Elle disait que quand tout le monde aurait grandi et que plus aucun vêtement n'irait à personne, elle les garderait pour la prochaine famille qui arriverait de Chine ou qu'elle les enverrait là-bas. Les Américains ne pourraient jamais comprendre l'excitation qui s'empare d'une famille chinoise quand elle reçoit un paquet d'Amérique. Sa mère s'assurait que les enfants s'installaient à la table de la cuisine et faisaient leurs devoirs. Ben n'avait pas le droit de s'adresser à ses parents en utilisant des mots idiots comme Maman ou Papa. Cela serait irrespectueux. Les Chan apprenaient des mots d'anglais tous les jours afin de pouvoir parler aux professeurs et de se maintenir au niveau de leurs enfants. Ben a dit que tous les gens de sa famille respectaient les autres et qu'ils ne se seraient jamais moqués d'un prof qui parlait des pauvres gens vivant en France parce qu'ils auraient pu tout aussi bien vivre en Chine ou même à Chinatown, ici, à New York.

Je lui ai dit que l'histoire de sa famille était impressionnante et émouvante et ne serait-ce pas rendre hommage à sa mère que d'en faire le sujet d'un texte qu'il lirait devant les autres élèves ?

Oh, non, il ne pourrait jamais faire ça. Jamais.

Pourquoi pas ? Les autres apprendraient sûrement quelque chose et lui en seraient reconnaissants.

Il a dit que non, il ne pourrait jamais rien écrire sur sa famille ni en parler à quiconque, sa mère et son père en auraient eu honte.

Ben, je suis flatté que tu m'aies parlé de ta famille.

Euh, je voulais juste vous dire quelque chose que je ne pouvais dire à personne d'autre au cas où vous ne vous seriez pas senti très bien après ce cours.

Merci, Ben.

Merci, m'sieur McCourt, et ne vous inquiétez pas pour Sylvia. Elle vous apprécie énormément.

Le lendemain, Sylvia, est restée à la fin du cours. M'sieur McCourt, pour hier. Je ne voulais pas être méchante.

Je sais, Sylvia. Tu as essayé de faire de ton mieux.

Les autres non plus ne voulaient pas être méchants. C'est juste que les adultes et les profs n'arrêtent pas de leur crier dessus. Mais je comprenais ce que vous disiez. J'en vois des vertes et des pas mûres, tous les jours, quand je me promène dans ma rue à Brooklyn.

C'est-à-dire ?

Eh bien, c'est comme ça. Je vis au croisement de Bedford et de Stuyvesant. Vous connaissez Bed-Stuy ?

Oui. C'est un quartier noir.

Donc dans ma rue, y a personne qu'ira jamais à l'université. Aïe.

Qu'est-ce qu'il y a ?

J'ai dit « qu'ira ». Si ma maman m'entendait dire « qu'ira » elle me ferait écrire cent fois « qui ira ». Elle m'obligerait à le dire encore cent fois. Alors, ce que je veux dire, c'est que quand je rentre chez moi il y a des jeunes dehors qui se moquent de moi. Oh, regardez qui c'est qui vient ! Mais c'est face de craie. Hé, Toubib, c'est parce que tu t'es grattée que t'as remarqué que t'avais cette peau de blanc-bec ? Ils m'appellent Toubib passque j'ai envie, parce que j'ai envie, de devenir médecin. Évidemment que je les plains, ces pauvres Français, mais nous aussi on a nos problèmes à Bed-Stuy.

Et tu veux te spécialiser en quoi, en médecine ?

Pédiatrie ou psychiatrie. Je veux m'occuper des enfants avant que la rue s'occupe d'eux et leur dire que ça craint parce que je vois les jeunes dans mon quartier qui ont peur de montrer qu'ils sont intelligents et après ils font des bêtises dans des terrains vagues ou des immeubles abandonnés. Vous savez, y a beaucoup, il y a beaucoup, de gosses intelligents dans les quartiers pauvres. M'sieur McCourt, vous nous raconterez une histoire sur l'Irlande, demain ?

Pour toi, Docteur Sylvia, je pourrais réciter une épopée. Elle est gravée à jamais dans ma mémoire. Quand j'avais quatorze ans, que j'étais en Irlande, j'étais porteur de télégrammes. Un jour, j'apportais un télégramme dans un endroit appelé le couvent du Bon Berger, une communauté de nonnes et de femmes laïques, dentellières et blanchisseuses. Des rumeurs couraient à Limerick, selon lesquelles les laïques de la blanchisserie étaient des femmes de mauvaise vie qui avaient suborné des hommes. Les porteurs de télégrammes n'avaient pas le droit de passer par la porte de devant, alors je suis entré par une porte dérobée. Comme le télégramme que j'apportais nécessitait une réponse, la nonne qui est venue m'ouvrir m'a dit d'entrer, jusqu'ici mais pas plus loin, et d'attendre. Elle a posé sur une chaise la pièce de dentelle sur laquelle elle travaillait et s'est éclipsée dans le couloir. J'ai alors regardé le motif, un petit chérubin voltigeant au-dessus d'un trèfle. Je ne sais pas où j'ai puisé mon courage, mais quand elle est revenue je lui ai dit, Cette dentelle est ravissante, ma sœur.

Tu as raison, petit, et souviens-toi de ceci : Les mains qui ont fabriqué cette dentelle n'ont jamais touché la chair d'un homme.

La nonne m'a foudroyé du regard, comme si elle me détestait. Le dimanche, les curés prêchaient toujours l'amour, mais cette nonne ne devait jamais aller assister au sermon, et je me suis promis que si j'avais un autre télégramme à porter au couvent du Bon Berger, je le glisserais sous la porte avant de détaler.

Sylvia a dit, Cette nonne, pourquoi elle était si méchante ? C'était quoi, son problème ? Pourquoi est-ce grave de toucher la chair d'un homme ? Jésus, c'était un homme. Elle fait comme ce méchant curé dans James Joyce qui parle de l'enfer. Vous croyez à tous ces trucs, m'sieur McCourt ?

Je ne sais pas à quoi je crois hormis que je ne suis pas venu au monde pour être catholique, ni irlandais, ni végétarien, ni rien. C'est tout ce que je sais, Sylvia.

Quand j'ai parlé du *Portrait de l'artiste en jeune homme* avec mes élèves, j'ai découvert qu'ils ne connaissaient pas les sept péchés capitaux. Regards vides dans toute la salle. J'ai écrit au tableau : l'orgueil, l'avarice, la luxure, la colère, la gourmandise, la jalousie, la paresse. Si vous ne les connaissez pas, comment arrivez-vous à vous amuser ?

Mais, euh, m'sieur McCourt, quel rapport avec l'atelier d'écriture ?

Tout. Vous n'avez pas besoin d'être pauvre ou catholique ou irlandais pour être malheureux, mais ça donne de la matière pour écrire et une excuse pour boire. Une seconde, je retire ce que je viens de dire. Oubliez ce que j'ai dit sur la boisson.

Quand mon mariage a capoté, j'avais quarante-neuf ans, Maggie en avait huit. J'étais fauché et j'ai logé chez une kyrielle d'amis qui habitaient Brooklyn et Manhattan. L'enseignement m'obligeait à mettre mes soucis de côté. J'avais le droit de pleurer devant ma bière au Gas House ou au Lion's Head, mais en classe, il fallait continuer à faire tourner la boutique.

D'ici quelque temps, je pourrai emprunter de l'argent au fonds de retraite de l'Éducation nationale pour louer et meubler un appartement. En attendant, Yonk Kling m'avait invité à rester dans l'appartement qu'il louait sur Hocks Street, près d'Atlantic Avenue.

Yonk était artiste et restaurateur de tableaux, il avait une soixantaine d'années. Il venait du Bronx, où son père avait été un médecin gauchiste. Tous les révolutionnaires ou les anarchistes de passage à New York se voyaient chaleureusement offrir le gîte et le couvert chez le Dr Kling. Yonk avait passé la Seconde Guerre mondiale dans le service des sépultures. Après une bataille il parcourait le terrain à la recherche de cadavres ou de morceaux de cadavres.

Il m'a raconté qu'il n'avait jamais voulu se battre mais que c'était encore pire, et il avait souvent eu envie de demander à être transféré dans l'infanterie, où il suffisait de tirer sur l'ennemi et d'avancer. Tu n'étais pas obligé de tripoter les plaques d'identification des morts ou de chercher les photos de leur femme et de leurs mômes dans leur portefeuille.

Yonk en faisait encore des cauchemars et le meilleur remède à ça, sa meilleure défense, restait une généreuse rasade de brandy, dont il gardait toujours une bouteille dans sa chambre. Je pouvais évaluer la fréquence de ses cauchemars en jaugeant le niveau de la bouteille.

Il peignait dans sa chambre. Il allait du lit à la chaise et de la chaise au chevalet et tout servait à tout. Au réveil, il restait au lit, fumait une cigarette, scrutait le tableau sur lequel il avait travaillé la veille. Il allait chercher sa tasse de café dans la cuisine et la rapportait dans la chambre, où il s'asseyait sur une chaise pour continuer à regarder la toile. Il peignait par petites touches, de temps en temps, pour corriger ou effacer quelque chose. Il ne finissait jamais son café. On trouvait des tasses à moitié pleines dans tout l'appartement. Lorsque le café refroidissait, il s'épaississait et un cercle se formait à mi-hauteur de la tasse.

Il ne se lassait pas de peindre et de repeindre une certaine scène sur des toiles de tailles différentes : un groupe de femmes avec des foulards pastel et éclatants et de longues robes de soie flottantes, assises sur une plage et regardant la mer. Je lui ai demandé si quelqu'un s'était noyé ou si elles attendaient quelque chose ? Il a secoué la tête. Il ne savait pas. Comment aurait-il pu ? Il s'était contenté de placer ces femmes là, point final. C'est ce qu'il n'appréciait pas chez certains artistes ou écrivains. Ils intervenaient et montraient tout du doigt, comme si les gens étaient incapables de voir ou de lire par eux-mêmes. Pas Van Gogh. Prends Van Gogh. Tu as un pont, un tournesol, un visage, une paire de chaussures. Tu tires tes propres conclusions. Van Gogh ne t'explique pas.

Il avait deux autres sujets de conversation : les courses de chevaux et la danse hassidique. Il me montrait les chevaux en train de prendre un virage. C'est là que le corps des chevaux est le plus fluide, disait-il. Tout le monde peut peindre un cheval devant la barrière ou en tête du sprint final. C'est rien qu'un cheval, des naseaux jusqu'à la queue, mais quand ils surgissent dans une courbe, mec, ils se penchent et se tendent et se tordent, épousant la forme du virage, cherchant leur position pour le sprint final.

Les hassidim étaient dingues : six hommes en costume noir, chapeau noir et long manteau noir, cheveux et barbe au vent. On entendait presque tourbillonner le gémissement de la clarinette et le grincement du violon.

Yonk disait qu'il se foutait de la religion, du judaïsme et tout le tintouin, mais que si tu pouvais danser pour te rapprocher de Dieu comme le faisaient les hommes de son tableau alors il était d'accord avec eux.

À l'hippodrome d'Aqueduct je l'observais à l'œuvre. Il semblait être le seul de l'hippodrome à s'intéresser à ce qu'il appelait les rosses traînardes, celles qui s'attardaient en fin de piste. Il ne faisait pas attention aux chevaux qui étaient entraînés dans le cercle du vainqueur. Gagner c'était gagner, mais perdre t'obligeait à mettre la main à la poche. Avant de connaître Yonk, je ne voyais qu'une bande de chevaux qui allaient d'un point à un autre, galopant à toute allure jusqu'à ce que l'un d'eux gagne. À travers ses yeux, je découvrais un hippodrome inconnu. Je ne savais rien de l'art ou de la conscience de l'artiste mais je savais qu'il emportait chez lui des images de chevaux et de jockeys.

À la tombée de la nuit, il m'invitait à boire un brandy dans sa chambre, à l'angle de l'immeuble, qui donnait sur Atlantic Avenue, du côté des quais. Des camions grondaient en remontant l'avenue, sifflant et soufflant quand ils changeaient de vitesse au feu rouge tandis que les ambulances du Centre Hospitalier universitaire de Long Island hurlaient de jour comme de nuit. On apercevait le néon clignotant de l'enseigne rouge du Montero's Bar, lieu de rencontre pour les marins débarqués de cargos ou de porte-conteneurs, où les femmes de la nuit leur réservaient un accueil chaleureux à Brooklyn.

Pilar Montero et son mari, Joe, possédaient le bar d'Atlantic Avenue et l'immeuble au-dessus. Elle avait un appartement libre que je pouvais occuper pour deux cent cinquante dollars par mois. Elle me donnerait un lit, des tables et des chaises et, Je sais que vous y serez bien, Frankie. Elle disait qu'elle m'aimait bien parce qu'une fois j'avais dit que je préférais les binious espagnols aux binious irlandais et que je n'étais pas comme les autres Irlandais, qui cherchaient toujours la bagarre, la bagarre, la bagarre, ne voulant jamais rien faire d'autre.

L'appartement donnait sur Atlantic Avenue. Devant ma fenêtre, l'enseigne MONTERO'S BAR s'allumait et s'éteignait, faisant passer mon salon de l'écarlate au noir et du noir à l'écarlate tandis qu'en dessous, dans le juke-box, les Village People chantaient et martelaient « YMCA ».

Je n'aurais jamais pu dire à mes élèves que je vivais au-dessus d'un des derniers bars des quais de Brooklyn, que chaque nuit je luttais contre le charivari des marins, que je me fourrais du coton dans les oreilles pour étouffer les hurlements et les rires des filles à marins qui offraient de l'amour, qu'au-dessous de chez moi, les *boum-boum* du juke-box et les Village People qui chantaient « YMCA » me faisaient chaque soir tressauter dans mon lit.

13

AU DÉBUT DE CHAQUE SEMESTRE, je disais à mes nouveaux élèves de l'atelier d'écriture, Nous sommes dans le même bateau. Je ne sais rien de vous, mais je prends ce cours au sérieux et je suis sûr d'une chose : à la fin de ce semestre, une personne dans cette classe aura appris quelque chose, et cette personne, mes jeunes amis, ce sera moi.

Je trouvais assez habile cette manière de me présenter comme le plus passionné de tous, de m'élever au-dessus des masses, des paresseux, des opportunistes, des indifférents.

L'anglais était une matière obligatoire, mais l'atelier d'écriture était optionnel. Ils n'étaient pas obligés de venir. Ils sont venus. Ils se ruaient à mon cours. La salle était pleine à craquer. Ils s'asseyaient sur le rebord des fenêtres. Une prof, Pam Sheldon, a déclaré, Pourquoi ne le laisse-t-on pas faire cours au Yankee Stadium ? C'est dire si j'avais la cote.

D'où venait cet enthousiasme pour « l'atelier d'écriture » ? Les garçons et les filles avaient-ils soudain eu envie de s'exprimer ? Était-ce la maestria de mon enseignement, mon charisme, mon charme gaélique ? L'œuvre des vieux clichés irlandais ?

Ou bien le bruit courait-il que McCourt se contentait de tchatcher pendant des heures avant de distribuer des bonnes notes comme si c'étaient des cacahouètes ?

Je ne voulais pas avoir la réputation de noter large. Il allait falloir que je durcisse mon image. Fermeté. Rigueur. Concentration. On parlait des autres professeurs avec crainte et respect. Là-haut, au cinquième étage, Phil Fisher enseignait les mathématiques et terrorisait tous ceux qui se retrouvaient devant lui. La rumeur descendait les étages. Si un élève peinait sur un sujet ou n'avait pas l'air intéressé, Phil beuglait, Chaque fois que vous ouvrez la bouche vous ajoutez à la somme totale de l'ignorance humaine, ou Chaque fois que vous ouvrez la bouche vous soustrayez à la somme totale de la sagesse humaine. Il ne comprenait pas que le cerveau humain puisse éprouver des difficultés avec le calcul différentiel ou la trigonométrie. Il se demandait pourquoi ces sales petits bourricots n'arrivaient pas à saisir l'élégante simplicité de tout cela.

À la fin du semestre, ces sales petits bourricots pavoisaient parce qu'il leur avait mis la moyenne et se vantaient de leur exploit. Phil Fisher ne pouvait vous laisser indifférent.

Ed Marcantonio était le directeur du département de mathématiques. La salle dans laquelle il faisait cours se trouvait face à la mienne. Il enseignait la même matière que Phil Fisher, mais sa classe était un havre de raison et de sérieux. Un problème était posé, et pendant quarante minutes il guidait et amenait sa classe à le résoudre avec style. Quand la sonnerie retentissait, ses élèves, satisfaits, circulaient calmement dans les couloirs, et lorsqu'ils avaient la moyenne au cours d'Ed ils savaient qu'ils l'avaient bien méritée.

Les adolescents n'apprécient pas toujours d'être ballottés dans une mer d'hypothèses et d'incertitudes. Ils sont contents de savoir que Tirana est la capitale de l'Albanie. Ils n'aiment pas que M. McCourt dise, Pourquoi Hamlet est-il méchant avec sa mère, ou pourquoi ne tue-t-il pas le roi quand il en a l'occasion ? C'est bien joli de passer toute l'heure à discutailler de ces questions, mais on aimerait bien connaître la réponse avant que cette satanée sonnerie retentisse. Pas avec McCourt, mec. Il pose des questions, lance des suggestions, sème le trouble, et tu sais que ça va bientôt sonner et au fond de toi tu te dis, Allez, allez, c'est quoi la réponse ? et il continue de dire, Qu'en pensez-vous ? Qu'en pensez-vous ? et la sonnerie retentit et tu te retrouves dans le couloir sans rien savoir, et tu regardes les autres gamins de ta classe qui font signe que ce type est dingo et se demandent d'où il vient. Les élèves du cours de Marcantonio se promènent dans le couloir, arborant une expression paisible qui veut dire, On connaît la réponse. On a la solution. Une fois, juste une fois, tu aimerais que McCourt ait la réponse à quelque chose, mais non, il te renvoie à toi-même. C'est peut-être comme ça qu'ils font en Irlande, mais faudrait que quelqu'un lui dise qu'on est en Amérique et qu'ici, on aime bien les réponses. À moins qu'il ne connaisse pas les réponses, et que donc, il nous renvoie à nous-mêmes.

J'avais envie d'enseigner l'anglais avec la passion

de Fisher et la maîtrise de Marcantonio. C'était agréable de savoir que des centaines d'élèves voulaient suivre mes cours, mais je me demandais pour quel motif. Je n'avais pas envie d'être catalogué. Oh, le cours de McCourt, c'est de la daube. On fait que parler. Ça jacasse et jacasse et jacasse. Si t'as pas A dans ce cours, mec, c'est que t'es franchement débile.

Yonk Kling sirotait son brandy de l'après-midi chez Montero. Il m'a dit que j'avais une sale tête.

Merci, Yonk.

Prends un verre.

Je ne peux pas. J'ai un million de copies à corriger. Bon, je vais prendre un verre de rioja, Pilar.

Bravo, Frankie. T'aimes le biniou espagnol. T'aimes le rioja. Dégote-toi une jolie petite Espagnole. Elle ne te laissera pas quitter le lit du week-end.

Je me suis assis au comptoir, sur un tabouret, et lui ai raconté ce qui m'arrivait : Je pense que je suis trop coulant. On ne respecte pas les profs coulants. À Stuyvesant, il y a un prof surnommé Les Doigts dans le Nez. Moi, je veux qu'ils méritent leurs notes. Qu'ils me respectent. Ils s'inscrivent à mon cours par centaines. Ça m'ennuie, l'idée que ces mômes pensent que je surnote. Une mère est venue au lycée pour me supplier de prendre sa fille en cours. Elle était divorcée et m'a proposé de passer un week-end avec moi en échange, dans le lieu de mon choix. J'ai dit non.

Yonk a secoué la tête et a dit que parfois je n'étais pas une lumière, que j'avais un côté cul serré et que si je ne me détendais pas un peu j'allais virer quinquagénaire malheureux. Bon sang, mec. T'aurais pu t'en payer une bonne tranche. Un week-end avec la mère, la petite fille promise à un grand avenir d'écrivain. Qu'est-ce qui cloche chez toi ?

Ce serait manquer de respect.

Oh, tu nous emmerdes avec ton respect. Reprends un verre de rioja. Non, Pilar, remets-lui un coup de brandy espagnol, c'est pour moi.

D'accord, mais faut que j'y aille mollo, Yonk. Avec ce tas de copies. Cent soixante-dix copies, de trois cent cinquante mots chacune si j'ai de la chance, cinq cents si j'en ai pas. Je croule.

Il a dit que je méritais deux brandys, et qu'il ne comprenait pas comment je m'en sortais. Il a dit, Vous, les profs, je pige pas comment vous vous en sortez. Si jamais j'étais prof, j'aurais qu'une chose à dire à ces petits cons : Vos gueules. Vos gueules, c'est tout. Dis-moi. Est-ce que t'as accepté la petite en cours ?

Oui.

Et l'offre de la mère tient toujours ?

Je pense que oui.

Et tu restes assis là à boire du brandy espagnol quand tu pourrais partir en week-end, dans le lieu de ton choix, et perdre ainsi ton intégrité de prof ?

Après quinze ans passés dans quatre lycées différents – le lycée McKee, le lycée des industries de la mode, Seward-Park, Stuyvesant – et la fac de Brooklyn, je développe les mêmes comportements instinctifs qu'un chien. Quand de nouveaux élèves débarquent en septembre ou en février, j'arrive à flairer leur composition chimique. Je regarde de quoi ils ont l'air et ils regardent de quoi j'ai l'air. Je repère les archétypes : les enthousiastes, pleins de volonté ; les décontractés ; les m'as-tu-vu ; les indifférents ; les belliqueux ; les opportunistes qui sont là parce qu'ils ont entendu dire que je mettais de bonnes notes ; les amoureux qui viennent simplement pour être aux côtés de leur bien-aimé.

Dans ce lycée, il faut capter leur attention, les défier. Les voilà qui s'assoient, un rang après l'autre, le visage rayonnant d'intelligence, les yeux levés vers moi, attendant que je fasse mes preuves. Avant Stuyvesant, j'étais davantage contremaître qu'enseignant. Je perdais du temps en banalités et à faire régner la discipline : à leur demander de s'asseoir, d'ouvrir leur cahier, à remplir des autorisations de sortie, à répondre à leurs récriminations. Désormais, je n'avais plus affaire à des comportements turbulents.

Plus de plaintes parce qu'un élève s'était fait bousculer ou en avait bousculé un autre. Plus de sandwichs volants. Plus d'excuses pour ne pas faire cours.

Si tu n'es pas efficace, tu perdras leur estime. Les occuper à ne rien faire est une insulte. Ils savent quand tu parles pour ne rien dire ou quand tu cherches à gagner du temps.

C'est avec un mélange de politesse et d'applaudissements que le public accueille les comédiens de Broadway. Ils ont payé leur billet très cher. Ils s'agglutinent près de l'entrée des artistes et demandent des autographes. Au lycée, les profs donnent cinq représentations par jour. Leur public s'évapore dès que la sonnerie retentit et on ne leur demande des autographes que pour l'annuaire du lycée, le jour de la remise des diplômes.

Tu peux parfois berner certains mômes, mais ils

savent quand tu mets ton masque, et tu sais qu'ils le savent. Tu ne peux pas tricher, avec eux. Si tu te contredis ils crient, Hé ! c'est pas ce que vous avez dit la semaine dernière. Tu as devant toi leurs années d'expérience, leur vérité collective, et si tu persistes à te cacher derrière ton masque de prof tu les perds. Même s'ils se mentent à eux-mêmes et mentent aux autres, ils réclament de l'honnêteté chez leur professeur.

À Stuyvesant, quand je ne savais pas quelque chose, j'avais choisi la franchise. Je ne sais pas, mes amis. Non, je n'ai jamais lu *Bède le Vénérable*. Je n'ai qu'une vague idée du transcendantalisme. John Donne et Gerard Manley Hopkins peuvent être ardus. Je ne connais pas très bien l'histoire de la « Louisiana Purchase [1] ». J'ai parcouru Schopenhauer et me suis endormi en lisant Kant. Ne me parlez même pas de maths. Je connaissais la signification d'« idoine » mais soudain elle m'échappe. Je suis imbattable sur « usufruit ». Je suis désolé, je n'ai pas réussi à finir *La Reine des fées*. Je ressaierai un jour, dès que j'aurai réglé son compte à la métaphysique.

Je ne me servirai pas de mon ignorance comme d'un paravent. Je ne me réfugierai pas derrière les lacunes de mon éducation. J'élaborerai un programme d'auto-perfectionnement pour devenir un meilleur prof : discipliné, traditionnel, érudit, ingénieux, prêt à répondre aux questions. Je me plongerai dans l'Histoire, l'art, la philosophie, l'archéologie. Je me réapproprierai le faste de la langue et de la littérature anglaises depuis les Angles, les Saxons et les Jutes jusqu'aux Normands, aux élisabéthains, aux néoclassiques,

1. Cession de la Louisiane aux États-Unis par Bonaparte (1803).

aux romantiques, aux victoriens, aux edwardiens, aux poètes de guerre, aux structuralistes, aux modernistes, aux post-modernistes. Je trouverai une idée et retracerai son évolution, depuis une caverne en France jusqu'au bureau de Philadelphie où Franklin et les autres ont élaboré la Constitution des États-Unis. Je frimerai un peu, sans doute, et ils ricaneront peut-être, mais qui peut en vouloir à un prof sous-payé d'avoir pris quelques minutes pour prouver qu'un peu de savoir est une chose dangereuse ?

Les élèves n'ont jamais cessé d'essayer de me faire dévier de mon cours d'anglais classique, mais je connaissais leurs astuces. Je continuais de raconter des histoires, mais j'avais appris à les relier à celles de la femme de Bath [1], de Tom Sawyer, de Holden Caulfield, de Roméo et sa réincarnation dans *West Side Story*. Les profs d'anglais s'entendent toujours dire, Faut que ça soit pertinent.

Je trouvais ma voie et ma propre manière de faire cours. J'apprenais à être à l'aise en classe. Comme Roger Goodman, le nouveau directeur du département d'anglais, Bill Ince, me laissait libre de mettre à l'épreuve mes idées sur l'écriture et la littérature, de créer l'ambiance qui me convenait dans la salle de classe, de faire à ma guise, loin des interférences bureaucratiques, et mes élèves étaient assez mûrs et tolérants pour me laisser trouver ma voie sans l'aide du masque ou du stylo rouge.

Il y a deux manières très simples d'attirer l'attention de l'adolescent américain : le sexe et la

1. Personnage des *Contes de Cantorbéry*, de Chaucer.

nourriture. Il faut aborder le sexe avec précaution. Ce que tu dis revient aux oreilles des parents et ils veulent que tu leur expliques pourquoi tu autorises tes élèves à écrire des histoires sur le sexe. Tu leur fais remarquer que cela a été fait avec délicatesse, dans un esprit romantique plutôt que biologique. Ça ne suffit pas.

Kenny DiFalco m'a demandé en criant du fond de la salle si j'avais envie de pâte d'amandes. Il brandissait quelque chose de blanc et disait qu'il l'avait faite lui-même. En professeur irréprochable, je lui ai rappelé qu'il était interdit de manger ou de boire en classe et, par ailleurs, qu'est-ce que c'était que la pâte d'amandes. Goûtez donc, a-t-il dit. C'était délicieux. Un concert de voix s'est élevé pour réclamer de la pâte d'amandes, mais Kenny a dit qu'il ne lui en restait plus. Demain il en rapporterait trente-six, que, bien sûr, il aurait faites lui-même. C'est alors que Tommy Esposito a dit qu'il prendrait diverses choses au restaurant de son père. Ce ne serait peut-être que des restes mais il veillerait à ce qu'ils soient chauds et délicieux. Il s'en est suivi un concert de propositions. Une Coréenne a proposé d'apporter un plat préparé par sa mère, appelé *kimchee*, du chou tellement épicé que tu en avais le palais en feu. Kenny a dit que, puisqu'il allait y avoir autant de nourriture, mieux valait laisser tomber le cours, pour se retrouver le lendemain à Stuyvesant Square, à côté, et faire un pique-nique. Il a ajouté qu'il faudrait penser à apporter des couverts en plastique et des serviettes. Tommy a dit que jamais il ne mangerait les boulettes de viande de son père avec des couverts en plastique. Il proposait de fournir trente-six fourchettes et ça ne le gênait pas une seconde que nous les utilisions pour d'autres plats. Il a également suggéré que M. McCourt ne soit pas forcé d'apporter quoi que ce soit. C'est déjà suffisamment difficile de faire cours à des mômes, pour qu'en plus il faille les nourrir.

Le lendemain, les promeneurs s'arrêtaient pour regarder ce que nous fabriquions. Un médecin de l'hôpital Beth-Israël a dit qu'il n'avait jamais vu un tel étalage de nourriture. Lorsqu'on lui a proposé à manger et à boire, ses yeux ont chaviré et il a poussé un grognement de plaisir, mais c'était avant qu'il ne goûte au *kimchee* et doive nous supplier de lui donner une boisson fraîche pour soulager sa bouche en feu.

Au lieu d'étaler les plats sur l'herbe, nous les avions disposés sur les bancs du parc. Il y avait des plats juifs (*kreplach, matzos,* boulettes de poisson), italiens (lasagnes, les boulettes de viande de Tommy, raviolis, risotto), chinois, coréens, un énorme pain de viande pour trente-six personnes, bœuf, veau, pommes de terre, oignons. Un véhicule de police patrouillait dans le coin. Les flics ont voulu savoir ce qui se passait. Vous n'avez pas le droit d'organiser une kermesse dans le parc sans autorisation préalable. J'ai expliqué que je faisais un cours de vocabulaire, Regardez tout ce que mes élèves apprennent. Les flics ont dit qu'ils n'avaient jamais reçu de tels cours dans leur lycée catholique, que ça avait l'air délicieux, et j'ai répondu qu'ils devraient sortir de voiture pour manger un morceau. Quand le médecin de Beth-Israël leur a conseillé de se méfier du *kimchee,* ils ont dit, Apportez-nous ça, ils avaient essayé tous les plats épicés du Vietnam et de la Thaïlande. Ils en ont pris une cuillérée, se sont étranglés, et ont réclamé à boire. Avant de s'en aller, ils nous ont demandé si on avait prévu d'en faire souvent, des cours de vocabulaire comme celui-là.

Les sans-abri sont arrivés, traînant la patte, ils se sont faufilés dans le groupe et on leur a offert le peu qui restait. L'un d'eux a recraché une pâte d'amandes, en disant, Quesse c'est qu'cette merde ? J'suis peut-être à la rue, mais c'est pas une raison pour vous payer ma tête.

Je suis monté sur un banc pour leur faire part de ma nouvelle idée. Il me fallait lutter contre les bavardages des élèves, les grognements et les protestations des sans-abri, les remarques des curieux, le vacarme de la circulation sur la Deuxième Avenue.

Écoutez. Vous m'écoutez ? Demain, j'aimerais que vous arriviez en cours avec un livre de cuisine. Oui. Un livre de cuisine. Quoi ? Tu n'en as pas ? Ça alors, j'aimerais bien voir ça, une famille qui n'a pas de livre de cuisine. On fera une collecte pour toi. N'oubliez pas vos livres, demain.

M'sieur McCourt, pourquoi est-ce qu'on doit apporter des livres de cuisine ?

Je ne sais pas encore. J'en saurai peut-être plus demain. J'ai quelque chose en tête, qui pourrait devenir une idée.

M'sieur McCourt, ne le prenez pas mal, mais des fois vous êtes bizarre.

Ils ont apporté les livres de cuisine. Ils ont dit, Quel est le rapport avec la pratique de l'écriture ?

Vous allez voir. Ouvrez votre livre à n'importe quelle page. Si vous l'avez déjà feuilleté, si vous avez une recette préférée, ouvrez-le à cette page. David, lis-nous la tienne.

Quoi ?

Lis ta recette.

À voix haute ? Là, devant tout le monde ?

Oui. Allez, David. Y a rien de pornographique. On n'a pas toute la journée devant nous. On a des dizaines de recettes à voir.

Mais, m'sieur McCourt, j'ai jamais lu de recette de ma vie. J'ai jamais lu un livre de cuisine de ma vie. Je ne me suis même jamais fait cuire un œuf.

C'est bien, David. Aujourd'hui ton palais va s'éveiller. Aujourd'hui ton vocabulaire va s'enrichir. Aujourd'hui tu vas devenir un gourmet.

Une main. C'est quoi, un gourmet ?

Une autre main. Un gourmet, c'est quelqu'un qui apprécie la bonne nourriture, le bon vin et les choses les plus raffinées de la vie.

Un concert de O-o-o-h s'élève dans la salle et James récolte des sourires et des regards admiratifs, lui qui semblait être la dernière personne susceptible de connaître autre chose que les hot-dogs et les frites.

David lit la recette du *coq au vin*[1]. Sa voix est monocorde et hésitante mais son intérêt semble croître à mesure qu'il avance dans la recette et découvre des ingrédients dont il n'a jamais entendu parler.

David, je veux que tu notes, ainsi que tes camarades, l'heure et la date de la première lecture de recette que tu as faite de ta vie, devant toute la classe, salle 205 du lycée Stuyvesant. Dieu seul sait où ça te mènera. Je veux que chacun d'entre vous s'en souvienne : c'est probablement la première fois dans l'histoire que des élèves en cours d'anglais ou en atelier d'écriture sont réunis pour lire des recettes de cuisine. David, tu noteras que le public n'a pas fait preuve d'un enthousiasme délirant. Tu as lu

1. En français dans le texte.

cette recette comme si tu lisais une page du bottin. Mais ne te décourage pas. C'était un territoire inconnu et quand nous y reviendrons, pour ta prochaine lecture, je suis persuadé que tu sauras rendre tout son caractère à la recette. Quelqu'un d'autre ?

Une forêt de mains surgit. Je donne la parole à Brian. Je sais que c'est une erreur et que je m'expose à une remarque désobligeante. C'est un petit morveux du même acabit qu'Andrew, celui qui se balançait sur sa chaise, mais je suis au-dessus de ça, en tant que prof adulte prêt à mettre son ego de côté.

Oui, Brian.

Il jette un coup d'œil à Penny, assise à côté de lui. Il est homo, elle est lesbienne. Ils ne l'ont jamais caché, l'ont toujours assumé. Il est petit et gros. Elle est grande et mince, et son port de tête semble dire, Tu cherches la bagarre ? Je ne cherche pas la bagarre. Pourquoi se sont-ils alliés contre moi ? Ma tête ne leur revient pas, je le sais, pourquoi est-ce que je n'arrive pas à l'accepter ? Tu ne peux pas plaire à chacun des cent et quelques mômes que tu as tous les ans. Certains profs, comme Phil Fisher, n'en ont rien à battre d'être appréciés ou non. Il dirait, J'enseigne l'algèbre, bande de crétins finis. Si vous n'êtes pas attentifs et si vous ne travaillez pas, vous allez vous faire recaler et si vous vous faites recaler vous allez vous retrouver à donner des cours d'arithmétique à des psychopathes. Si tous les gamins de la classe le détestaient, Phil les détestait encore plus et leur faisait entrer de force le calcul différentiel dans le crâne, jusqu'à ce qu'ils récitent leur leçon dans leur sommeil.

Oui, Brian ?

Oh, il est cool, ce Brian. Il esquisse un nouveau petit sourire à l'intention de Penny. Il a décidé de me faire tourner en bourrique. Il prend son temps.

Je sais pas, m'sieur euh McCourt, comment voulez-vous que je rentre euh chez moi et dise à mes parents qu'on est là en classe de première euh, au lycée Stuyvesant, à étudier des recettes de cuisine ? Les autres classes étudient euh la littérature américaine mais nous on doit rester là à lire des recettes comme si on était euh des débiles mentaux.

Ça m'agace. J'aimerais démonter Brian par une remarque acerbe, mais le James de la définition du gourmet s'en charge. Je peux dire quelque chose ? Il regarde Brian. Tout ce que tu sais faire, c'est rester assis ici à critiquer. T'es collé à ta chaise ou quoi ?

Mais non, je suis pas collé à ma chaise.

Tu sais où se trouve le bureau du conseiller d'éducation ?

Ouais.

Alors, si t'aimes pas ce qu'on fait ici, pourquoi tu soulèves pas ton cul de ta chaise pour aller à son bureau et demander à changer de cours ? Personne te retient ici. Pas vrai, m'sieur McCourt ? Change de cours, dit James. Tire-toi d'là. Va lire *Moby Dick*, si t'es aussi fortiche.

Susan Gilman ne lève jamais la main. Elle ne peut jamais attendre. Inutile de lui expliquer qu'il est interdit de crier. Elle n'en a cure. Quelle importance ? Elle veut te faire savoir qu'elle a compris ton manège. Je sais pourquoi vous voulez qu'on lise ces recettes de cuisine à haute voix.

Ah oui ?

Parce que ça ressemble à de la poésie, sur le papier, et que certaines se lisent comme de la poésie. Enfin, c'est même mieux, on peut les goûter. Et, waouh, les recettes italiennes, c'est un vrai poème.

Maureen McSherry y va elle aussi de son petit commentaire. Ce que j'aime bien, en plus, avec les recettes, c'est qu'on peut les lire comme ça, sans être obligés d'essayer de comprendre le sens caché, comme ils veulent toujours, ces chieurs de profs d'anglais.

D'accord, Maureen, on reviendra là-dessus.

Quoi donc ?

Sur ces chieurs de profs d'anglais qui veulent comprendre le sens caché.

Michael Carr dit qu'il a sa flûte avec lui et que si quelqu'un voulait lire ou chanter une recette il l'accompagnerait. Brian a l'air sceptique. Il dit, Tu rigoles ? Tu veux jouer de la flûte sur une recette ? Vous êtes complètement marteaux dans cette classe, ou quoi ? Susan lui dit de la fermer et propose d'en lire une pendant que Michael l'accompagnera. Tandis qu'elle lit la recette des boulettes de viande suédoises, il joue *Hava nagila*, une mélodie qui n'a rien à voir avec les boulettes de viande suédoises, et dans la classe certains gloussent, certains écoutent attentivement, d'autres applaudissent ou les félicitent. James dit qu'ils devraient partir en tournée et s'appeler Les Boulettes de Viande ou Les Recettes et propose d'être leur agent puisqu'il veut devenir comptable. Lorsque Maureen lit une recette de pain à la levure irlandais Michael joue *The Irish*

Washerwoman[1], provoquant battements de pieds et claquements de mains dans la salle.

La classe est vivante. Les élèves trouvent que c'est dingue, cette idée de lire des recettes, de déclamer des recettes, de chanter des recettes tandis que Michael accompagne à la flûte des recettes françaises, anglaises, espagnoles, juives, irlandaises, chinoises. Et si quelqu'un entrait ? Comme ces étudiants japonais en sciences de l'éducation qui viennent et se mettent au fond de la salle pour observer les profs en train de faire cours. Comment le proviseur arriverait-il à leur expliquer ce que faisaient Susan et Michael, et ce *Concerto pour boulettes de viande* ?

Brian jette un froid. Il demande l'autorisation d'aller au bureau du conseiller d'éducation pour essayer de changer de classe, étant donné que le cours ne lui apporte rien. Je veux dire, si les contribuables apprenaient qu'on gaspille nos années de lycée à chanter des recettes de cuisine, vous seriez au chômage, monsieur McCourt. Je ne dis pas ça contre vous, ajoute-t-il.

Il se tourne vers Penny, en quête de son approbation, mais elle est en train de chercher une recette de paella dans le livre d'un autre élève. Lorsqu'elle en a terminé avec la recette, elle secoue la tête en le regardant et lui dit qu'il est dingue de vouloir quitter ce cours. Dingue. Sa mère a une recette de stew d'agneau à se rouler par terre et elle aimerait que Michael soit au point pour l'accompagner quand elle l'apportera demain. Oh, et est-ce que sa mère pourrait venir assister au cours. Sa mère chante tout le temps quand elle fait son stew

1. « La lavandière irlandaise ».

d'agneau et ça serait pas génial si Penny pouvait lire à haute voix pendant que sa mère chanterait et que Michael jouerait de sa merveilleuse flûte. Ça serait pas génial ?

Brian rougit et dit qu'il joue du hautbois et qu'il serait ravi de pouvoir accompagner Michael quand Penny lira sa recette de stew d'agneau, demain. Elle pose les mains sur son bras et dit, Ouais, on fera ça demain.

Dans le métro qui me ramène à Brooklyn, la tournure que prend ce cours me préoccupe, d'autant plus que les élèves des autres classes me demandent pourquoi ils n'ont pas le droit d'aller dans le parc avec tout plein de nourriture et de lire des recettes de cuisine en faisant de la musique ? Comment justifier cela auprès des autorités chargées des programmes scolaires ?

Monsieur McCourt, mais qu'est-ce que c'est que ce tintouin dans votre classe ? Mais bon Dieu, vous faites lire des livres de cuisine à vos élèves, maintenant ! Des recettes chantées ? Vous vous moquez du monde ? Pourriez-vous avoir l'obligeance de m'expliquer quel est le rapport avec l'anglais ? Où sont passées vos leçons sur la littérature anglaise ou américaine, ou autre ? Ces jeunes, comme vous le savez, s'apprêtent à intégrer les meilleures facultés du pays et c'est ainsi que vous comptez les préparer à affronter la vie ? En leur faisant lire des recettes de cuisine ? En réciter ? En chanter ? Tant que vous y êtes, vous devriez songer à faire une chorégraphie pour le stew irlandais ou une bonne omelette classique, accompagnée de la musique ad hoc, bien entendu ? Pourquoi ne pas bazarder l'anglais et la préparation à l'université et transformer cette salle de classe en cuisine, avec des cours pratiques sur la gastronomie ? Pourquoi ne pas créer le Chœur des Recettes du lycée Stuyvesant, et pourquoi ne pas organiser des concerts dans toute la ville et à l'étranger au profit de ces mômes qui auront perdu leur temps à suivre vos cours, McCourt, n'auront pas intégré d'université et se retrouveront à pétrir de la pâte dans des pizzerias ou à faire la plonge dans des bistrots français de seconde zone, dans les quartiers nord ? Ce ne serait pas pire. Ces mômes sauront peut-être chanter la recette du pâté de machin-chose mais ils n'accéderont jamais aux amphithéâtres des plus prestigieuses universités américaines.

C'est trop tard. Je ne peux pas me pointer demain dans la salle et leur dire c'est terminé, on laisse tomber les livres de cuisine, plus de recettes. Remballe ta flûte, Michael. Fais taire ta mère, Penny. Désolé pour le hautbois, Brian.

À part la petite mutinerie de Brian, n'avions-nous pas connu trois jours de participation active des élèves au cours ? Et, surtout, m'sieur le prof, n'avais-tu pas passé de bons moments ?

Ou n'étais-tu qu'un connard achevé, qui s'autorisait une fois de plus à se laisser distraire de Mark Twain et F. Scott Fitzgerald pour les premières et Wordsworth et Coleridge pour les terminales ? N'aurais-tu pas dû insister pour que les élèves viennent tous les jours avec leur manuel, qu'ils puissent se creuser les méninges pour trouver le sens caché ?

Oui, oui, mais pas maintenant, pas maintenant.

Les gamins t'ont-ils percé à jour ? Entrent-ils dans ton jeu avec les recettes de cuisine et la musique ? Il est temps de faire ton mea culpa. Es-tu, au fond, un imposteur ? Entrant dans leur jeu tout comme ils entrent dans le tien ? Imagine ce qui se dit dans la salle des profs : L'Irlandais a complètement embobiné ses élèves. La seule chose qu'ils font – tu ne vas pas me croire, vieux –, la seule chose qu'ils font, c'est étudier des livres de cuisine. Ouais. Laisse tomber Milton et Swift et Hawthorne et Melville. Nom de Dieu, ils lisent *Le Bonheur de la cuisine* et Fanny Farmer et Betty Crocker et ils chantent des recettes. Mon Dieu. On s'entend à peine, en bas, dans le couloir, avec tout ce ramdam dans cette satanée salle, le hautbois, les flûtes, les recettes chantées. Qui est-ce qu'il croit berner ?

Peut-être devrais-tu essayer de t'amuser un peu moins. Tu as toujours eu le don de te pourrir la vie et il ne faudrait pas perdre la main. Peut-être devrais-tu réessayer de faire des schémas ou de chercher le sens caché ? Tu pourrais infliger le *Beowulf* ou les *Chroniques* à tes pauvres ados. Qu'en est-il de ton ambitieux projet d'autoperfectionnement, monsieur Je-sais-tout ? Regarde un peu ta vie, en dehors du lycée. Tu n'es jamais à ta place. Toujours à côté de la plaque. Tu n'as pas de femme et ne vois presque jamais ton enfant. Pas de vision, pas de projet, pas de but. Continue de marcher vers la crypte, mec. Disparais sans laisser de trace, si ce n'est le souvenir d'un homme qui avait transformé sa salle de classe en cour de récréation, atelier de rap, et cabinet pour thérapie de groupe.

Pourquoi pas ? Et puis merde. De toute façon, à quoi ça sert, l'école ? Je te pose la question, est-ce le rôle d'un prof de fournir de la main-d'œuvre au complexe militaro-industriel ? Est-ce qu'il doit préparer les colis pour la chaîne de montage de l'entreprise ?

Ben dis donc, si c'est pas solennel, tout ça, mais qu'est-ce que j'ai foutu de mon porte-voix ?

Regarde-toi : un paumé long à la détente, un vieux schnock qui bat de l'aile et découvre à la quarantaine ce que ses élèves savent depuis l'adolescence. Évite les hurlements qui fendent l'âme. Pas de chansons tristes. Pas de pleurs au comptoir.

Je suis appelé à la barre, accusé de mener une double vie. À savoir : en classe je m'amuse et empêche mes élèves de recevoir une éducation correcte et tous les soirs je me retourne dans mon minuscule lit de célibataire en me demandant, Pour l'amour de Dieu, à quoi ça rime ?

Je peux me féliciter, au passage, de savoir toujours faire mon examen de conscience, d'avoir toujours le don de me trouver imparfait et déficient. Pourquoi avoir peur des critiques des autres quand tu es, toi-même, le premier à te juger ? Dans la course à l'autodénigrement j'arriverais premier, avant même le signal du départ. Prenez les paris.

Peur ? C'est ça, Francis. Le petit garçon des taudis a toujours peur de perdre son boulot. Peur d'être jeté dehors dans le noir et de devenir sourd à force d'entendre les pleurs, les plaintes, les grincements de dents. Le prof courageux et ingénieux encourage des adolescents à chanter des recettes mais se demande quand le couperet va tomber, quand les visiteurs japonais secoueront la tête et le dénonceront à Washington. Les visiteurs japonais sauront immédiatement détecter dans ma salle de classe les stigmates de la dégénérescence américaine et se demanderont comment ils se sont débrouillés pour perdre la guerre.

Et si le couperet tombe ?

Maudit soit le couperet.

Vendredi le programme était serré. Dans la salle, quatre guitaristes grattaient leur instrument ; Brian, plein de sa bonne volonté toute neuve, jouait du hautbois, Michael faisait des trilles avec sa flûte, Zach frappait des thèmes culinaires sur les petits bongos qu'il avait placés entre ses jambes, deux garçons jouaient de l'harmonica. Susan Gilman était debout, prête à accaparer l'heure de cours avec une recette qui couvrait plusieurs colonnes, requérait quarante-sept étapes différentes et des ingrédients introuvables dans un foyer américain moyen. Elle disait que c'était de la poésie pure et Michael était tellement excité qu'il se voyait déjà composer un morceau pour bois, cordes, bongos et la voix de Susan. Pam va réciter la recette du canard laqué à la cantonaise tandis que son frère, qui vient d'une autre classe, jouera d'un drôle d'instrument que personne dans cette classe n'a jamais vu.

J'essaie subrepticement de faire cours. Je dis, Si vous êtes un écrivain doté du sens de l'observation, vous comprendrez la signification de cet événement. Pour la première fois dans l'histoire, on va lire une recette chinoise sur un accompagnement musical. J'espère que vous avez conscience de vivre un moment historique. L'écrivain commence toujours par se demander, Qu'est-ce qui se passe ? Toujours. Je vous fiche mon billet que jamais au cours de l'histoire, en Chine ou ailleurs, un tel événement ne s'est produit.

J'assiste à l'événement historique. Écris le sujet au tableau. Nous commencerons avec Pam et son canard, puis Leslie et son *trifle* anglais, Larry et ses œufs Benedict, Vicky et ses côtes de porc farcies.

Guitares, hautbois, flûtes, harmonicas, bongos

s'échauffent. Les lecteurs révisent leurs recettes en silence.

La farouche Pam fait un signe de tête à son frère et le récital du canard laqué débute. C'est une longue recette. En guise de chant, Pam pousse une plainte suraiguë, son frère gratte les cordes de son instrument, la recette dure tant que les autres musiciens se joignent à eux, un à un, si bien que lorsque Pam achève enfin sa lecture, l'ensemble instrumental l'a poussée dans des octaves si élevées et des rythmes si trépidants que Murray Kahn, le proviseur adjoint, craignant le pire, se rue hors de son bureau et, découvrant par la fenêtre le spectacle qui se déroule sous ses yeux exorbités, ne peut résister à l'impulsion d'entrer, mais déjà les vocalises de Pam vont decrescendo, les musiciens s'effacent, et le canard est cuit.

À la fin du cours, les critiques de la classe ont déploré que Pam ne soit pas intervenue en dernier. Ils ont jugé sa recette de canard et la musique chinoise tellement théâtrales que tout le reste semblait bien fade. De surcroît, ont-ils dit, les paroles et la musique, souvent, n'étaient pas en phase. C'était une grosse erreur que d'utiliser des bongos pour accompagner un *trifle*. Il aurait fallu la délicatesse et la sensibilité du violon, ou peut-être du clavecin, et ça les surprenait vraiment que quelqu'un ait pu avoir l'idée d'allier le *trifle* aux bongos. En parlant de violon, disons que Michael avait été excellent lorsqu'il avait accompagné la recette des œufs Benedict, et ils avaient vachement aimé l'alliance bongos-harmonica pour les côtes de porc farcies. Il y avait vraiment quelque chose dans les côtes de porc qui imposait l'harmonica et c'était incroyable de pouvoir imaginer un plat et de l'associer à un instrument. C'est le genre d'expérience, vieux, qui t'ouvre à une nouvelle façon de penser. Ils ont dit que les autres élèves aimeraient eux aussi pouvoir étudier des recettes plutôt qu'Alfred Lord Tennyson et Thomas Carlyle. Les autres professeurs d'anglais leur apprenaient des choses sérieuses, leur donnaient des recherches à faire et des leçons sur l'usage correct des notes de bas de page et de la bibliographie.

Penser à ces professeurs d'anglais et aux choses sérieuses me met à nouveau mal à l'aise. Ils suivent le programme, préparent les enfants à l'enseignement supérieur et au vaste monde. On est pas ici pour rigoler, m'sieur l'prof.

Nous sommes au lycée Stuyvesant, joyau de la couronne du système éducatif new-yorkais. Ces gosses sont la crème de la crème. D'ici un an, ils seront face aux professeurs distingués des meilleures universités de ce pays. Ils prendront des notes, copieront des mots dont ils devront chercher le sens dans le dictionnaire. Fini, ces conneries de livres de cuisine et de pique-niques au parc. Il y aura une direction à suivre, et il faudra faire preuve de rigueur et d'une grande érudition, au fait qu'est-ce qui a bien pu arriver au prof qu'on avait à Stuyvesant, tu vois qui ?

14

LUNDI, JE VAIS PRENDRE LE TAUREAU PAR LES CORNES. J'essuierai des plaintes, des sifflets étouffés, des commentaires à voix basse sur ma mère mais il faut que je revienne dans le droit chemin, comme les autres profs consciencieux. Je rappellerai à mes élèves que la mission de ce lycée est de les préparer aux meilleures écoles et aux meilleures universités pour qu'ils obtiennent un jour des diplômes et contribuent ainsi au bien-être et au progrès de ce pays, car si ce pays vacille et s'affaiblit quel espoir y aura-t-il pour le reste du monde ? C'est une lourde responsabilité que vous avez et il serait criminel de ma part, moi qui suis votre professeur, de gâcher vos jeunes vies en vous faisant étudier des recettes de cuisine même si vous adorez cette activité.

Je sais que nous avons passé de bons moments à lire des recettes sur fond musical mais ce n'est pas pour cela que nous sommes venus au monde. Il nous faut aller de l'avant. C'est ça, l'Amérique.

M'sieur McCourt, pourquoi ne devrions-nous plus étudier de recettes ? La recette d'un pain de viande n'est-elle pas aussi importante que des poèmes que personne ne comprend, de toute façon ? Non ? On peut vivre sans poésie mais on ne peut vivre sans nourriture.

J'ai essayé de comparer Walt Whitman et Robert Frost au pain de viande et aux recettes en général, mais je me suis emmêlé les pinceaux.

Ils protestent de plus belle quand je leur annonce que je vais réciter mon poème préféré. Ça m'emmerde et je le leur dis, Vous m'emmerdez. Silence abasourdi. Le prof dit un gros mot. Laisse faire. Récite le poème.

La petite Bo Peep a perdu ses moutons
Et ne sait où les trouver c'est affreux.
Laisse-les donc ils reviendront
En remuant la queue derrière eux.

Hé, qu'est-ce que c'est que ça ? C'est pas un poème. On est au lycée et il nous sert des comptines pour enfants. Il nous fait marcher ? Il se fiche de nous ?

Je récite à nouveau le poème et les encourage à ne pas perdre de temps en recherchant un sens caché.

Oh, allez. Est-ce que c'est une blague ? Mince, on est au lycée.

En apparence, le poème, une comptine pour enfants, est simple, c'est l'histoire toute bête d'une petite fille qui ne retrouve plus ses moutons, vous m'écoutez, voyons ? C'est important. Elle a appris à les laisser tranquilles. Elle est cool, Bo Peep. Elle fait confiance à ses moutons. Elle ne va pas les embêter quand ils broutent dans les pâturages, les vallons, les vallées et sur les pentes. Il leur faut de l'herbe, et un peu d'eau qui clapote dans un ruisseau de montagne. De plus, ils ont des petits agneaux qui doivent passer du temps collés à leurs mères après avoir folâtré toute la journée avec leurs camarades. Ils n'ont nul besoin que le monde se rappelle à eux et gâche l'ambiance. Que ce soient des moutons, des agneaux, des brebis, des béliers, ils ont droit à un peu de bonheur collectif avant de devenir la viande que l'on dévore, la laine que l'on porte.

Oh, mon Dieu, m'sieur McCourt, fallait vraiment que vous finissiez là-dessus ? Vous ne pouviez pas les laisser tranquilles, ces moutons et ces agneaux, à s'aimer et s'amuser ? On les mange, on se sert de leur laine. C'est pas juste.

Les végétariens et les végétaliens de la classe s'empressent de remercier Dieu de n'être pour rien dans l'exploitation de ces pauvres animaux et est-ce qu'on pourrait revenir à Bo Peep ? Ils aimeraient savoir si j'essaie de démontrer quelque chose.

Non, je n'essaie pas de démontrer quelque chose mais de dire que j'aime ce poème parce que son message est simple.

C'est-à-dire ?

Que les gens devraient cesser d'embêter les autres gens. La petite Bo Peep fiche la paix à son troupeau. Elle pourrait veiller toute la nuit, attendre en gémissant près de la porte, mais elle n'en fait rien. Elle a confiance en ses moutons. Elle les laisse tranquilles et ils rentrent à la bergerie, et vous imaginez les heureuses retrouvailles qui s'ensuivent, les bêlements de joie et les cabrioles, les exubérantes manifestations d'allégresse des béliers qui vont se coucher pendant que Bo Peep tricote au coin du feu, satisfaite de savoir qu'elle a accompli son devoir quotidien, a pris soin de ses moutons et de leur progéniture, sans embêter personne.

Dans mon cours d'anglais, les élèves du lycée Stuyvesant s'accordaient à penser que rien de ce qui passait à la télévision ou sortait des studios hollywoodiens ne pourrait rivaliser, en violence et en horreur, avec l'histoire de Hänsel et Gretel. Jonathan Greenberg a pris la parole. Comment est-il possible d'infliger à des enfants l'histoire de ce connard de père tellement soumis devant sa nouvelle femme qu'il accepte d'abandonner ses gamins dans les bois pour qu'ils meurent de faim ? Comment est-il possible de raconter à des enfants qu'Hänsel et Gretel sont faits prisonniers par cette sorcière qui veut les engraisser rien que pour les manger ? Et qu'y a-t-il de plus horrible que cette scène où ils la jettent dans le feu ? C'est une vieille sorcière méchante et cannibale, et c'est bien fait pour elle, mais est-ce que tout ça ne donne pas des cauchemars aux enfants ?

Lisa Berg a dit que ces histoires existaient depuis des centaines d'années. On a tous été élevés avec, on les aimait bien et on n'en est pas morts, alors où était le problème.

Rose Kane était d'accord avec Jonathan. Quand elle était petite, elle rêvait d'Hänsel et Gretel et c'était peut-être parce que sa nouvelle belle-mère était une sacrée garce. Un vrai dragon qui n'aurait pas hésité à les abandonner, elle et sa sœur, dans Central Park ou dans une station de métro à l'autre bout de New York. Son instituteur de CP lui ayant raconté l'histoire d'Hänsel et Gretel, elle ne voulait plus aller nulle part avec sa belle-mère si son père ne les accompagnait pas. Ça exaspérait tellement son père qu'il la menaçait de toutes sortes de punitions. Vas-y avec ta belle-mère, Rose, sinon tu vas te faire punir pour toujours. Ce qui, bien sûr, prouvait qu'il était complément soumis à la belle-mère, qui avait un furoncle sur le menton comme les belles-mères des contes de fées, un furoncle avec des petits poils rebelles qu'elle ne cessait de tripoter.

On aurait dit que tous les élèves avaient leur opinion sur l'histoire d'Hänsel et Gretel, la principale question étant, Est-ce que vous raconteriez cette histoire à vos enfants ? J'ai proposé que les pour et les contre se mettent de part et d'autre de la salle, c'était saisissant de voir à quel point la classe était coupée en deux. J'ai aussi proposé qu'un médiateur anime le débat mais, comme personne n'était impartial, les passions se sont tellement échauffées que j'ai dû m'en charger moi-même.

Il m'a fallu quelques minutes avant de réussir à faire cesser le brouhaha dans la salle. Les anti-Hänsel et Gretel ont dit que leurs enfants risquaient d'être tellement traumatisés que ça coûterait des fortunes en psys. Oh, c'est des conneries, a répondu le camp des pour. Et puis quoi encore. Personne va voir un psy à cause des contes de fées. Tous les gamins d'Amérique et d'Europe ont grandi avec ces histoires.

Les contre ont mentionné la violence qu'il y avait dans *Le Petit Chaperon rouge*, le loup qui avale la grand-mère sans prendre la peine de la mâcher, et la méchanceté de la belle-mère dans *Cendrillon*. À se demander comment les gosses faisaient pour survivre en entendant et en lisant ce genre de choses.

Lisa Berg a dit quelque chose de tellement saisissant que la salle a soudainement été plongée dans le silence. Elle a déclaré que les gosses avaient dans la tête des trucs tellement glauques et tellement enfouis que ça dépassait l'entendement.

Waouh ! s'est exclamé quelqu'un.

Ils savaient que Lisa avait mis le doigt sur quelque chose. Eux-mêmes n'étaient pas si éloignés de l'enfance, même s'ils préféraient ne pas se l'entendre dire, et dans ce silence on percevait comme un retour au pays des rêves d'enfant.

Le lendemain, nous avons mis en chansons des fragments de mon enfance. Cette activité n'avait pas d'objectif clair ni de sens caché. Aucun devoir sur table ne menaçait de contaminer nos chansons. Je ressentais un petit pincement de culpabilité mais je m'amusais bien et, à la façon dont ces gosses juifs, coréens, chinois, américains chantaient, je présume qu'eux aussi ils s'amusaient. Ils connaissaient déjà les principales comptines. Ils avaient maintenant les mélodies pour aller avec.

La vieille mère Hubbard Hubbard
Alla dans le placard placard
Pour donner un os à son chien son chien
Quand elle y est allée allée
Plus rien ne restait restait
Et le pauvre chien n'eut rien.

Et voici le rapport d'inspection que j'aurais écrit si j'avais été conseiller pédagogique pour l'Inspection académique, 110 Livingston Street, Brooklyn, New York, 11201 :

Cher Monsieur McCourt,
Quand je suis entré dans votre salle de classe, le 2 mars dernier, vos élèves chantaient, avec vigueur et, je dois bien l'avouer, à ma grande surprise, un pot-pourri de

comptines. Sous votre direction, ils sont passés d'un vers à l'autre sans aucune intervention de votre part pour marquer une pause, pour expliquer, étudier, justifier, analyser. En effet, cet exercice semblait se dérouler en l'absence de tout contexte, de tout objectif.
Un enseignant aussi expérimenté que vous aura certainement remarqué le nombre d'élèves qui n'avaient pas retiré leur manteau, le nombre d'élèves affalés sur leur chaise et dont les jambes traînaient dans l'allée centrale. Personne ne semblait avoir de cahier, ni savoir s'en servir. Vous comprenez qu'en anglais le cahier est l'outil principal de l'élève et que l'enseignant qui néglige cet outil néglige son devoir.
Malheureusement, rien sur le tableau n'indiquait la nature du cours. Ce qui peut expliquer pourquoi les cahiers n'avaient pas été sortis des cartables.
De par les attributions que me confèrent mes fonctions de conseiller pédagogique de M. l'Inspecteur d'académie, à la fin du cours, je me suis renseigné auprès de certains de vos élèves pour savoir quels enseignements ils en avaient tirés. Ils avaient l'air médusés, absolument incapables de saisir le but de ces vocalises. L'un d'eux a dit qu'il s'était bien amusé et, bien que cela constitue assurément un commentaire pertinent, ce n'est pas l'objectif de l'enseignement secondaire.
Je crains d'être dans l'obligation de transmettre mes observations à M. l'Inspecteur d'académie qui, à son tour, ne manquera certainement pas d'en informer le recteur. Vous risquez d'être convoqué pour un entretien au rectorat, auquel cas nous vous conseillons de vous présenter accompagné d'un représentant syndical et/ou d'un avocat.

Cordialement,
Montague Wilkinson III

Très bien, la sonnerie s'est arrêtée. Une fois encore, vous êtes à moi. Ouvrez vos livres. Allez jusqu'au poème intitulé « La valse de Papa », de Theodore Roethke. Si vous n'avez pas de livre, regardez sur celui du voisin. Personne ? ici ne vous le reprochera. Stanley, voudrais-tu lire le poème à haute voix ? Merci.

La valse de Papa, de Theodore Roethke

Ton haleine empestant le whiskey
Griserait un petit garçon ;
Je m'accrochais à lui comme à la vie
Tant cette valse était coton.

Nous chahutions dans la cuisine
Des plats dégringolèrent par terre
La mine de ma mère chagrine
Ne se déchiffonna guère

Sur la main qui tenait mon poignet
Une phalange était meurtrie ;
Mon oreille quand tu as trébuché,
Sur ta ceinture s'est aplatie.

Tu battais la mesure sur ma tête
Avec une main sale et grise,
Un pas de valse, tu m'envoies sous la couette
Toujours accroché à ta chemise.

Merci encore, Stanley. Prenez quelques minutes pour relire le poème. Prenez le temps de vous en imprégner. Alors, quand vous lisez ce poème, que se passe-t-il ?

Comment ça, Que se passe-t-il ?

Vous avez lu le poème. Quelque chose s'est produit, quelque chose a remué dans votre tête, dans votre corps, dans vos tripes. Ou bien rien. On ne vous demande pas de réagir à tous les stimuli de l'univers. Vous n'êtes pas des girouettes.

M'sieur McCourt, qu'est-ce que vous racontez ?

Je dis que vous n'êtes pas obligés de réagir à tout ce qu'un prof ou n'importe qui d'autre vous met sous le nez.

Ils ont un air dubitatif. Oh, ouais. Va dire ça à certains profs de ce bahut. Ils prennent tout pour eux.

M'sieur McCourt, vous voulez qu'on parle du sens du poème ?

J'aimerais que vous disiez tout ce qui vous passe par la tête, et qui touche de près ou de loin à ce poème. Parlez de votre grand-mère si ça vous chante. Ne vous inquiétez pas du « véritable » sens du poème. Même le poète ne le connaît pas. Quand vous le lisez, quelque chose se produit, ou il ne se passe rien. Pourriez-vous lever la main s'il ne s'est rien passé ? Personne ? très bien. Bon, quelque chose se produit dans votre tête ou votre cœur ou dans vos tripes. Vous êtes écrivain. Qu'est-ce qui se passe quand vous écoutez de la musique ? De la musique de chambre ? Du rock ? Vous voyez un couple se disputer dans la rue. Vous voyez un enfant se rebeller contre sa mère. Vous voyez un sans-abri mendier. Vous voyez un politicien faire un discours. Vous demandez à quelqu'un de sortir avec vous. Vous observez sa réaction. Comme vous êtes écrivain, vous vous demandez toujours toujours toujours, Qu'est-ce qui se passe, mon pote ?

Eh ben, disons, ce poème décrit un père qui

danse avec son petit garçon et c'est difficile parce que le père est saoul et qu'il n'a pas de cœur.

Brad ?

Si c'est difficile, pourquoi est-ce qu'il dit qu'il s'accroche à lui comme à la vie ?

Monica ?

Il se passe plein de choses. Le garçon se fait traîner dans toute la cuisine. Il pourrait aussi bien être une poupée de chiffon, vu ce qu'il en a à faire, le papa.

Brad, oui ?

Il y a un mot révélateur, « chahutions ». C'est un mot joyeux, non ? Je veux dire il aurait pu employer « dansions » ou quelque chose de banal, mais il a choisi « chahutions » et, comme vous nous dites tout le temps, un mot, ça peut changer l'ambiance d'une phrase ou d'un paragraphe. Alors, « chahutions », ça crée une ambiance joyeuse.

Jonathan ?

Dites-moi si vous trouvez ma question déplacée, m'sieur McCourt, mais est-ce que votre père vous a déjà fait danser dans la cuisine ?

Il ne nous faisait pas danser dans la cuisine, mais il nous tirait du lit en pleine nuit pour nous faire chanter des chansons patriotiques irlandaises et promettre de mourir pour l'Irlande.

Ouais, je me disais que ce poème devait avoir un rapport avec votre enfance.

C'est vrai en partie, mais je vous ai demandé de le lire parce qu'il décrit un instant, une humeur, et il doit y avoir, excusez-moi de dire ça, il doit y voir un sens caché. Certains d'entre vous en veulent pour leur argent. Et la mère ? Sheila ?

Ce qui se passe dans ce poème, c'est très simple. Le type travaille dur, il est mineur ou quelque chose comme ça. Il rentre chez lui avec une phalange meurtrie, les mains sales et grises. La femme, là, elle est folle de rage mais elle a l'habitude. Elle sait que ça arrive une fois par semaine quand il touche sa paye. Comme pour votre papa. Pas vrai, m'sieur McCourt ? Le gamin aime son père parce qu'on est toujours attiré par celui qu'est dingue. Il s'en fiche que ça soit la mère qui fasse tourner la baraque. Le garçon, il trouve ça normal. Alors, quand le père rentre à la maison, oh, il est imbibé d'alcool et il excite son gamin.

Qu'est-ce qui se passe à la fin du poème ? David ?

Le père l'envoie sous la couette en dansant. La mère range les plats dans la cuisine. Le lendemain, c'est dimanche et le père se lève, il se sent minable. La mère va faire le petit-déjeuner mais n'adresse la parole à personne et le garçon se retrouve pris entre deux feux. Il doit avoir environ neuf ans parce qu'il est juste assez grand pour que son oreille s'aplatisse contre la ceinture. La mère aimerait s'en aller, divorcer, elle supporte plus ces histoires d'alcool, leur vie minable mais c'est impossible vu qu'elle est coincée au beau milieu de la Virginie et il n'y a pas d'issue quand on n'a pas d'argent.

Jonathan ?

Ce que j'aime dans ce poème c'est que, ça y est, enfin une histoire simple. Ou, non. Attendez une seconde. C'est pas si simple. Il se passe plein de choses, et il y a un avant et un après. Si tu étais réalisateur et que tu voulais faire un film de ce poème, ça te demanderait beaucoup de travail. Ferais-tu apparaître le petit dès la première scène, quand la mère et le gosse attendent le père ? Ou montrerais-tu les premiers vers, quand le môme fait la grimace à cause du whiskey ? Comment est-ce que tu montrerais que le garçon s'accroche ? Tend le bras pour se tenir à la chemise ? Comment rendre la mine de la mère sans la rendre trop triste ? Il faudrait décider quel genre de type est le père quand il est à jeun parce que s'il était tout le temps comme ça tu n'aurais même pas envie de faire un film sur lui. Ce que j'aime pas, c'est qu'il bat la mesure sur la tête de son fils avec ses mains sales, ce qui, évidemment, prouve qu'il travaille dur.

Ann ?

J'sais pas. Il y a plein de trucs là-dedans, maintenant que vous en avez parlé. Est-ce qu'on pourrait pas s'en tenir là ? Se contenter de lire l'histoire et de plaindre le gosse, la mère et sa mine chagrine et, peut-être, le père, et ne pas continuer à décortiquer à mort ?

David ?

On est pas en train de décortiquer. On est seulement en train de réagir. Si tu vas au cinéma, quand tu sors de la salle, tu parles de ce que t'as vu, non ?

Ça m'arrive, mais là il s'agit d'un poème et tu sais ce que les profs d'anglais font avec les poèmes. Ils décortiquent, décortiquent, décortiquent. Cherchent le sens caché. C'est ce qui m'a dégoûtée de la poésie. On devrait creuser un trou et mettre le sens caché dedans.

Je n'ai fait que vous demander ce que vous ressentiez quand vous lisiez le poème. Si vous ne ressentez rien, ce n'est pas un crime. Quand j'entends du *heavy metal,* ça me passe au-dessus de la tête. Certains d'entre vous pourraient sûrement m'expliquer de quoi il s'agit et j'essaierais d'écouter cette musique avec la meilleure volonté du monde, mais je m'en fiche, c'est tout. Vous n'êtes pas obligés de réagir à tous les stimuli. Si « La valse de

Papa » vous laisse froid, ça vous laisse froid, un point c'est tout.

Certes, m'sieur McCourt, mais il faut faire attention. Des fois, il suffit qu'on dise un truc négatif sur un sujet pour que les profs d'anglais le prennent pour eux et se mettent en rogne. Ma sœur a eu des ennuis avec un prof à Cornell à cause de son interprétation d'un des *Sonnets* de Shakespeare. Il a dit qu'elle était complètement à côté de la plaque, et elle a répondu qu'il y avait des centaines de lectures possibles pour un sonnet, sinon pourquoi y aurait-il des centaines d'études sur Shakespeare dans les rayons des bibliothèques, ça a mis le prof en boule, et il l'a convoquée dans son bureau. Cette fois, il a été sympa avec elle et elle a retiré ses propos, elle a dit que peut-être il avait raison, elle est allée au resto avec lui à Ithaca et ça m'a fichu en rogne qu'elle cède de cette façon. Maintenant on ne s'adresse plus la parole, sauf pour se dire bonjour.

Pourquoi est-ce que tu n'écrirais pas là-dessus, Ann ? C'est peu ordinaire comme histoire, deux sœurs qui ne se parlent plus à cause d'un sonnet de Shakespeare.

Oui, mais il faudrait que je cherche à comprendre toute cette histoire de sonnet, ce qu'il a dit, ce qu'elle a répondu et, comme je déteste essayer de comprendre le sens caché, et que de toute façon elle ne me parle plus, je ne connais pas toute l'histoire.

David ?

Invente-la. Nous avons trois personnages, Ann et sa sœur et le professeur, et nous avons le sonnet qui a semé la zizanie. Tu pourrais t'amuser comme une folle avec ce sonnet. Tu pourrais changer les noms, renoncer au sonnet, dire que c'est une énorme dispute à propos de « La valse de Papa », et tu te retrouverais avec une histoire dont quelqu'un voudrait peut-être faire un film.

Jonathan ?

Te vexe pas, Ann, mais je n'arrive pas à imaginer un truc plus chiant qu'une histoire d'étudiante qui se dispute avec un prof pour un sonnet. Je veux dire, merde alors, mais le monde devient fou, des gens meurent de faim, et cætera, et ceux-là n'ont rien d'autre à faire que de se disputer à cause d'un sonnet. On me ferait jamais gober de telles salades, et je n'irais pas voir le film même si toute ma famille pouvait entrer à l'œil.

M'sieur McCourt.

Oui, Ann ?

Dites à Jonathan d'aller se faire foutre.

Je regrette, Ann. C'est un message que tu devras transmettre toi-même. Tiens, j'entends la sonnerie mais je vous rappelle que vous n'êtes pas obligés de réagir à tous les stimuli.

Chaque fois que le cours piétinait, qu'ils étaient dissipés, qu'ils n'arrêtaient pas de demander la permission d'aller aux toilettes, j'avais recours à « l'interrogatoire culinaire ». L'Inspection académique ou mes supérieurs inquiets auraient pu demander, Est-ce une activité pédagogique pertinente ?

Oui, effectivement, mesdames et messieurs, c'est un cours d'écriture et l'interrogatoire culinaire apporte de l'eau à mon moulin.

De plus, il me donne le sentiment d'être un procureur qui joue avec un témoin. Si cela amusait les élèves, le mérite m'en revenait. J'occupais le devant de la scène ; Professeur émérite, Interrogateur, Marionnettiste, Chef d'orchestre.

James, qu'as-tu mangé hier soir ?

Il paraît surpris. Quoi ?

Pour le dîner, James. Qu'as-tu mangé hier soir ?

Il a l'air de fouiller dans sa mémoire.

James, ça fait moins de vingt-quatre heures.

Ah, ouais. Du poulet.

D'où venait-il ?

Comment ça ?

Quelqu'un l'a-t-il acheté, James, ou est-il entré en volant par la fenêtre ?

Non, c'est ma mère.

C'est donc ta mère qui fait les courses ?

Eh ben, ouais, à part quand, euh, des fois, on n'a plus de lait ou quoi, et qu'elle envoie ma sœur en chercher à l'épicerie. Ma sœur arrête pas de se plaindre.

Est-ce que ta mère travaille ?

Oui, elle est greffière.

Quel âge a ta sœur ?

Quatorze ans.

Et toi ?

Seize.

Donc ta mère travaille, elle fait les courses et ta sœur de deux ans ta cadette doit foncer à l'épicerie. On ne t'y envoie jamais ?

Non.

Et qui prépare le poulet ?

Ma mère.

Et qu'est-ce que tu fais pendant que ta sœur fonce à l'épicerie et que ta mère se décarcasse dans la cuisine ?

Je suis, euh, dans ma chambre.

À faire quoi ?

Mes devoirs ou bien, vous voyez, j'écoute de la musique.

Et que fait ton père pendant que ta mère prépare le repas dans la cuisine ?

Il est, euh, dans le salon et il regarde les infos. Il faut qu'il se tienne au courant parce qu'il est courtier.

Qui donne un coup de main à ta mère à la cuisine ?

Parfois ma sœur lui file un coup de main.

Pas toi, ni ton père ?

On sait pas faire la cuisine.

Mais quelqu'un doit mettre la table.

Ma sœur.

Tu n'as jamais mis la table ?

Si, une fois quand ma sœur était à l'hôpital pour son appendicite mais c'était pas bien parce que je savais pas où mettre les choses et ma mère a piqué une crise, elle m'a demandé de sortir de la cuisine.

D'accord. Et qui a apporté les plats ?

M'sieur McCourt, chais pas pourquoi vous arrêtez pas de me poser toutes ces questions alors que vous savez ce que je vais dire. C'est ma mère qui apporte les plats.

Qu'est-ce que vous avez mangé avec le poulet, hier soir ?

On a mangé, euh, ben, de la salade.

Et quoi d'autre ?

Des patates, pour moi et mon père. Ma mère et ma sœur elles en mangent pas parce qu'elles font un régime, et les patates, c'est mortel.

Et pour la table ? Est-ce qu'il y avait une nappe ?

Vous rigolez ? Il y avait des sets de table en paille.

Que s'est-il passé pendant le repas ?

Comment ça ?

Est-ce que vous avez parlé ? Est-ce que vous avez écouté de la musique ?

Mon père a continué de regarder la télé et ma mère s'est mise en colère contre lui parce qu'il ne faisait pas attention à sa cuisine après tout le mal qu'elle s'était donné.

Oh, une dispute à la table familiale. N'avez-vous pas parlé de votre journée ? Tu n'as pas parlé du lycée ?

Nan. Puis maman s'est mise à débarrasser la table parce que mon père était retourné devant la télé. Ma mère s'est de nouveau énervée à cause de ma sœur qui a dit qu'elle voulait pas de son poulet. Elle disait que ça la faisait grossir, le poulet. M'sieur McCourt, pourquoi est-ce qu'on fait tout ça ? Pourquoi vous me posez toutes ces questions ? C'est tellement rasoir.

Renvoie la question à la classe. Qu'est-ce que vous en pensez ? On est dans un cours d'écriture. Est-ce qu'on a appris des choses sur James et sur sa famille ? Est-ce qu'on tient une histoire, là ? Jessica ?

Ma mère supporterait jamais ce genre de conneries. James et son père sont traités comme des princes. Sa mère et sa sœur préparent tout et eux ils se pointent et mettent les pieds sous la table. J'aimerais bien savoir qui c'est qui débarrasse et fait la vaisselle. Non, c'est même pas la peine de poser la question : la mère, la sœur.

Des mains s'agitent, que des filles. Je comprends qu'elles veulent s'en prendre à James. Attendez un peu, mesdemoiselles. Avant que vous régliez son compte à James, j'aimerais savoir si vous êtes toutes des modèles de vertu, chez vous, toujours serviables, toujours prévenantes. Avant, dites-moi : combien d'entre vous, après le dîner, hier soir, ont remercié leur mère, l'ont embrassée, lui ont fait des compliments pour le repas. Sheila ?

Ça sert à rien. Les mères savent bien qu'on leur est reconnaissants pour ce qu'elles font.

Une voix dissidente. Non, c'est pas vrai. Si James disait merci à sa mère elle tomberait dans les pommes.

J'ai amusé la galerie jusqu'à ce que Daniel me coupe l'herbe sous le pied.

Daniel, qu'est-ce que tu as mangé hier soir ?

Des médaillons de veau avec une espèce de sauce au vin blanc.

Qu'est-ce que tu as mangé avec tes médaillons de veau au vin blanc ?

Des asperges et une petite salade verte à la vinaigrette.

Un apéritif ?

Non. Pas d'apéritif. Ma mère dit que ça coupe l'appétit.

Alors, ta mère a préparé les médaillons de veau ?

Non, c'est la bonne.

Oh, la bonne. Et que faisait ta mère ?

Elle était avec mon père.

Donc la bonne a préparé le repas, et je suppose qu'elle l'a également servi ?

C'est ça.

Et tu as mangé tout seul ?

Oui.

Sur une grande table en acajou impeccablement cirée, sans doute ?

C'est ça.

Avec un chandelier en cristal ?

Oui.

Vraiment ?

Oui.

Est-ce qu'il y avait de la musique en fond sonore ?

Oui.

Mozart, n'est-ce pas ? Pour aller avec la table et le chandelier.

Non. Telemann.

Et ensuite ?

J'ai écouté Telemann pendant vingt minutes. C'est un des préférés de mon père. Quand le morceau a été terminé, j'ai appelé mon père.

Et où est-il, si je peux me permettre de te le demander ?

Il est hospitalisé à Sloan-Kettering à cause d'un cancer du poumon et ma mère reste avec lui en permanence parce qu'il va bientôt mourir.

Oh, Daniel, je suis désolé. Tu aurais dû me le dire, au lieu de me laisser te faire passer l'interrogatoire culinaire.

C'est pas grave. Il va mourir, de toute façon.

On entendait les mouches voler. Que pouvais-je dire à Daniel, maintenant ? J'avais fait mon petit numéro de prof-procureur drôle et futé, et Daniel s'était montré patient. La salle était encore pleine des détails de son dîner solitaire et distingué. Son père était là. Nous étions près du lit avec la mère de Daniel. Nous garderions toujours gravés dans nos mémoires les médaillons de veau, la bonne, le chandelier, et Daniel, seul devant une grande table en acajou impeccablement cirée pendant que son père se mourait.

J'annonce à mes élèves qu'ils doivent apporter le *New York Times* tous les lundis afin de lire les critiques gastronomiques de Mimi Sheraton.

Ils se regardent et haussent les épaules à la new-yorkaise. Hausser les sourcils. Lever les mains, paumes ouvertes, les coudes contre les côtes. Cela illustre la patience, la résignation, l'étonnement.

Pourquoi voulez-vous qu'on lise des critiques gastronomiques ?

Ça vous plaira peut-être et, évidemment, vous permettra d'élargir et d'approfondir votre vocabulaire. C'est ce qu'il vous faudra expliquer aux visiteurs importants qui viennent du Japon ou d'ailleurs.

Oh là là, mince alors, la prochaine fois vous allez nous demander de venir avec des notices nécrologiques.

C'est une bonne idée, Myron. On apprend beaucoup de choses en lisant ces notices. Préféreriez-vous ça à Mimi Sheraton ? Vous pourriez apporter quelques notices nécrologiques bien croustillantes.

M'sieur McCourt, restons-en aux recettes et aux critiques gastronomiques.

Très bien, Myron.

Nous allons étudier la composition d'une critique de Mimi Sheraton. Elle décrit l'ambiance du restaurant et la qualité du service, ou ses défauts. Elle fait un compte-rendu de toutes les étapes du repas : apéritif, entrée, dessert, café, vin. Le dernier paragraphe est un petit résumé dans lequel elle justifie les étoiles qu'elle attribue ou refuse d'attribuer. Voilà quelle est la composition. Oui, Barbara ?

Je trouve que cette critique est l'une des choses les plus vaches que j'aie jamais lues. J'imaginais du sang qui dégoulinait de la feuille de sa machine à écrire, ou de ce dont elle se sert pour écrire.

Si tu payais une fortune dans un restaurant

comme celui-là, Barbara, n'aimerais-tu pas que quelqu'un comme Mimi Sheraton te prévienne ?

J'essaie de me concentrer sur l'article, la langue, les détails, mais ils veulent savoir si elle mange dehors tous les soirs et comment elle fait pour y arriver.

Ils disent qu'elle est à plaindre, la personne qui exerce un boulot qui ne lui permet pas de rester chez elle et de manger un hamburger ou un bol de céréales avec une banane dessus. Le soir, quand elle rentre, elle dit sans doute à son mari qu'elle ne veut plus jamais entendre parler de poulet ou de côtes de porc. Le mari n'a jamais le plaisir de lui préparer un petit casse-croûte pour lui remonter le moral après une dure journée de travail, vu qu'elle a probablement déjà suffisamment mangé pour tenir au moins une semaine. Imaginez le tourment des maris et des femmes de tous ces critiques gastronomiques. Le mari ne peut jamais inviter sa femme pour le simple plaisir d'aller au resto sans être obligé de se plaquer des choses contre le palais pour essayer de deviner quelles épices ont été utilisées et ce qu'il y avait dans la sauce. Qui voudrait manger avec une femme qui sait tout du vin et de la nourriture ? On se retrouverait à épier la tête qu'elle ferait dès la première bouchée. Non, elle a peut-être un boulot chic qui lui rapporte plein d'argent mais ça doit être fatigant, à la longue, de toujours manger ce qu'il y a de meilleur et on imagine même pas ce que ça peut faire aux boyaux.

Alors, pour la première fois de ma vie, j'ai utilisé un mot que je n'avais jamais utilisé. J'ai dit, Nonobstant, et je l'ai répété. Nonobstant, je vais faire de vous des Mimi Sheraton.

Je leur ai demandé d'écrire un texte sur la cantine

du lycée ou les restaurants du quartier. Personne n'a écrit de critique favorable sur la cantine du lycée. Trois d'entre eux ont conclu leur devoir par la même phrase, C'est dégueu. Il y avait des textes dithyrambiques sur la pizzeria du coin et le type qui vend des hot-dogs et des bretzels sur la Première Avenue. Le patron d'une pizzeria a dit aux élèves qu'il aimerait me rencontrer pour me remercier d'avoir attiré l'attention sur sa profession et rendu hommage à son métier. C'était vachement bizarre de s'imaginer ce professeur au nom irlandais en train d'encourager ses élèves à apprécier les choses les plus raffinées au monde. Je pouvais venir quand je voulais manger une pizza, pas juste une part mais une pizza entière, sa porte m'était grande ouverte et je pourrais avoir tout ce que je voulais comme garniture, même s'il devait envoyer quelqu'un dans une épicerie fine chercher les ingrédients qui pouvaient lui manquer.

Je leur ai demandé des explications sur l'arrogance et la méchanceté de leurs critiques de la cantine. D'accord, ai-je dit, l'atmosphère est sinistre Mimi serait d'accord avec vous. On pourrait confondre la cantine avec une station de métro ou un réfectoire de l'armée. Vous vous plaignez du service. Les femmes qui servent à manger sont trop bourrues. Elles ne sourient pas assez. Oh, ça alors. Vous êtes vexés. Elles se contentent de mettre les aliments, quels qu'ils soient, sur le plateau. Eh bien, vous vous attendez à quoi ? Essayez de faire un métier sans avenir et on verra si vous arrivez à garder le sourire.

Je me dis, Arrête. Pas de sermon. Tu l'as fait il y a des années avec ta diatribe sur la Révolution française. Si ça leur chante de dire que c'est dégueu, laisse-les faire. Ne sommes-nous pas dans un pays libre ?

Je leur demande ce qu'ils veulent dire quand ils écrivent que la bouffe est dégueu. Vous êtes des écrivains. Et si vous passiez à un registre de vocabulaire un peu plus élevé ? Que dirait Mimi ?

Oh, bon sang, m'sieur McCourt, est-ce que vous êtes vraiment obligé de nous bassiner avec Mimi chaque fois qu'on parle de nourriture ?

Eh bien, que voulez-vous dire par c'est dégueu ?

Vous savez bien. Vous savez bien.

Quoi ?

Ben, on peut pas bouffer ça, quoi.

Et pourquoi pas ?

Ça a un goût de merde ou ça n'a aucun goût.

Comment connaissez-vous le goût de la merde ?

Vous savez, m'sieur McCourt, vous êtes un chic type mais des fois vous êtes vraiment exaspérant.

Tu sais, Jack, ce qu'a dit Ben Jonson ?

Non, m'sieur McCourt, je ne sais pas ce qu'a dit Ben Jonson.

Il a dit, Le langage est ce qui dévoile le mieux l'homme. Parle, que je puisse te voir.

Oh, c'est ce qu'a dit Ben Jonson ?

C'est ce qu'a dit Ben Jonson.

Bien balancé, m'sieur McCourt. Il devrait aller au resto avec Mimi.

15

LORS DES JOURNÉES PORTES OUVERTES, les enfants sont renvoyés chez eux à midi et les parents déboulent entre 13 et 15 heures, puis dans la soirée entre 19 et 21 heures. À la fin de la journée, tu croises les profs qui pointent avant de rentrer chez eux, épuisés d'avoir parlé à des centaines de parents. Il y a trois mille élèves dans ce lycée, ce qui devrait faire dans les six mille parents mais, comme on est à New York où la mode est au divorce, les jeunes doivent comprendre qui est qui, qui fait quoi, et ce qui se passe. Il est tout à fait probable que ces trois mille mômes ont dix mille parents et beaux-parents, tous persuadés que leurs fils et leurs filles sont la crème de la crème. Il s'agit du lycée Stuyvesant, qui, pour les élèves dès qu'ils y ont mis les pieds, est un sésame ouvrant la porte des meilleures universités du pays, et si tu n'y arrives pas t'as qu'à t'en prendre qu'à toi-même. Les mères et les pères sont décontractés, confiants, joyeux, sûrs d'eux quand ils ne sont pas inquiets, anxieux, désespérés, angoissés, soupçonneux. Ils ont de nombreuses attentes et seul le succès les satisfera. Ils arrivent en si grand nombre que chaque professeur a besoin d'un assistant pour endiguer le flot. Ils se posent des questions sur le classement de leur enfant par rapport à la classe. Est-ce que je dirais que Stanley se situe au-dessus de la moyenne ? Parce qu'ils trouvent qu'il se laisse aller et qu'il a de mauvaises fréquentations. Ils entendent dire des choses sur Stuyvesant Square, à propos de la drogue, voyez-vous, et il y a de quoi en perdre le sommeil. Est-ce qu'il fait bien son travail ? Avez-vous remarqué des changements dans son comportement et son attitude ?

Le divorce des parents de Stanley se passe mal et ce n'est pas étonnant que Stanley soit à côté de ses pompes. La mère a gardé le six-pièces bourgeois dans l'Upper West Side tandis que Papa a atterri dans un taudis au fin fond du Bronx. Ils se sont entendus pour couper Stanley en deux, trois jours et demi par semaine chez chaque parent. Bien qu'il soit bon en maths, Stanley n'arrive pas lui-même à se diviser ainsi. Il prend la chose avec philosophie. Il fait de son dilemme une espèce d'équation algébrique : Si a égale $3^{1/2}$ et b égale $3^{1/2}$ alors qui est Stanley ? Son prof de maths, M. Winokur, lui met 20/20 ne serait-ce que pour avoir pensé en ces termes. Pendant ce temps, mon assistante pour la soirée portes ouvertes, Maureen McSherry, m'informe que les parents belliqueux de Stanley sont dans ma classe et attendent de me voir et que, ajoute-t-elle, il doit y avoir une demi-douzaine de parents belliqueux qui refusent d'être assis l'un à côté de l'autre tandis que je parle de leurs petits chéris.

Maureen leur a donné des numéros, comme à la boulangerie, et je me sens découragé parce que le flot de parents entrant dans ma salle ne semble jamais vouloir se tarir. Dès que tu as fini avec l'un, un autre arrive. Ils occupent toutes les chaises ; trois se sont perchés comme des gosses sur le rebord des fenêtres et chuchotent, et une douzaine se trouvent contre le mur du fond. J'aimerais pouvoir demander à Maureen de faire une pause mais c'est impossible dans un lycée comme Stuyvesant, où les parents connaissent leurs droits et ne se retrouvent jamais à court de mots. Maureen murmure, Attention, voici la mère de Stanley, Rhonda. Elle ne fera qu'une bouchée de vous.

Rhonda empeste la nicotine. Elle s'assied, se penche vers moi et me prévient de ne pas croire un traître mot de ce que ce salaud, le père de Stanley, me dira. Ça lui ferait mal de prononcer le nom de cette ordure ; elle est désolée pour ce pauvre Stanley qui se retrouve coincé avec ce connard en guise de figure paternelle et à part ça, comment ça marche pour Stanley ?

Oh, très bien. Il a une très bonne plume et il est apprécié de ses camarades.

Eh bien, c'est un miracle vu ce que son malade de père lui fait subir, en courant après tous les jupons. Je fais de mon mieux quand c'est moi qui ai Stanley mais il a du mal à se concentrer trois jours et demi par semaine en sachant que les trois jours et demi suivants, il va les passer dans ce trou à rats du Bronx. Alors, du coup, le voilà qui commence à aller dormir chez des copains. C'est ce qu'il me dit, mais il se trouve que je sais qu'il a une copine dont les parents sont ultra-permissifs et j'ai de gros soupçons.

Je crains de ne rien savoir là-dessus. Je ne suis que son professeur et il m'est impossible de connaître la vie privée des quelque cent soixante-quinze élèves qui assistent à mes cours chaque semestre.

Rhonda parlait fort ; les parents qui attendaient gigotaient sur leur chaise, levant les yeux au ciel, impatients. Maureen m'a signalé que je devais faire attention à l'heure, il ne fallait pas accorder plus de deux minutes à chaque parent, même au père de Stanley, qui exigerait le même temps de parole que son ex. Il a dit, Bonjour, je m'appelle Ben, je suis le père de Stanley. Écoutez, j'ai entendu ce qu'elle a dit, la psy. Je ne lui enverrais pas mon chien. Il a ri et secoué la tête. Mais ne parlons pas de ça. J'ai un problème avec Stanley, en ce moment. Après avoir reçu l'éducation qu'il a reçue, avec tout l'argent que j'ai mis de côté pendant des années pour qu'il aille à la fac, il veut tout foutre en l'air. Et vous savez ce qu'il veut faire ? Il veut entrer dans un conservatoire de Nouvelle-Angleterre, et faire de la guitare classique. À votre avis, ça rapporte combien, la guitare classique ? Je lui ai dit... Enfin, écoutez, je ne veux pas prendre tout votre temps, monsieur McCord.

McCourt.

C'est ça. Je ne veux pas prendre tout votre temps, mais je lui ai dit, Il faudra me passer sur le corps. Depuis le début, on était d'accord pour qu'il devienne comptable. J'en aurais mis ma main au feu. Je veux dire, sinon, à quoi ça sert que je bosse ? Je suis moi-même expert-comptable et si vous aviez le moindre petit problème, je serais ravi de vous aider. Certainement pas, mon cher. Pas de guitare classique. Je lui dis, Obtiens ton diplôme de compta et fais de la guitare pendant tes loisirs. Il fond en larmes. Il sanglote. Il menace d'aller vivre chez sa mère, ce que je ne souhaiterais pas à un nazi. Alors, je me demande si vous pourriez lui dire un mot ? Je sais qu'il aime bien votre cours, il aime jouer des recettes et tout ce que vous pouvez bien fiche, là-dedans.

J'aimerais pouvoir vous aider mais je ne suis pas conseiller d'orientation. Je suis professeur d'anglais.

Ah tiens ? D'après ce que Stanley me dit de votre cours, on dirait que vous faites tout sauf enseigner l'anglais. Sans vouloir vous vexer, je ne vois pas le rapport entre la cuisine et l'anglais. Enfin, merci, et comment ça va pour lui, en classe ?

Plutôt bien.

La sonnerie retentit et Maureen, qui n'a pas froid aux yeux, annonce que le temps qui était imparti est terminé mais qu'elle sera ravie de noter les noms et les numéros de téléphone des parents désireux de prendre un rendez-vous pour un entretien de quinze minutes, plus tard dans la semaine. Elle fait circuler une feuille de papier, qui reste vierge. C'est tout de suite, immédiatement, qu'ils veulent que je les écoute. Enfin, voyons, ils ont passé la moitié de la nuit à poireauter pendant que les autres cinglés blablataient sur leurs tarés de gosses et d'ailleurs c'est pas étonnant qu'ils soient dans cet état, quand on voit les parents qu'ils ont. Les frustrés me pourchassent jusque dans le couloir en me demandant comment ça va en classe pour Adam, Sergei, Juan, Naomi ? Qu'est-ce que c'est que ce lycée où l'on ne peut pas s'entretenir une minute avec un professeur et à quoi bon payer des impôts ?

À 21 heures, après avoir pointé, les profs proposent d'aller prendre un verre au coin de la rue, au Gas House. On s'installe à une table et on commande des pichets de bière. On est complètement desséchés après tant, tant, tant de parlote. Mon Dieu, quelle soirée ! Je raconte à Arlene

Dahlberg, Connie Collier et Bill Tuohy qu'après toutes ces années passées à Stuyvesant je n'ai entendu qu'un seul parent, une mère, me demander si son fils se plaisait au lycée. J'ai répondu que oui. Il avait l'air de s'y plaire. Elle a souri, s'est levée, m'a dit, Merci, et s'est en allée. Un seul parent sur toutes ces années.

La seule chose qui les intéresse, c'est le succès et l'argent, l'argent, l'argent, dit Connie. Ils ont des exigences vis-à-vis de leurs enfants, beaucoup d'attentes, et nous on est comme des ouvriers à la chaîne qui mettent un petit boulon par-ci, un petit boulon par-là, jusqu'à ce qu'il en ressorte un produit fini prêt à servir aux parents et aux entreprises.

Un groupe de parents s'est aventuré dans le Gas House. Une mère s'est approchée de moi. Comme c'est charmant, a-t-elle dit. Vous avez du temps pour vous siffler des bières mais pas pour accorder une minute à un parent qui a dû patienter une demi-heure pour vous voir.

Je lui ai dit que j'étais désolé.

Elle a dit, C'est ça, et est allée rejoindre le groupe à une autre table. Je me sentais tellement accablé par cette réunion de parents que j'ai trop bu et que le lendemain matin je suis resté au lit. Pourquoi n'avais-je pas demandé à cette mère d'arrêter de casser mes couilles gaéliques ?

Pendant mon cours, Bob Stein ne s'asseyait jamais à sa table. Peut-être était-ce à cause de son gabarit mais je crois qu'il trouvait une sorte de réconfort à se percher sur le large rebord des fenêtres, au fond de la classe. À peine installé, il souriait et me faisait un signe de la main. Bonjour, m'sieur McCourt. C'est pas une magnifique journée ?

Quelle que soit la saison, il portait une chemise blanche ouverte à l'encolure, le col blanc chevauchant le col gris de son blazer croisé. Il disait à ses camarades que ce blazer avait appartenu à Orson Welles et que si par hasard il le rencontrait, ça leur ferait un sujet de conversation. Sans ce blazer, il n'aurait pas su quoi dire à Orson Welles, vu que ses centres d'intérêt n'avaient aucun rapport avec ceux de l'acteur.

Il portait des chaussettes grises tellement épaisses qu'elles tire-bouchonnaient en un tas laineux sur ses chaussures de chantier jaunes.

Il n'apportait ni cartable, ni livres, ni cahiers, ni stylos. Il plaisantait en disant que c'était en partie ma faute à cause de l'exaltation avec laquelle j'avais cité Thoreau quand il disait simplifiez, simplifiez, simplifiez et qu'il fallait se débarrasser des biens matériels.

Quand il y avait une dissertation ou un devoir sur table il demandait s'il pouvait, à tout hasard, emprunter un stylo et quelques feuilles de papier.

Bob, c'est un atelier d'écriture, ici. Il faut un minimum de matériel.

Il m'assurait que tout irait bien et me conseillait de ne pas m'en faire. Du rebord de la fenêtre il apercevait mes tempes grisonnantes, je ferais mieux de profiter des années qui me restaient.

Non, non, disait-il aux autres. Rigolez pas.

Mais ils se bidonnaient déjà, et tellement fort qu'il fallait attendre pour discerner à nouveau sa voix. Il ajoutait que d'ici un an je repenserais à cet instant en me demandant pourquoi j'avais gaspillé mon temps et mes émotions pour des histoires de feuilles et de stylo manquants.

Il fallait que j'endosse mon rôle de professeur sévère. Bob, tu n'auras pas la moyenne si tu ne t'impliques pas plus.

M'sieur McCourt, j'en reviens pas que vous me disiez ça, surtout vous, vu votre enfance malheureuse, et tout, m'sieur McCourt. Mais c'est pas grave. Si vous me mettez pas la moyenne je redoublerai. J'suis pas pressé. Qu'est-ce que c'est qu'un an ou deux, dans un sens ou dans l'autre ? Si pour vous, c'est important, moi, je n'ai que dix-sept ans. J'ai toute la vie devant moi, m'sieur McCourt, même si vous me faites redoubler.

Il a demandé à ses camarades si quelqu'un voulait bien le dépanner d'un stylo et de feuilles. Dix élèves se sont proposés mais il a choisi le plus proche pour ne pas avoir à descendre de sa fenêtre. Il a dit, Hé, vous voyez, m'sieur McCourt ? Vous voyez comme les gens sont gentils. Tant qu'ils porteront des sacs gros comme ça, vous et moi, on n'aura pas à s'inquiéter pour les fournitures.

Oui, oui, Bob, mais en quoi cela va-t-il t'être utile la semaine prochaine lors du contrôle sur *Gilgamesh* ?

C'est quoi, ça, m'sieur McCourt ?

C'est expliqué dans ton anthologie de la littérature mondiale, Bob.

Oh, oui. Je me souviens de ce livre. Un gros livre. Je l'ai, à la maison, et mon père en a lu les passages sur la Bible, dedans, et tout. Mon père est rabbin, vous savez. Il était supercontent que vous nous ayez donné ce livre avec les prophètes et tout et il a dit que vous deviez être un prof extra, et il viendra vous voir pour la soirée portes ouvertes. J'ai confirmé, vous étiez un prof extra, à part votre fixette sur les stylos et les feuilles.

Arrête un peu, Bob. Tu n'as même pas jeté un œil au livre.

De nouveau, il m'a vivement conseillé de ne pas m'en faire vu que son père, le rabbin, lui parlait souvent de ce livre et que lui, Bob, s'attacherait à tout connaître sur *Gilgamesh* et sur tout ce qui pourrait faire plaisir au prof.

Là encore, les élèves ont hurlé de rire, se donnant des claques dans le dos, se tapant dans les mains.

Moi aussi, j'avais envie de rire, mais il fallait que je garde ma dignité d'enseignant.

De l'autre côté de la salle, malgré les gloussements, les halètements et les rires, j'ai crié, Bob ! Bob ! Ça me ferait plaisir si c'était toi qui lisais le manuel sur la littérature mondiale et que tu laisses ton pauvre père tranquille.

Il a répondu qu'il adorerait pouvoir le lire de A à Z mais que ça ne faisait pas partie de ses priorités.

Et quelles sont tes priorités, Bob ?

Je veux devenir agriculteur.

Il a souri, il a agité le stylo et la copie si gentiment donnés par Jonathan Greenberg, et a dit qu'il était désolé d'avoir perturbé le cours et qu'il était peut-être temps de se mettre à écrire ce que j'avais voulu qu'ils écrivent au début de l'heure, qui s'écoulait rapidement. Bob, pour sa part, était prêt et proposait aux élèves de se calmer pour que m'sieur McCourt puisse continuer son boulot. Il a dit que le métier de prof était le métier le plus dur au monde et qu'il était bien placé pour le savoir parce qu'un jour, en colonie de vacances, il avait essayé d'expliquer à des petits comment les machins poussent dans la terre mais ils n'étaient pas fichus de l'écouter, ils ne faisaient que courir dans tous les sens pour attraper des bestioles si bien qu'il s'était énervé et leur avait dit qu'il allait leur botter le cul, ce qui avait marqué la fin de sa carrière d'enseignant, alors pensez un peu plus à m'sieur McCourt. Mais avant de passer aux choses sérieuses il aurait voulu expliquer qu'il n'avait rien contre la littérature mondiale, à part qu'il ne lisait plus désormais que les brochures du ministère de l'Agriculture et les magazines ayant trait à l'agriculture. Il a dit que c'était moins simple que ça n'en avait l'air, mais c'était un autre débat, et il voyait bien que je voulais poursuivre mon cours et c'était quoi comme cours, m'sieur McCourt ?

Que pouvais-je faire de ce grand gaillard assis sur le rebord de la fenêtre, de ce juif qui voulait faire partie des Future Farmers of America[1] ? Jonathan Greenberg a levé la main et a demandé pourquoi l'agriculture c'était pas aussi simple que ça en avait l'air ?

Bob s'est renfrogné. C'est mon père, a-t-il dit. Il a un problème avec le maïs et les porcs. Il dit que les juifs ne mangent pas de maïs. Et que si tu te balades dans les rues de Williamsburg et de Crown Heights et que tu regardes par la fenêtre des appartements juifs à l'heure du repas tu ne verras jamais personne manger du maïs. C'est pas un truc de juif. T'en as plein la barbe. Si tu trouves un juif qui mange du maïs, c'est qu'il a perdu la foi. Voilà ce que dit mon père. Mais la goutte qui a fait déborder le vase, c'est les porcs. J'ai dit à mon père que je les aimais. J'ai pas l'intention de les manger ni rien mais j'aimerais

1. FFA : Association destinée à promouvoir la formation des agriculteurs américains, et dotée d'une filière scolaire.

bien en élever et les vendre aux goys. Pourquoi ça serait mal ? Ce sont de chouettes petites bêtes et des fois ils sont très affectueux. J'ai dit à mon père que j'allais me marier et que j'aurais des enfants et que mes enfants aimeraient bien les petits cochons. Il a failli perdre la boule, et ma mère a été obligée d'aller s'allonger. Je n'aurais peut-être pas dû le leur dire mais ils m'ont appris qu'il fallait dire la vérité et de toute façon ils auraient fini par savoir.

La sonnerie a retenti. Bob a sauté de son rebord de fenêtre, il a rendu le stylo et la copie à Jonathan. Il a dit que son père le rabbin passerait me voir la semaine suivante pour la soirée portes ouvertes et qu'il était désolé pour la perturbation.

Le rabbin s'est assis devant mon bureau, a levé les mains en l'air et a gémi, Oy. J'ai cru qu'il plaisantait mais à la manière dont son menton s'est affaissé sur sa poitrine et dont il a secoué la tête, j'ai compris que ce n'était pas un rabbin heureux. Il a dit, Et pour Bob, comment ça va en classe ? Il avait un accent allemand.

Bien, ai-je répondu.

Il va nous tuer, il nous a brisé le cœur. Il vous a raconté ? Il veut devenir agriculteur.

C'est une vie saine, monsieur Stein.

C'est un scandale. On va payer pour qu'il aille dans une école où on lui apprendra à élever des porcs et cultiver du maïs. Les gens vont nous montrer du doigt, dans la rue. Ça va tuer ma femme. On l'a prévenu, si c'était ce qu'il voulait faire il faudrait qu'il finance lui-même ses études et on ne changera pas d'avis. Il dit qu'il ne faut pas qu'on s'inquiète, que des écoles publiques offrent des bourses aux gamins qui veulent devenir agriculteurs, et il en connaît un rayon, là-dessus. La maison est bourrée de livres et de machins qui viennent de Washington et d'une école de l'Ohio. Alors on l'a perdu. Monsieur McCoot. C'est comme s'il était mort. On ne peut pas avoir un fils qui passe toutes ses journées avec des porcs.

Je suis désolé, monsieur Stein.

Six ans plus tard j'ai rencontré Bob sur Lower Broadway. C'était un jour de janvier mais il portait son accoutrement habituel : un bermuda et le blazer d'Orson Welles. Il a dit, Bonjour, m'sieur McCourt. Belle journée, n'est-ce pas ?

Il gèle à pierre fendre, Bob.

Oh, ça va.

Il m'a appris qu'il travaillait déjà en tant qu'agriculteur dans l'Ohio, mais qu'il n'avait pas pu continuer avec les porcs, parce que ça aurait fichu ses parents en l'air. Je lui ai dit que c'était une sage et tendre décision.

Il s'est tu et m'a regardé. M'sieur McCourt, vous ne m'avez jamais beaucoup aimé, pas vrai ?

Je ne t'ai jamais beaucoup aimé, Bob ? Tu plaisantes ? C'était une joie de t'avoir en cours. Jonathan disait que tu étais le rayon de soleil de la classe.

Dis-lui, McCourt, dis-lui la vérité. Comment il illuminait tes journées, que tu parlais de lui à tes amis, combien tu le trouvais original, combien tu admirais son style, sa bonne humeur, sa franchise, son courage, que tu aurais tout donné pour avoir un fils comme lui. Et dis-lui combien il était beau, et l'est toujours, dans tous les sens du terme, dis-lui combien tu l'aimais et combien tu l'aimes encore. Dis-lui.

Je l'ai fait, et ça l'a laissé sans voix, et je me souciais comme de l'an quarante de ce que pensaient les passants de Lower Broadway en voyant cette longue, chaleureuse accolade, entre un prof d'anglais et un gaillard juif, membre des *Future Farmers of America*.

Ken était coréen, il détestait son père. Il avait raconté en classe qu'on l'avait forcé à prendre des cours de piano alors qu'il n'y avait pas de piano chez lui. Son père lui avait fait faire ses gammes sur la table de la cuisine jusqu'à ce qu'ils puissent se payer un piano et quand il soupçonnait Ken d'avoir fait une fausse note, il lui donnait un bon coup de spatule sur les doigts. Ainsi qu'à sa petite sœur de six ans. Quand ils ont eu un vrai piano et qu'elle a joué *Chopsticks*, il l'a fait descendre du tabouret, l'a traînée dans sa chambre, a attrapé une pile de vêtements dans sa commode, les a fourrés dans une housse de coussin, l'a entraînée dans le couloir pour qu'elle puisse le voir balancer ses vêtements dans l'incinérateur.

Ça lui apprendrait à jouer du piano correctement.

À l'école primaire, on a forcé Ken à aller chez les scouts et à avoir plus de médailles du mérite que n'importe qui dans sa troupe. Et puis, quand Ken a été au lycée, son père a insisté pour qu'il devienne chef scout parce que ça serait bien vu quand il postulerait pour Harvard. Ken ne voulait pas perdre son temps à tenter de devenir chef scout mais il n'avait pas le choix. Harvard se profilait à l'horizon. De plus, son père exigeait qu'il excelle dans le domaine des arts martiaux, et passe de ceinture en ceinture jusqu'à ce qu'il obtienne la noire.

Il s'était toujours montré obéissant, sauf quand il a été question de choisir l'université. Son père lui a demandé de concentrer ses efforts pour solliciter son admission dans deux universités, Harvard et le MIT. Même en Corée, tout le monde savait que c'était là qu'il fallait aller.

Ken a dit non. Il voulait s'inscrire à Stanford, en Californie. Il voulait vivre de l'autre côté du continent, le plus loin possible de son père. Son père a dit non, il ne le permettrait jamais. Ken a répliqué que s'il n'allait pas à Stanford, il n'irait nulle part ailleurs. le père a fait un pas vers lui dans la cuisine et l'a menacé. Ken, l'as des arts martiaux, a dit, Essaye un peu, Papa, et Papa a battu en retraite. Son père aurait pu dire, D'accord, fais comme tu veux, mais qu'auraient pensé les voisins ? Qu'auraient dit les paroissiens, à l'église ? Tu imagines, avoir un fils qui obtient son diplôme à Stuyvesant et refuse d'aller à Harvard ? Papa serait déshonoré. Ses amis étaient fiers d'envoyer leurs enfants à Harvard ou au MIT et si Ken avait un minimum d'égards pour la réputation de sa famille, il devait oublier Stanford.

Il m'a écrit de Stanford. Il appréciait le soleil, là-bas. La vie à l'université était plus facile qu'au lycée Stuyvesant, moins de pression, moins de compétition. Il venait de recevoir une lettre de sa mère, lui demandant de se concentrer sur ses études et de renoncer aux activités extrascolaires, pas de sport, pas de club, rien ; s'il obtenait d'autres notes que des A il ne serait pas le bienvenu à la maison, pour Noël. Il écrivait, dans sa lettre, que ça lui convenait parfaitement. De toute façon, il n'avait pas envie de rentrer chez ses parents pour Noël. Il ne rentrait que pour voir sa sœur.

Il est apparu sur le seuil de ma salle quelques jours avant Noël et m'a dit que, grâce à moi, il avait pu supporter sa dernière année de lycée. À une époque, il rêvait d'entraîner son père dans une ruelle sombre pour en découdre avec lui, et qu'un seul d'entre eux en ressorte. Il aurait été vainqueur, bien sûr, mais là-bas à Stanford il s'était mis à réfléchir à son père et à ce que ç'avait dû représenter pour lui, de débarquer de Corée, de travailler jour et nuit dans un commerce de fruits et légumes alors qu'il baragouinait à peine assez d'anglais pour s'en sortir, mais de s'être accroché, voulant à tout prix que ses enfants reçoivent l'éducation qu'il n'avait jamais eue en Corée, dont il n'aurait même pas rêvé ; et puis, à Stanford, son professeur d'anglais a demandé à Ken de parler d'un de ses poèmes préférés, et ce qui lui est venu à l'esprit, c'était « La valse de Papa » et, mon Dieu, c'était trop, il avait craqué et s'était mis à pleurer devant toute la classe, et le professeur avait été merveilleux, il avait passé son bras autour de l'épaule de Ken et l'avait accompagné dans le couloir jusqu'à son bureau, pour qu'il se reprenne. Il était resté une heure dans le bureau du prof, à parler et à pleurer, et le professeur lui disait que lui-même avait pensé que son père était un salaud de juif polonais, négligeant le fait que ce salaud de juif polonais avait survécu à Auschwitz avant de prendre son baluchon pour la Californie, où il avait élevé le professeur et deux autres enfants, et tenu une épicerie fine à Santa Barbara alors que chaque organe de son corps était sur le point de le lâcher, bousillé par le camp. Le professeur a ajouté que leurs pères auraient beaucoup de choses à se dire, mais que cela ne se produirait jamais. Le marchand de fruits et légumes coréen et l'épicier juif ne trouveraient jamais les mots qui viennent si facilement dans une université. Ken a dit qu'il s'était senti libéré d'un poids énorme, dans le bureau du professeur, comme si son corps venait d'expulser un tas de poisons. Ou quelque chose de ce genre. À présent, il allait acheter une cravate à son père, pour Noël, et des fleurs à sa mère. Ouais, c'était dingue de lui acheter des fleurs alors qu'ils en vendaient dans leur magasin, mais il y avait une grosse différence entre les fleurs achetées dans une petite épicerie coréenne et les fleurs achetées chez un vrai fleuriste. Il ne cessait de repenser à une remarque faite par le professeur, que ce monde devrait permettre au père juif polonais et au père coréen de se dorer au soleil avec leur femme, s'ils avaient le bonheur d'en avoir une. Ken avait ri devant l'excitation du professeur. Qu'ils puissent simplement buller au soleil. Mais ce monde ne le leur permettait pas, parce que rien n'est plus dangereux que de laisser les vieux schnocks au soleil. Ils risquaient de gamberger. Pareil pour les jeunes. Faut les occuper sinon ils risquent de se mettre à gamberger.

16

J'APPRENDS. LE SALE IRLANDAIS DES BAS-FONDS de Limerick laisse s'exprimer son envie. J'ai affaire à des immigrés de première et de deuxième génération, comme moi-même, mais j'ai aussi des enfants de bourgeois et de grands bourgeois, et je ricane. Je ne veux pas ricaner mais les vieilles habitudes ont la peau dure. Il s'agit de ressentiment. Pas de la rage. Juste du ressentiment. Je secoue la tête quand je vois ce qui les préoccupe, ces trucs de bourgeois, il fait trop chaud, il fait trop froid et je n'aime pas ce dentifrice. Après avoir passé trois décennies en Amérique, je m'émerveille encore de pouvoir allumer une ampoule électrique ou de trouver une serviette lorsque j'ai pris une douche. Je lis un auteur du nom de Krishnamurti et ce que j'aime chez lui, c'est qu'il ne s'érige pas en gourou à l'instar de ces énergumènes qui reviennent d'Inde avec des tasses en fer-blanc qui rapportent des millions. Il refuse d'être un gourou ou un sage ou quoi que ce soit. Il te dit, te laisse entendre qu'en fin de compte tu es seul, mon pote. Il existe un essai de Thoreau intitulé *De la marche*, dans lequel il écrit que quand on sort de chez soi pour marcher on devrait se sentir tellement libre, sans entraves, qu'il ne faudrait jamais revenir au point de départ. Tu continues de marcher car tu es libre. J'ai demandé à mes élèves de lire cet essai et ils ont dit, Oh, non, ils ne pourraient jamais faire une chose pareille. Partir comme ça ? Vous rigolez ? Ce qui est bizarre parce que quand je leur racontais que Kerouac et Ginsberg faisaient la route, ils trouvaient ça merveilleux. Ce sentiment absolu de liberté. De la marijuana, des femmes et du vin pendant cinq mille kilomètres. Quand je parle à ces jeunes, c'est à moi que je parle. Nous avons une chose en commun : l'urgence. Mon Dieu, je ne suis plus tout jeune et je découvre des choses qu'un Américain d'intelligence moyenne connaissait à vingt ans. Le masque est presque tombé et je respire.

Les gamins se confient dans leurs dissertations ou les débats en classe et c'est par écrit que je visite la vie des familles américaines, des belles demeures de l'Est Side aux appartements de Chinatown. C'est un panorama de vieilles familles et de nouveaux arrivés et partout l'on retrouve dragons et démons.

Phyllis a écrit un texte dans lequel elle décrit une réunion de famille la nuit où Neil Armstrong est allé sur la Lune, les va-et-vient entre la télé du salon et la chambre où son père agonisait. Allers et retours. Inquiets pour le père, ne voulant pas manquer l'alunissage. Phyllis a dit qu'elle était avec son père quand sa mère lui a crié de venir car Armstrong allait poser le pied sur la Lune. Elle a accouru au salon, tout le monde riait et s'enlaçait jusqu'à ce qu'elle ressente un besoin, un besoin impérieux, et qu'elle se précipite dans la chambre pour découvrir son père mort. Elle n'a pas crié, n'a pas pleuré, elle se demandait juste comment elle allait faire pour retourner au salon auprès de tous ces gens heureux et leur annoncer que Papa les avait quittés.

À présent, elle pleurait, debout devant la classe. Elle aurait pu retourner s'asseoir à sa place, au premier rang, je l'espérais, parce que je ne savais pas quoi faire. Je me suis approché d'elle. Je l'ai entourée de mon bras gauche. Mais ça n'était pas suffisant. Je l'ai attirée contre moi, l'ai enlacée, l'ai laissée sangloter sur mon épaule. Dans la salle, des visages étaient en pleurs jusqu'à ce qu'un élève crie, Allez ! Phyllis, et un ou deux ont applaudi, toute la classe s'est mise à applaudir et à l'acclamer, Phyllis s'est tournée pour esquisser un sourire, derrière ses larmes, et quand je l'ai accompagnée à sa chaise, elle s'est retournée, m'a touché la joue et je me suis dit, La Terre ne va pas s'arrêter de tourner pour cette caresse sur ma joue, mais je ne l'oublierai jamais : Phyllis, son père décédé, Armstrong sur la Lune.

Écoutez. Vous m'écoutez ? Vous n'écoutez pas. Je m'adresse à ceux d'entre vous qui pourraient être intéressés par l'écriture.

À chaque instant de votre vie, vous écrivez. Même pendant vos rêves, vous écrivez. Quand vous arpentez les couloirs de ce lycée et que vous croisez différentes personnes, vous écrivez frénétiquement dans votre tête. Et le plus important. Vous devez prendre une décision, une décision pour dire bonjour. Allez-vous faire un signe de tête ? Allez-vous sourire ? Allez vous dire, Bonjour, monsieur Baumel ? ou allez-vous seulement dire, Bonjour. Vous apercevez quelqu'un que vous n'appréciez pas. Nouvelle crise d'écriture mentale. Une décision à prendre. Détourner la tête ? Le dévisager en passant ? Faire un signe de tête ? Murmurer, Salut ? Vous apercevez quelqu'un qui vous plaît et vous dites, Salut, d'une voix tendre et enjôleuse, un Salut qui évoque le *splash* d'une rame qui fend l'eau, l'envol des violons, des yeux brillants au clair de lune. Il y a tellement de manières de dire Salut. De le murmurer, de le roucouler, de le gueuler, de le chanter, de le beugler, de le hurler, de le dire en riant, en toussant. Une petite promenade dans le couloir occupe plusieurs paragraphes, des phrases dans votre tête, des décisions à foison.

Je vais vous montrer ça d'un point de vue masculin parce que les femmes, pour moi, restent un grand mystère. Je pourrais vous raconter des histoires. Vous écoutez ? Il y a une fille du lycée dont vous êtes amoureux. Vous apprenez qu'elle a rompu avec quelqu'un et que le champ est libre. Vous aimeriez sortir avec elle. Oh, les crépitements de l'écriture vous envahissent la tête. Peut-être faites-vous partie de ces jeunes gens décontractés qui parviennent à approcher Hélène de Troie avec désinvolture, à lui demander comment elle va depuis le siège, et à dire que vous connaissez un petit resto grec sympa dans les ruines d'Ilium. Le personnage décontracté, le séducteur, n'a pas besoin de beaucoup travailler le scénario. Les autres, comme moi, écrivent. Tu l'appelles pour savoir si elle passera la soirée avec toi samedi soir. Tu es inquiet. Un refus te conduirait au bord du gouffre, à l'overdose. Tu lui dis, dans le combiné, que tu es en cours de physique avec elle. Elle répond, d'un air perplexe, Ah, ouais. Tu lui demandes si elle est libre samedi soir. Elle est déjà prise. Elle a quelque chose de prévu, mais tu la soupçonnes de mentir. Une fille n'admettra jamais qu'elle n'a rien de prévu un samedi soir. Ça ne serait tellement pas américain. Elle doit faire semblant. Bon Dieu, que diraient les gens ? Te voilà en train d'écrire dans ta tête, de lui proposer de sortir samedi prochain et tous les autres samedis, jusqu'à la fin des temps. Tu es prêt à tout, pauvre petit con, et à n'importe quoi, du moment que tu peux la voir avant de commencer à toucher ta retraite. Elle fait son numéro, te demande de la rappeler la semaine prochaine, elle va voir. Ouais, elle va voir. Elle passe son samedi soir chez elle, à regarder la télé avec sa mère et tante Edna, qui n'arrête pas de jacasser. Tu passes ton samedi soir chez toi avec ta mère et ton père, qui ne te décrochent jamais un mot. Tu vas te coucher, tu rêves que la semaine prochaine, oh, Seigneur, la semaine prochaine, elle dira peut-être oui et si c'est le cas tu as tout bien prévu, le joli petit restaurant italien sur Columbus Avenue, avec des nappes à carreaux blancs et rouges et des bouteilles de chianti surmontées de bougies blanches fondues.

Rêves, envies, projets : ce n'est qu'écriture, mais la différence entre vous et l'homme de la rue c'est que vous y faites attention, mes amis, que vous assemblez les pièces dans votre tête, que vous comprenez la signification de l'insignifiant, et la couchez sur le papier. Peut-être êtes-vous plongés dans les affres de l'amour ou du chagrin, mais dans l'observation, vous êtes impitoyables. Vous êtes votre propre matière. Vous êtes des écrivains et une chose est certaine : qu'importe ce qui arrive le samedi soir, ou tout autre soir, vous ne vous ennuierez plus jamais. Jamais. Rien de ce qui est humain ne vous est étranger. Gardez vos applaudissements pour vous et rendez-moi vos devoirs.

M'sieur McCourt, vous avez de la chance. Comme vous avez eu une enfance malheureuse, ça vous fait quelque chose à raconter. Qu'est-ce qu'on va raconter, nous ? Tout ce qui nous est arrivé à nous, c'est d'être nés, d'aller à l'école, de partir en vacances, d'aller à l'université, de tomber amoureux, etc., d'obtenir un diplôme et de s'engager dans une voie professionnelle, de se marier, d'avoir deux virgule trois enfants, comme vous dites, d'envoyer les mômes à l'école, de divorcer comme cinquante pour cent de la population, de grossir, de faire une première crise cardiaque, de partir à la retraite, de mourir.

Jonathan, c'est le plus mauvais scénario de vie américaine que j'aie entendu dans une classe de lycée. Mais tu nous as fourni les ingrédients du grand roman américain. Tu as condensé les romans de Theodore Dreiser, Sinclair Lewis, F. Scott Fitzgerald.

Ils ont dit, Vous n'êtes pas sérieux.

J'ai dit, Vous connaissez les ingrédients de la vie de McCourt. Vous avez également vos propres ingrédients, que vous utiliserez si vous racontez votre vie. Dressez-en la liste dans votre cahier. Chérissez-les. Ça urge. Juifs. Bourgeois. *New York Times*. Musique classique à la radio. Harvard en perspective. Chinois. Coréens. Italiens. Espagnols. Journal en langue étrangère sur la table de la cuisine. Radio qui diffuse de la musique du monde. Parents qui rêvent de vacances au pays. Grand-mère assise en silence dans un coin du salon, et qui se souvient des images d'un cimetière du Queens. Des milliers de pierres tombales et de croix. Supplie : s'il vous plaît, s'il vous plaît, ne me mettez pas là. Emmenez-moi en Chine. S'il vous plaît. Alors, asseyez-vous près de votre grand-mère. Laissez-la raconter sa vie. Tous les grands-pères et les grands-mères ont des histoires à raconter et si vous les laissez mourir sans consigner ces histoires, vous êtes un criminel. Comme punition, vous serez exclus de la cantine.

Ouais. Ha, ha.

Les parents et les grands-parents se méfient de ce soudain regain d'intérêt pour eux. Pourquoi tu me poses toutes ces questions ? Ma vie ne regarde que moi, et ce qui est fait est fait.

Qu'est-ce qui est fait ?

C'est mes oignons. C'est encore ce professeur ? Toujours à fourrer son nez partout ?

Non, mémé. Je me disais seulement que tu aurais envie de me parler de ta vie pour que je puisse en parler à mes enfants et qu'ils puissent en parler aux leurs, et qu'on se souvienne de toi.

Dis à ton prof de s'occuper de ses affaires. Ces Américains, c'est tous les mêmes, toujours à poser des questions. Nous, dans cette famille, on respecte l'intimité.

Mais, mémé, il est irlandais, le prof.

Ah ouais ? Eh ben, c'est les pires, toujours en train de raconter des histoires et de chanter des chansons qui parlent de machins verts, ou de gens qui se font tirer dessus ou finissent pendus.

D'autres arrivent, racontent qu'ils ont posé des questions à leurs aînés sur le passé, et que ces satanées vannes ont lâché, les vieux n'arrêtaient pas de parler, jusqu'à ce qu'il faille aller se coucher, et même après, ils pleuraient, exprimaient leur chagrin, leur nostalgie pour la mère patrie, déclaraient leur amour pour l'Amérique. Les liens se sont renforcés. Grand-Père ne fait plus partie des meubles pour le jeune Milton, seize ans.

Pendant la Deuxième Guerre mondiale, mon grand-père a vécu des aventures incroyables. Genre, il est tombé amoureux de la fille d'un officier nazi et a failli se faire tuer à cause de ça. Grand-Père s'est échappé et a dû se cacher dans la comment-ça-s'appelle-déjà d'une vache dans une décharge.

La carcasse ?

Ouais. Si la carcasse était là, c'était parce qu'elle était à moitié bouffée par les rats et il a dû se battre pour les faire partir. Trois jours dans cette carcasse à se battre contre les rats avant qu'un curé ne le voie et le cache sous l'église jusqu'à ce que les Américains arrivent un an après. Pendant toutes ces années, Grand-Père est resté assis dans son coin ; je ne lui avais jamais parlé et il ne m'avait jamais parlé. Son anglais n'est toujours pas terrible mais c'est pas une raison. Maintenant, j'ai tout enregistré sur mon magnétophone et mes parents, mes parents, merde, ils disent, À quoi bon ?

Clarence était noir, brillant et timide. Il s'asseyait au fond de la classe avec trois autres jeunes Noirs et ne participait jamais au cours. Ses copains et lui faisaient des plaisanteries entre eux et ça m'agaçait, cette cabale noire. En même temps, je me disais que si j'étais noir, c'est là-bas que je serais, au fond de mon petit ghetto à moi, à me moquer du prof blanc derrière ma main.

David était noir, brillant mais pas timide pour un sou. Il s'asseyait près des grandes fenêtres avec ses copains blancs qui le suivaient à l'intérieur comme à l'extérieur de la classe. Quand je posais une question, il levait la main, donnait une mauvaise réponse, et secouait la tête d'un air exaspéré en disant, Oh, chier. Ils essayaient de l'imiter mais personne n'arrivait à faire, Oh, chier, comme David. Personne n'arrivait à déclencher l'hilarité comme lui. Les élèves changeaient de matière pour être en cours avec lui. Quand il lisait ses histoires ou ses dissertations, le vendredi, ils se bidonnaient. Lundi dernier je suis sorti du lit. Ou je ne suis pas sorti du lit. J'ai juste rêvé que je sortais du lit mais aujourd'hui je ne pourrais pas vous jurer que j'étais sorti du lit ou pas, ou que j'en rêvais, à moins que j'aie été en train de rêver que j'en rêvais. C'est la faute de M. Lipper parce qu'en cours de philo il nous a rabâché ce truc chinois où un homme rêve d'être un papillon à moins que ce soit le papillon qui rêve d'être un homme. Ou un papillon. Oh, chier.

Tout le monde a éclaté de rire, sauf Clarence. Ses trois copains ont rigolé, bien qu'ils aient eu l'air un peu gênés. Je lui ai demandé s'il aimerait nous lire quelque chose. Il a secoué la tête. Je lui ai rappelé que c'était un cours d'écriture, que tout le monde était censé participer et que s'il hésitait à lire lui-même peut-être quelqu'un d'autre pouvait lire ce qu'il avait écrit. Son indifférence me contrariait. Je voulais une classe heureuse, pleine de David qui auraient dit, Oh, chier.

Ce jour-là je devais surveiller la cantine. Clarence était assis contre un mur avec un groupe de jeunes Noirs. Ils riaient devant son imitation d'Hitler : un hot-dog coincé entre les lèvres et le nez en guise de moustache ; un saladier sur la tête ; un salut et un

Sieg Heil de sa main levée. Le Clarence de la cantine n'était pas le Clarence de la salle de classe.

David observait depuis une autre table, silencieux, l'air grave.

Après le repas, j'ai demandé à Clarence s'il voulait bien lire quelque chose, un jour. Non, il n'avait rien à dire.

Rien ?

Eh bien, je ne pourrai jamais être comme David.

On ne te demande pas d'être comme David.

Ça ne vous plairait pas. Les seules histoires que je connais, ce sont des histoires de rue. Ce qui se passe dans ma rue.

Alors, écris un texte sur ta rue.

J'peux pas. À cause des gros mots et tout ça.

Clarence, dis-moi un mot que tu connais que je n'ai jamais entendu. Un mot, Clarence.

Mais je croyais qu'on devait écrire dans un anglais correct.

Écris comme bon te semble, l'essentiel étant que tu le couches sur le papier.

Le vendredi suivant, il était prêt. Les différents lecteurs se levaient quand ils lisaient, mais lui voulait rester assis. Il m'a rappelé qu'il avait utilisé le langage de la rue et est-ce que ça me dérangeait ?

J'ai dit, Rien de ce qui est humain ne m'est étranger, et j'ai ajouté que je n'arrivais pas à me souvenir de quel écrivain russe était cette citation.

Il a dit, Oh, et s'est mis à raconter comment les mères de son quartier s'étaient occupées d'un dealer. Elles lui avaient conseillé de se tirer de là mais il avait répondu qu'il fallait qu'il gagne sa croûte et qu'elles pouvaient aller se faire foutre. Six mères l'ont chopé un soir et l'ont emmené dans un terrain vague. Ce qu'elles lui avaient fait là-bas,

Clarence ne le savait pas mais des rumeurs circulaient. Il n'aurait pas pu propager ces rumeurs même s'il avait été autorisé à le faire, le langage aurait été trop cru pour des élèves de Stuyvesant. Tout ce qu'il pouvait dire, c'était qu'une des mères avait appelé une ambulance pour que le type ne meure pas dans le terrain vague. Les flics étaient venus, évidemment, mais personne ne savait rien et les flics ont compris. C'est comme ça que ça se passait dans la rue de Clarence.

Silence. Waouh, cris de joie, applaudissements. Clarence s'est rassis sur sa chaise et a jeté un coup d'œil à David, dont les applaudissements étaient les plus enthousiastes d'entre tous. David n'a pas dit, Oh, chier. Il savait que c'était à Clarence de connaître son heure de gloire.

Ils voulaient savoir qui était ce drôle de type à l'entrée de la classe. Il était blanc comme la craie, cadavérique et défoncé. Il aurait pu m'appeler Frank mais, Bonjour, monsieur McCourt, symbolisait le respect pour le professeur.

Je me suis éclipsé dans le couloir pour que l'on ait l'un de nos brefs échanges épisodiques, au cours desquels il m'expliquait qu'il était de passage dans le quartier, avait pensé à moi et se demandait comment j'allais. De plus, il était à court d'argent, ne pouvait s'acheter les produits de première nécessité, et il se demandait si j'avais un peu de monnaie sur moi. Il me restait reconnaissant de la gentillesse dont j'avais fait preuve par le passé, et même s'il craignait de ne pouvoir me rembourser, il penserait toujours à moi avec affection. C'était tellement agréable de pouvoir me rendre une petite visite, et de voir cette jeunesse américaine, ces magnifiques enfants, entre des mains aussi expertes et généreuses. Il a dit merci et qu'il me verrait peut-être au bar Montero's, à Brooklyn, à deux trois pâtés de maisons de chez lui. D'ici quelques minutes, les dix dollars que je lui avais filés passeraient dans les mains d'un dealer de Stuyvesant Square.

C'était Huncke, leur ai-je expliqué. Prenez n'importe quelle anthologie récente de la littérature américaine ou de la Beat Generation et dans l'index vous trouverez Huncke, Herbert.

Il ne boit pas souvent mais il te laissera aimablement lui payer un verre au Montero's. Sa voix est grave, douce et mélodieuse. Il ne perd jamais ses bonnes manières et ce n'est pas souvent que tu en viens à voir en lui Huncke le Junkie. Il respecte la loi et ne lui obéit jamais.

Il a fait des séjours en prison pour vol à la tire, vol, possession de stupéfiants, trafic de stupéfiants. C'est un arnaqueur, un escroc, un prostitué, un charmeur, un écrivain. On lui attribue l'invention de l'expression Beat Generation. Il se sert des gens jusqu'à épuiser leur patience, leurs ressources, jusqu'à ce qu'ils disent, Ça suffit, Huncke. Dehors, dehors, sur-le-champ. Il comprend, il ne leur en veut jamais. C'est du pareil au même, pour lui. Je sais qu'il se sert de moi, mais il connaissait tout le monde dans le mouvement beat, et j'aime bien l'écouter parler de Burroughs, Corso, Kerouac, Allen Ginsberg. Arlene Dahlberg m'a dit que Ginsberg avait un jour comparé Huncke à saint François d'Assise. Oui, c'est un délinquant, un marginal, mais il ne vole que pour pouvoir acheter sa drogue, et ne tire pas de bénéfices de ses activités. De plus, il fait attention à ce qu'il prend. Il ne partira jamais avec un joyau qui semble être un bijou de famille. Il sait que s'il épargne un objet auquel tient la victime, ça suscitera toutes sortes de choses positives et ça compensera son chagrin. Ça portera également chance à Huncke. Il admet avoir enfreint la loi de toutes les manières possibles et imaginables, à part le meurtre, et il a même essayé de se suicider chez Arlene, à Majorque. En lui donnant dix dollars de temps en temps, je m'assure, en quelque sorte, qu'il ne me cambriolera pas, même s'il avoue se faire un peu vieux pour jouer les monte-en-l'air et qu'en général il doit embaucher un complice quand il entend parler d'un butin facile. Les garçons de bonne volonté ne manquent pas dans le Lower East Side. Plus d'escalade le long des escaliers de secours et des gouttières pour Herbert Huncke. Il existe d'autres manières de pénétrer dans les forteresses des riches, dit-il.

Par exemple ?

Tu n'imagineras jamais le nombre de portiers et d'agents d'entretien pédés qu'il y a sur Park Avenue et la Cinquième Avenue. Si j'avais des bonnes combines, si je m'arrangeais pour qu'un corps en rencontre un autre, ils me feraient signe de rentrer et je pourrais presque piquer un roupillon dans un des appartements. Dans le temps, quand j'étais jeune, je vendais mes services, et ça marchait très bien, merci. Un jour je suis fait surprendre par un cadre sup qui bossait dans les assurances et je me suis dit que j'étais bon pour un an de cabane, mais il a appelé sa femme en criant dans le couloir, elle s'est pointée avec des cocktails, et on a tous fini au lit, joli ménage à trois. Ah ! c'était une sacrée époque. On n'était pas encore homo en ce temps-là, juste pédé.

Le lendemain, je découvre un mot de protestation sur mon bureau, signé « Une mère ». Elle n'a pas voulu me donner son nom de crainte que je m'en serve contre sa fille qui, en rentrant de cours, lui avait parlé de cet ignoble personnage, Honky, qui n'est pas exactement, si elle se réfère aux propos de sa fille, un modèle pour la jeunesse américaine. Elle comprend, la mère, que cette personne vit en marge de la société américaine, et n'aurais-je pas pu trouver d'autres modèles plus dignes d'être cités en exemples « d'honnêtes gens » ? Des personnes comme Elinor Glynn ou John P. Marquand.

Je ne peux pas réagir à ce petit mot, je ne peux même pas y faire allusion en cours car je ne veux pas mettre la fille mal à l'aise. Je comprends les craintes de la mère mais, s'il s'agit d'un cours d'écriture, lorgnant vers la littérature, quelles sont les limites assignées au professeur ? Si un garçon ou une fille parle de sexe dans une histoire, dois-je l'autoriser à la lire en cours ? Après des années passées avec des milliers d'adolescents, après les avoir écoutés et avoir lu leur travail, je sais que les parents se font une fausse idée de leur prétendue innocence. Ces milliers d'ados ont été mes professeurs.

J'expose mon sujet sans mentionner Huncke. Pensez aux vies de Marlowe, Nash, Swift, Villon, Baudelaire, Rimbaud, sans même parler des scandaleux Byron et Shelley, et aux mœurs légères d'Hemingway avec les femmes et le vin, et à Faulkner que la boisson a tué, là-bas, à Oxford, dans le Mississipi. N'oubliez pas Anne Sexton qui s'est suicidée, de même que Sylvia Plath, et John Berryman qui a sauté d'un pont.

Oh, c'est que je m'y connais en noirceur.

Bon sang de bois, McCourt, arrête d'embêter ces gamins. Fiche-leur la paix. Laisse-les tranquilles et ils rentreront à la maison, et s'ils ne remuent pas la queue, de plaisir, c'est à cause de l'effet soporifique des blablas d'un prof d'anglais.

Les élèves sérieux lèvent la main et me demandent comment je vais les noter et remplir leurs bulletins scolaires. Après tout, je ne leur fais pas faire les devoirs sur table habituels : pas de choix multiples ; pas de colonnes correspondantes ; pas de cases à cocher ; pas de vrai ou faux. Les parents inquiets posent des questions.

Je dis aux élèves sérieux : Notez-vous vous-mêmes.

Quoi ? Comment peut-on se noter ?

Vous le faites tout le temps. On le fait tous. Un processus permanent d'autoévaluation. Examen de conscience, mes enfants. Demandez-vous, en toute franchise, est-ce que j'ai appris quelque chose en lisant des recettes comme si c'était de la poésie, en étudiant la petite Bo Peep comme si c'était des vers de T. S. Eliot, en décortiquant « La valse de Papa », en écoutant James et Daniel raconter les dessous de l'histoire de leur dîner, en pique-niquant à Stuyvesant Square, en lisant Mimi Sheraton. Je vous signale que si vous n'avez rien appris au cours des activités que je viens de citer, c'est que vous étiez en train de dormir pendant le formidable solo de violon de Michael et l'ode au canard de Pam à moins, et ce n'est pas exclu, mes amis, que je sois un mauvais prof.

Ils crient. Ouais, c'est ça. Vous êtes un mauvais prof, et on rit tous parce qu'on sait que c'est en partie vrai et parce qu'ils se sentent assez libres pour le dire et que je comprends la plaisanterie.

Les élèves sérieux ne sont pas contents. Ils affirment que dans les autres cours le professeur te dit ce que tu dois savoir. Il te l'enseigne, et tu dois l'apprendre. Puis le professeur te fait passer un examen et tu obtiens la note que tu mérites.

Les élèves sérieux disent que c'est agréable de savoir à l'avance ce que tu dois connaître, comme ça tu peux t'y préparer. Ils disent, Dans ce cours, on ne sait jamais ce qu'on doit savoir, alors comment fait-on pour étudier et comment peut-on s'autoévaluer ? Dans ce cours, on ne sait jamais à quoi s'attendre d'un jour à l'autre. Le grand mystère, à la fin du semestre, c'est comment le prof a fait pour mettre une note ?

Je vais vous expliquer comment je note. Premièrement, quelle a été votre assiduité ? Même si vous êtes resté sans parler, assis au fond, mais que vous avez réfléchi aux débats et aux lectures, vous avez certainement appris quelque chose. Deuxièmement, est-ce que vous avez participé ? Êtes-vous montés sur l'estrade pour lire, les vendredis ? N'importe quoi, des histoires, des essais, de la poésie, des pièces de théâtre. Troisièmement, Avez-vous fait des commentaires sur le travail de vos camarades de classe ? Quatrièmement, et c'est comme vous voulez, pouvez-vous réfléchir à cette expérience et vous demander ce qu'elle vous a apporté ? Cinquièmement, Êtes-vous simplement restés assis, à rêvasser ? Si oui, c'est tout à votre honneur.

C'est là que le professeur redevient sérieux et pose la Grande Question : Mais qu'est-ce que l'éducation, de toute façon ? Que faisons-nous dans ce lycée ? Vous pouvez répondre que vous voulez obtenir votre diplôme afin d'aller à l'université et préparer votre avenir professionnel. Mais, chers élèves, c'est bien plus que ça. Moi aussi, je me suis demandé ce que je fichais dans cette classe. J'ai trouvé l'équation qui me convenait. Sur le pan gauche du tableau, j'écris un L majuscule, sur le pan droit un P majuscule. Je trace un trait de gauche à droite, de LIBERTÉ à PEUR.

Je ne crois pas que quelqu'un connaisse une liberté totale, mais ce que j'essaye de faire avec vous, c'est de reléguer la peur dans un coin.

17

LE CHAR AILÉ DU TEMPS QUI TOUJOURS SE RAPPROCHE est suivi de près par les Chiens du Paradis. Tu vieillis, sale Irlandais, espèce de faux cul jacasseur qui encourage et pousse les mômes à écrire alors que tu sais que tes propres rêves d'écriture sont en train de s'éteindre. Console-toi à cette pensée : un jour, un de tes élèves les plus doués obtiendra le National Book Award ou le prix Pulitzer, il t'invitera à la cérémonie et, lors d'un brillant discours de remerciements, reconnaîtra que c'est entièrement à toi qu'il le doit. On te demandera de te lever. Tu répondras aux hourras de la foule. Ce sera ton ascension au firmament, ta récompense pour les milliers de cours donnés, les millions de pages lues. Ton lauréat t'étreint, et tu disparais dans les rues de New York, petit vieux qui descend péniblement les marches de son appartement, miette dans le placard, carafe d'eau dans le réfrigérateur, une ampoule à faible voltage accrochée sur le petit lit de célibataire.

Le grand drame américain, c'est la collision entre l'adolescence et la quarantaine. Mes hormones rêvent d'une clairière tranquille dans les bois, les leurs sont impudentes, palpitantes, exigeantes.

Aujourd'hui, ils n'ont pas envie de se faire emmerder par les profs ou les parents.

Moi non plus, je n'ai pas envie qu'ils m'emmerdent. Je ne veux ni les voir, ni les entendre. J'ai gaspillé mes plus belles années pour des adolescents braillards. Au lieu de passer tout ce temps dans des salles de classe, j'aurais pu lire des milliers de livres. J'aurais pu écumer la bibliothèque de la 42e Rue, une aile après l'autre. J'aimerais que ces gosses disparaissent. Je ne suis pas d'humeur.

Certains jours, je meurs d'envie d'entrer en cours. J'attends, impatient, dans le couloir. Je trépigne. Allez, monsieur Ritterman. Dépêchons. Finissez votre maudit cours de maths. J'ai des choses à dire à cette classe.

Une jeune remplaçante s'est assise à côté de moi dans la cantine des profs. Elle allait devenir titulaire en septembre et est-ce que je pouvais lui donner quelques conseils ?

Trouvez ce que vous aimez et faites-le. Ça se résume à ça. Je dois reconnaître que je n'ai pas toujours aimé enseigner. Je nageais complètement. Homme ou femme, tu es seul dans ta salle, face à cinq classes par jour, cinq classes d'adolescents. Une unité d'énergie contre cent soixante-quinze unités d'énergie, cent soixante-quinze bombes à retardement, et tu dois te débrouiller pour trouver un moyen de sauver ta peau. Ils t'apprécieront peut-être, voire ils t'aimeront, mais ils sont jeunes et une de leurs attributions, c'est de chasser les vieux de la surface de la terre. Je sais que je force un peu le trait mais tu es comme un boxeur qui entre sur le ring ou un torero dans l'arène. Tu peux tomber par K-O ou te faire encorner, ça sonnera le glas de ta carrière d'enseignant. Mais si tu t'accroches, tu apprends les ficelles. C'est difficile, mais il faut que tu te sentes à l'aise dans ta classe. Tu dois être égoïste. Les compagnies aériennes disent que si tu manques d'oxygène il faut d'abord que tu mettes ton masque, même si ton instinct te dicte de sauver un enfant.

La classe est le théâtre de grandes tragédies. Tu ne sauras jamais l'effet que tu as eu sur les centaines d'élèves qui y défilent, ni ce que tu as fait pour eux. Tu les vois qui quittent la salle ; rêveurs, amorphes, narquois, admiratifs, souriants, interloqués. Au bout de quelques années, des antennes te poussent. Tu sens quand tu les as touchés ou quand tu te les es aliénés. C'est chimique. C'est psychologique. C'est l'instinct animal. Tu es avec les mômes et, tant que tu restes prof, il n'y a pas d'échappatoire. N'attends pas d'aide de la part des gens qui ont fui la salle de classe, tes supérieurs. Ils sont trop occupés à aller déjeuner et à nourrir les plus hautes pensées. C'est entre toi et les gamins. Tiens, la sonnerie. À plus tard. Trouvez ce que vous aimez et faites-le.

C'était le mois d'avril, il faisait beau dehors et je me demandais combien il me restait d'avrils, combien de journées ensoleillées. Je me mettais à songer que je n'avais plus rien à dire aux lycéens de New York, sur l'écriture ou quoi que ce soit. Ma voix commençait à faiblir. Je croyais que je voulais profiter du monde avant de ne plus en faire partie. Qui étais-je pour parler d'écriture alors que je n'avais jamais écrit de livre, et encore moins publié ? Tous mes beaux discours, tous mes gribouillis dans mes cahiers avaient été vains. Ne se posaient-ils pas des questions là-dessus ? Ne pensaient-ils pas, Comment fait-il pour parler autant d'écriture, lui qui n'a jamais écrit une ligne ?

Il était temps de prendre ma retraite, de vivre de ma pension d'enseignant qui était loin d'être princière. Je rattraperais les lectures ratées de ces trente dernières années. Je passerais des heures à la bibliothèque de la 42e Rue, l'endroit que j'aime le plus à New York, je me baladerais, irais boire une bière au Lion's Head, bavarderais avec Deacy, Duggan, Hamill, apprendrais la guitare et les centaines de chansons qui vont avec, emmènerais dîner ma fille Maggie dans l'East Village, gribouillerais dans mes cahiers. J'en tirerais peut-être quelque chose.

Je m'en sortirais.

Quand Guy Lind était en seconde il est venu au lycée muni d'un parapluie, un jour où il tombait de la neige fondue. Il a croisé un copain au deuxième étage qui en avait un lui aussi. Ils se sont mis à croiser le fer avec leurs parapluies jusqu'à ce que le copain glisse et que le bout de son parapluie se fiche dans l'œil de Guy et le laisse hémiplégique.

On l'a emmené à l'hôpital Beth-Israël, de l'autre côté de la rue, ce qui a inauguré un long voyage de ville en ville et de pays en pays. Il a même été emmené en Israël, où le conflit permettait aux hôpitaux d'être à la pointe en traumatologie et en soins.

Guy est revenu au lycée en chaise roulante, arborant sur l'œil un bandeau noir. Au bout d'un moment, il a réussi à se frayer un chemin dans les couloirs à l'aide d'une canne. Il a fini par se débarrasser de la canne et on n'aurait pas cru qu'il avait eu un accident, si ce n'avait été son bandeau noir et un bras qui pendouillait, inutile, sur sa table.

Et voilà que Guy, lors de mon dernier cours, écoutait Rachel Blaustein, de l'autre côté de la salle. Elle parlait d'un cours de poésie qu'elle avait suivi dans la classe de Mme Kocela. Elle aimait bien le cours et la façon dont Mme Kocela enseignait la poésie mais c'était vraiment une perte de temps pour elle. Sur quoi aurait-elle bien pu écrire quand sa vie était tellement parfaite : ses parents étaient heureux et fortunés ; Rachel, fille unique et en partance pour Harvard ; Rachel en parfaite santé ?

Je lui ai dit qu'elle devrait ajouter la beauté à son catalogue de perfections.

Elle a souri, mais la question persistait, Sur quoi aurait-elle pu bien écrire ?

Quelqu'un a dit, J'aimerais bien avoir tes soucis, Rachel. Elle a souri de nouveau.

Guy nous a raconté ses expériences des deux années écoulées. Malgré tout ce qu'il avait subi, il ne regrettait rien. D'hôpital en hôpital, il avait rencontré des gens détruits, malades, qui souffraient en silence. Il a dit que ça lui avait fait considérer son accident sous un angle différent. Non, il ne regrettait rien.

C'est le dernier cours de lycée, pour eux et pour moi. Les larmes et les manifestations d'émerveillement que Guy nous adresse par son histoire pour nous guider nous rappellent qu'il faut nous estimer heureux.

La sonnerie retentit et ils me couvrent de confettis. On me souhaite une vie heureuse. Je leur retourne le souhait. Je marche, constellé de couleurs, le long du couloir.

Quelqu'un crie, Hé ! m'sieur McCourt, vous devriez écrire un livre.

18

JE VAIS ESSAYER.

Remerciements

Merci à l'American Academy de Rome pour ces trois mois de travail, de splendeur, et de joie.

Merci à Pam Carter du Savoy Hotel de Londres de m'avoir bichonné pendant trois mois dans cette suite avec vue sur le fleuve.

Merci à mon agent, Molly Friedrich, pour ses paroles qui ont illuminé mes jours sombres.

Pour mon éditrice, Nan Graham, sortez tambours et trompettes. J'ai enchaîné les mots mais, sous mes yeux émerveillés, c'est elle qui a suggéré et ciselé jusqu'à ce qu'un livre apparaisse.

Et tout mon amour à toi, Ellen, femme merveilleuse, toujours enjouée et radieuse, toujours prête pour l'aventure, toujours aimable.

Collection « Littérature étrangère »

AGUÉEV M.
Roman avec cocaïne
ALI Monica
Sept mers et treize rivières
ALLISON Dorothy
Retour à Cayro
ANDERSON Scott
Triage
ANDRÍC Ivo
Titanic et autres contes juifs de Bosnie
Le Pont sur la Drina
La Chronique de Travnik
Mara la courtisane
BANKS Iain
Le Business
BAXTER Charles
Festin d'amour
BENEDETTI Mario
La Trêve
BERENDT John
Minuit dans le jardin du bien et du mal
BROOKNER Anita
Hôtel du Lac
La Vie, quelque part
Providence
Mésalliance
Dolly
États seconds
Une chute très lente
Une trop longue attente
Fêlures
Le Dernier Voyage
CONROY Pat
Le Prince des marées
COURTENAY Bryce
La Puissance de l'Ange
CUNNINGHAM Michael
La Maison du bout du monde
Les Heures
De chair et de sang
Le Livre des jours
DORRESTEIN Renate
Vices cachés
Un cœur de pierre
Sans merci
EDELMAN Gwen
Dernier refuge avant la nuit
FEUCHTWANGER Lion
Le Diable en France
Le Juif Süss
FITZGERALD Francis Scott
Entre trois et quatre
Fleurs interdites
Fragments du paradis
Tendre est la nuit
FREY James
Mille morceaux
FRY Stephen
Mensonges, mensonges
L'Hippopotame
L'Île du Dr Mallo
GALE Patrick
Chronique d'un été
Une douce obscurité
GARLAND Alex
Le Coma
GEMMELL Nikki
Les Noces sauvages
Love Song
GILBERT David
Les Normaux
GLENDINNING Victoria
Le Don de Charlotte
HAGEN George
La Famille Lament
HARIG Ludwig
Malheur à qui danse hors de la ronde

Les Hortensias
de Mme von Roselius
HOLLERAN Andrew
Le Danseur de Manhattan
HOSSEINI Khaled
Les Cerfs-volants de Kaboul
JAMES Henry
La Muse tragique
JERSILD P. C.
Un amour d'autrefois
JOHNSTON Jennifer
Ceci n'est pas un roman
JULAVITS Heidi
Des anges et des chiens
KAMINER Wladimir
Musique militaire
Voyage à Trulala
KANON Joseph
L'Ami allemand
Alibi
KASHUA Sayed
Les Arabes dansent aussi
KENNEDY William
L'Herbe de fer
Jack « Legs » Diamond
Billy Phelan
Le Livre de Quinn
KNEALE Matthew
Les Passagers anglais
Douce Tamise
Cauchemar nippon
Petits crimes
dans un âge d'abondance
KRAUSSER Helmut
Nouvelle de la douleur
KUNKEL Benjamin
Indécision
LAMB Wally
La Puissance des vaincus
LAMPO Hubert
Retour en Atlantide
LAWSON Mary
Le Choix des Morrison
LEONI Giulio
La Conjuration
du Troisième Ciel
LISCANO Carlos
La Route d'Ithaque
Le Fourgon des fous
LOTT Tim
Lames de fond
Les Secrets amoureux d'un don
Juan
MADDEN Deirdre
Rien n'est noir
Irlande, nuit froide
Authenticité
MASTRETTA Ángeles
Mal d'amour
McCANN Colum
Les Saisons de la nuit
La Rivière de l'exil
Ailleurs, en ce pays
Danseur
McCOURT Frank
Les Cendres d'Angela
C'est comment l'Amérique ?
McFARLAND Dennis
L'École des aveugles
McGAHERN John
Journée d'adieu
La Caserne
McGARRY MORRIS Mary
Mélodie du temps ordinaire
Fiona Range
Un abri en ce monde
Une douloureuse absence
MILLER Henry
Moloch
MILLER Sue
Une invitée très respectable
MORGAN Rupert
Poulet farci
Une étrange solitude
MURAKAMI Haruki
Au sud de la frontière,
à l'ouest du soleil
Les Amants du Spoutnik
Kafka sur le rivage
O'CASEY Sean
Une enfance irlandaise
Les Tambours de Dublin

Douce Irlande, adieu
Rose et Couronne
Coucher de soleil et étoile du soir

O'DELL Tawni
Le Temps de la colère
Retour à Coal Run

O'FARRELL Maggie
Quand tu es parti
La Maîtresse de mon amant
La Distance entre nous

PARLAND Henry
Déconstructions

PAVIĆ Milorad
Paysage peint avec du thé
L'Envers du vent
Le Roman de Héro et Léandre
Le Rideau de fer
Les Chevaux de Saint-Marc

PAYNE David
Le Dragon et le Tigre : confessions d'un taoïste à Wall Street
Le Monde perdu de Joe Madden
Le Phare d'un monde flottant

PEARS Iain
Le Cercle de la Croix
Le Songe de Scipion
Le Portrait

RAYMO Chet
Dans les serres du faucon
Chattanooga
Le Nain astronome

ROSEN Jonathan
La Pomme d'Ève

SALZMAN Mark
Le Verdict du soliste

SANSOM C. J.
Dissolution
Les Larmes du diable

SAVAGE Thomas
Le Pouvoir du chien
La Reine de l'Idaho

SCHWARTZ Leslie
Perdu dans les bois

SHARPE Tom
Fumiers et Cie
Panique à Porterhouse
Comment échapper à sa femme et ses quadruplées en épousant une théorie marxiste – Wilt 4

SHRIVER Lionel
Il faut qu'on parle de Kevin

SIMPSON Thomas William
Pleine lune sur l'Amérique

SOYINKA Wole
Isara

STEVANOVIĆ Vidosav
La Neige et les Chiens
Christos et les Chiens

SWARUP Vikas
Les fabuleuses aventures d'un Indien malchanceux qui devint milliardaire

'T HART Maarten
La Colère du monde entier
Le Retardataire

TOBIN Betsy
Dora
Nathan et les lions

TRAPIDO Barbara
L'Épreuve du soliste

TSUJI Hitonari
En attendant le soleil

UNSWORTH Barry
Le Nègre du paradis
La Folie Nelson

USTINOV Peter
Le Désinformateur
Le Vieil Homme et M. Smith
Dieu et les Chemins de fer d'État
La Mauvaise Carte

VALLEJO Fernando
La Vierge des tueurs
Le Feu secret
La Rambla paralela

VREELAND Susan
Jeune fille en bleu jacinthe

WATSON Larry
Sonja à la fenêtre

WEST Dorothy
Le Mariage
WIJKMARK Carl-Henning
Da capo
ZANIEWSKI Andrzej
Mémoires d'un rat
ZEH Juli
L'Aigle et l'Ange
ZHANG Xianliang
La mort est une habitude
La moitié de l'homme, c'est la femme
ZWEIG Stefan
La Guérison par l'esprit
Trois poètes de leur vie
Le Combat avec le démon
Ivresse de la métamorphose
Émile Verhaeren
Journaux 1912-1940
Destruction d'un cœur
Trois maîtres
Les Très Riches Heures de l'humanité
L'Amour d'Erika Ewald
Amerigo, récit d'une erreur historique
Clarissa
Un mariage à Lyon
Le Monde d'hier. Souvenirs d'un Européen
Wondrak
Pays, villes, paysages. Écrits de voyages
Hommes et destins
Voyages
Romain Rolland

Composition et mise en pages : FACOMPO, LISIEUX

Imprimé au Canada